PÁJAROS SIN LUZ

NOEMÍ CIOLLARO

Pájaros sin luz

Testimonios de mujeres de desaparecidos

PLANETA
Espejo de la Argentina

Espejo de la Argentina

Diseño de cubierta: Mario Blanco
Diseño de interior: Orestes Pantelides

Independencia 1668, Buenos Aires
Grupo Planeta

ISBN 950-49-0420-3

Hecho el depósito que prevé la ley 11.723
Impreso en la Argentina

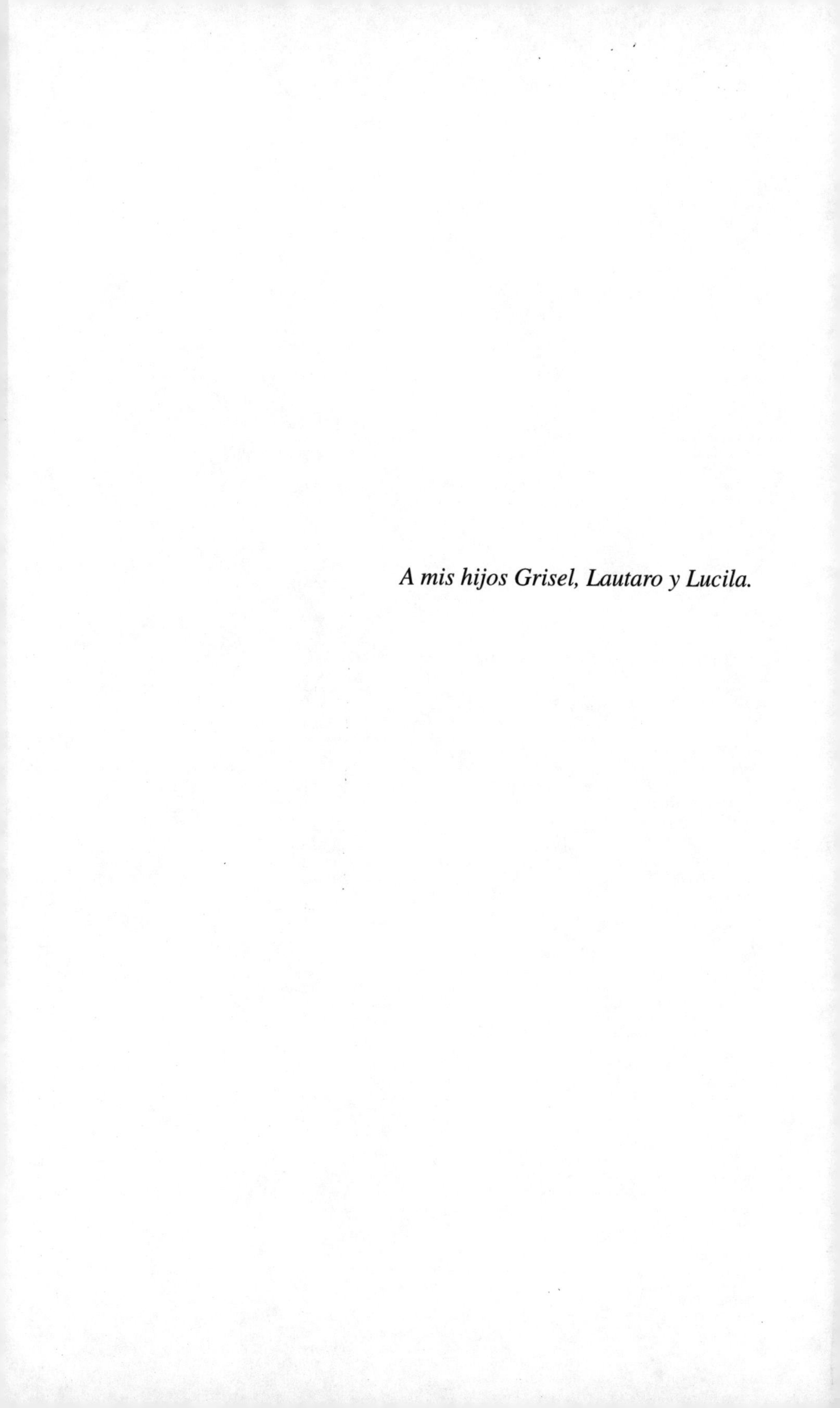

A mis hijos Grisel, Lautaro y Lucila.

"Después,
qué importa del después.
Toda mi vida es el ayer
que me detiene en el pasado,
eterna y vieja juventud
que me ha dejado acobardado
como un pájaro sin luz."

Naranjo en flor,
HOMERO Y VIRGILIO EXPÓSITO.

PRÓLOGO

Nuestra historia en toda su infamia La fórmula del general

Por OSVALDO BAYER

LOS TESTIMONIOS QUE HA LOGRADO JUNTAR Noemí Ciollaro –y el suyo propio– conforman una de las obras que más nos acercan a la realidad tortuosa, vergonzosa, denigrante, que vivió nuestro país durante la dictadura de los desaparecidos. Esa realidad, tal vez sólo pueda describirse con más exactitud con la palabra infame. Es decir, vil, sin honra. Infame, ése es el vocablo que puede llevar en sí los detalles de lo que fue la indignidad de los métodos represivos, la degradación del ser humano a su más absoluta humillación.

He leído estas páginas. Estoy bien informado de lo que pasó y lo estuve desde el mismo 24 de marzo de 1976. Pero su lectura me llevó a tanta emoción y a tanta indignación que le puedo decir ahora al lector que este libro servirá en el futuro para ilustrar con más profundidad aún todo lo que ocurrió en los años de la infamia. Poner en claro esa información tan manejada por voceros oficiales, repentinos defensores de los derechos humanos y gente de dos rostros. Son testimonios de mujeres de desaparecidos. Y aquí viene la pregunta fundamental: ¿por qué Madres, Abuelas, Hijos y nunca Mujeres de desaparecidos? Aquí, ellas mismas buscan –hasta con desesperación– encontrar la respuesta. ¿Por qué las madres, las abuelas y los hijos, y no las que habían sido sus compañeras? ¿Acaso porque aquéllas y éstos tenían directos lazos de sangre? Si así es se podría decir: ¿pero acaso éstas no llevaron en sus entrañas a los hijos de los desaparecidos? En este libro se puede ir acercando la respuesta. Para algunas de las protagonistas la culpa la tienen otras; para otras protagonistas, la culpa la tienen ellas mismas o las circunstancias. Pero el lector –y en esto ayuda mucho la compiladora Noemí Ciollaro– se dará cuenta de que todo está dado en la conformación de la sociedad argentina, en las relaciones, los mitos y las circunstancias que la han rodeado. Éste es un problema que interesará enormemente a los psicólogos sociales y no deja de ser un aspecto importante del pasado cercano argentino. Aunque también de nuestro presente.

Pero este aspecto del drama no debería distraernos para nada del horror sistemático empleado por el poder, y en eso está el nudo, aquí sí está la verdadera definición, la interpretación de fondo de nuestro contexto social.

Me ha ocurrido que tuve que detenerme en la lectura, cerrar el libro y verme en la necesidad de no seguir leyendo; la angustia avanza, la reacción ante lo inmensamente injusto, el preguntarse: ¿dónde estaban las instituciones, quién educó a los sicarios, cómo es posible que la sociedad se convirtiera en la caza despiadada del otro ser humano, de sus bienes, de todo su imaginario? Los dictadores antes tenían por lo menos la valentía de instalar el cadalso en la plaza pública y hacer leer motivos y penas; en nuestra Argentina, no: desaparición. No hay horror más perverso. Cuando el dictador Videla, ante la televisión, mueve las manos y gira su cuerpo para decir: "no están ni vivos ni muertos, están desaparecidos", nos deja el testimonio más elocuente de la profundidad del abismo moral. El término desaparición incluye todo lo imaginado –y hasta ese momento lo inimaginado– en cuanto a la crueldad y al gozo perverso pero también en lo que atañe al lucro, todo lo que se podía despojar, desde las carteras de colegio de los pequeños hijos del perseguido, hasta el gozo de su casa durante años o para siempre, o el del automóvil y el televisor, todo pasaba a ser de ellos. De la tortura de la embarazada con la picana eléctrica por el ano o por la misma zona sagrada del alumbramiento. Todo estaba permitido para los representantes de la ley. O la trompada del médico policial a la embarazada porque ésta dijo su nombre. Todos ellos, los directores de institutos penales pero también los jueces. Y todo esto quedó impune. Los representantes elegidos por el pueblo votaron obediencia debida y punto final, el representante del poder mafioso decretó el indulto.

En esta serie de testimonios no hay uno más valioso que otro. Cada uno está describiendo además la identidad y la idiosincrasia de la testimoniante. Pero claro, el relato de la mujer del obrero chileno Jaramillo es un dibujo en blanco y negro de nuestra realidad sin búsquedas de interpretaciones psicoanalíticas o sociológicas –siempre bienvenidas– pero, en este caso, Dora de Jaramillo deja al descubierto cómo fueron los procedimientos cuando la víctima era pobre. Aquí queda en claro para quién se hizo la dictadura. Cómo las empresas coadyuvaron o actuaron directamente en el sistema represivo y fueron las grandes ganadoras. Y con ellas todo el armazón del sistema: los dirigentes gremiales del *establishment,* los políticos del sistema, los docentes de la derecha constante, la iglesia del poder. Todo surge de las denuncias, con nombres, con la impunidad, con el silencio. Y las clases obedientes. Aunque fueran padres, madres, hermanos, vecinos. Pero también los otros, los altruistas cuyo nombre nunca registra la historia pero son los verdaderos héroes de toda esta tragedia de la degradación humana.

No sólo la desaparición del ser amado les esperaba a ellas: lo posterior, la duda, la desesperación, el abrirse paso para alimentar y seguir adelante, la búsqueda. Y siempre el por algo será. Los que describieron la vida, pasión y muerte de Jesús, no imaginaron estos sufrimientos extremos. Esas mujeres con sus pequeños hijos en medio de la vida escondiéndose de los verdugos, sufriendo el miedo diario por sus compañeros y por sus hijos, el recuerdo del allanamiento, ese terror que tiene que haberle apretado las gargantas y aflojado las piernas: "Los culatazos en su nuca", dice sencillamente Noemí de esa noche, y los golpes que le propinaron al ser tan amado: "Sé que en ese momento tuve un presentimiento de muerte. Pero son deducciones que van apareciendo a través de los años. Lo concreto es que una no sabe nada... es un pensamiento circular que no tiene fin. Porque no hay respuesta. No hay certeza. No hay verdad. No hay justicia. No hay olvido". No puede haber olvido. (Aquí el error garrafal de los generales, almirantes y brigadieres. A la simple fórmula bestial de Videla: "no están ni vivos ni muertos, están desaparecidos", se le agregó un cociente, un múltiplo, se le relativizó la fórmula matemática; a esa fórmula de Videla se le agregó una sombra que va aumentando de tamaño: la fórmula no produce olvido.) Los muertos no están enterrados, los desaparecidos reaparecen, vienen y van. Vuelven en la realidad, en la jurisprudencia, en las aulas, en la política, en la religión. Se han convertido en el pecado original de los argentinos. Los hijos, los nietos, los bisnietos de militares, policías, guardiacárceles, funcionarios y ganapanes del régimen, esconderán su origen. (O pedirán perdón, como lo hacen hoy los nietos de los estancieros en los actos ante las tumbas masivas de los peones patagónicos fusilados en 1921.)

Hay que ponerse en el lugar de esas mujeres que le arrancaron el amor para siempre: "Sentía un inacabable agujero en el alma por los que ya no estaban, por las esperanzas perdidas, por los sueños abortados, por un mundo que, sospechaba, había desaparecido para siempre". No sólo había desaparecido el amor sino también el mundo que lo había conformado. Aunque las enredaderas en el patio no siguieran igual. Como si nada hubiera pasado. Pero eso sí: "la malignidad de alguna gente fue indescriptible". Por algo será. Primero eso. Luego serán los "dos demonios", para llegar a un arreglo, para sentirnos de nuevo todos argentinos. El desaparecedor y el desaparecido. Obediencia debida y punto final y a mirar para adelante: el dueño de la fábrica donde desaparecieron todos los delegados y el hijo del delegado desaparecido. El oficio de perdonar está en los culpables.

Pero el camino, siempre el único, a pesar de todo: "la resistencia cotidiana, resistencia a la destrucción de la dignidad, de la memoria, de la historia", nos dice una testimoniante.

Este libro tendría que ser premiado por todas las academias del mundo: por su verdad, por su sencillez, por su dolor humano, por su fuerza, por la desnudación de todo el oprobio, dicho así, directo, casi un cuarto de siglo después. Madurez, sabiduría, tristeza, fuerza.

Videla, otra vez: "Mientras sea desaparecido no puede tener tratamiento especial, porque no tiene entidad; no está muerto ni vivo".

No tiene entidad, dictamina. No están ni muertos ni vivos. Están entre nosotros, nos siguen todos los días y todas las noches. La tragedia griega tiene un nuevo escenario en la Plaza de Mayo. El dictador repite: "No están ni muertos ni vivos". "No están ni muertos ni vivos." Pero agrega Videla (fíjese el lector las palabras): "El desaparecido en tanto está como tal, es una incógnita. Si reapareciera tendría un tratamiento equis". Equis. El tratamiento equis, un invento argentino. Aplicación de la teoría de la relatividad en mente de un general argentino. Pero prosigue nuestro general: "Pero si la desaparición se convirtiera en certeza, su fallecimiento tiene otro tratamiento". Aquí está la clave. Es la deshumanización total del lenguaje, el despellejamiento vivo de la dignidad, el aplique de la espingarda eléctrica en la vagina de la vida, el desenguante del sentido noble de la existencia, el derribar un árbol porque molesta a la vista.

Aquí está la historia diaria de esa filosofía necrológica. Día por día, sentimiento por sentimiento. La abyección, la cobardía, la felonía. Auschwitz, El Vesubio, Bergen-Belsen, la Esma. Nuestros generales ya marchan. Nicolaides lleva a la rastra a sus fusilados de Margarita Belén. ¿Están desaparecidos o su desaparición se ha convertido en certeza? La historia macabra de los argentinos.

Estas páginas la convierten en infame. Ni vivos ni muertos. Aparecen.

Noemí Ciollaro

A EDUARDO LO SECUESTRARON la tarde del sábado 5 de noviembre de 1977. Habíamos ido al supermercado con nuestros hijos, Grisel, de tres años y medio, y Lautaro, de poco más de dos meses. Lloviznaba a cada rato. Volvíamos a casa en el viejo Citröen, comiendo chocolates y cantando canciones con Grisel, cuando apareció el Falcon blanco, sin chapas, con los cuatro malparidos adentro. De civil. Lo último que alcanzó a decirme Eduardo fue: "No los mires". Atravesaron el auto cortándonos el paso. Lo bajaron a culatazos en la nuca. Su resistencia y mis gritos fueron inútiles. A Grisel y a mí nos apuntaron a la cabeza con Itakas. Lo último que vi fue que lo tiraban en el piso del Falcon mientras seguían golpeándolo. Y arrancaron violentamente hacia alguna sucursal del infierno.

Muy rápido la avenida Álvarez Thomas recuperó el aspecto habitual. Poca gente se bajó de sus autos. La mayoría continuó su rumbo como si no hubiera pasado nada. Nada. Los pocos que se acercaron preguntaban: "¿Pero él qué hacía? ¿Era sindicalista? ¿A qué se dedicaba? ¿Estaba en algo?".

No sé cómo bajé del auto, no lo puedo recordar, pero de pronto estaba en el medio de la avenida, con Lautaro en brazos y Grisel de la mano, apretándolos, con terror de que alguien me los sacara. Atontada, temblando como una hoja, pasmada porque se lo habían llevado a Eduardo. Y a mí me habían dejado.

Decidí no regresar a casa y dejé el auto en esa misma esquina, los tipos se habían llevado las llaves; luego el Citröen desapareció también. Lo primero que hice fue llamar a los padres de Eduardo desde un teléfono público. Quedaron mudos, paralizados. Veníte para acá, dijeron. Lo segundo que hice fue llamar a Daniel, un amigo periodista que iba a venir a comer a casa esa noche. No te muevas de ahí que paso a buscarte, me dijo. Anochecía. Los tres solos esperando. Apretados. En el desamparo más oscuro que conocí en mi vida. Lautaro lloraba sin parar. Grisel lloraba y preguntaba. Nunca encontré respuestas que la conformaran. De esa esquina nos rescató Daniel, solidario e inconsciente amigo.

Después, sólo silencio. Y esa palabra argentina que nació con destino de eternidad. Desaparecido.

Han pasado más de veintiún años y nunca supimos nada de Eduardo. Nadie lo vio. Nadie sabe quiénes fueron los que se lo llevaron. En qué lugar estuvo. Cuándo, cómo lo mataron. Nunca. Nadie. Nada.

Conocí a Eduardo Marino a fines de 1968, en una peña que habíamos organizado con un grupo de compañeras que militábamos en la villa Ciudad Oculta, en Mataderos; queríamos juntar dinero para hacer una fiesta de fin de año con los chicos de la villa. Vinieron compañeros del PCR (Partido Comunista Revolucionario) y de otras organizaciones, y se juntó tanta gente que apenas podíamos con la venta de vino, empanadas y pastelitos. Hubo música, baile, guitarreada, y canciones revolucionarias hasta el amanecer, pero las organizadoras lo pasamos contando a cuánto ascendía el dinero recolectado y calentando empanadas. En algún momento de la noche Marta, una de mis compañeras, me presentó al compañero con el que ella estaba saliendo. Y a Eduardo. Nos saludamos y eso fue todo. Al terminar la peña, mientras limpiábamos la casa, ella me preguntó qué me había parecido Eduardo. Recuerdo que le dije: "Es buen mozo, pero no me fijé mucho, estaba loca con el tema de las empanadas". Marta se rió y me contestó: "Bueno, nena, la próxima vez fijáte porque él te miró toda la noche y le dijo a mi compañero que le gustabas".

Eduardo tenía 27 años, nueve más que yo, era militante universitario y había tenido una activa participación en la ruptura con el PC (Partido Comunista). Venía de una familia de viejos comunistas, de parte de ambos padres. Creo que lo afiliaron al PC al mismo tiempo que le dieron la partida de nacimiento. Estaba separado desde no hacía mucho tiempo y tenía un hijo, Ariel, que todavía no había cumplido tres años.

A Eduardo le gustaban el tango y el jazz, River, la calle Corrientes, Pippo y el café La París, el buen cine, la literatura, las calles arboladas de Villa Urquiza donde había pasado parte de su infancia. Soñaba con ser ingeniero pero había abandonado la carrera y estudiaba análisis de sistemas; trabajaba en una empresa dedicada a esa actividad y militaba muchas horas por día. Era un "duro" típico de los 70, bastante machista, muy apegado a los compañeros, introvertido en lo afectivo, adoraba a la familia paterna rosarina y peleaba continuamente con la imagen y la presencia de su padre, un viejo militante de fuerte personalidad a quien, como único hijo, le resultaba muy difícil satisfacer en sus expectativas. Eduardo amó profundamente a sus tres hijos, Ariel, de su primer matrimonio, y Grisel y Lautaro, de su pareja conmigo.

Comenzamos nuestra relación a principios del 69 y continuamos juntos hasta el 5 de noviembre de 1977, cuando lo desaparecieron.

A fines del 67 yo me había integrado a un grupo católico que trabajaba en Ciudad Oculta; algunos de nosotros éramos incipientes seguidores del padre Carlos Mugica y del Movimiento de Sacerdotes para el Tercer Mundo, pero no estábamos incorporados a ninguna organización o partido político. En diciembre del 67 me había recibido de maestra, y en el 68 cursé el ingreso a la Facultad de Derecho, en la UBA, carrera que abandoné tres años más tarde.

Recuerdo aquella época como una sorpresa constante, y un deslumbramiento total por lo que significaba acceder al mundo de las ideas, de la política, de la militancia. Había cursado desde jardín de infantes hasta terminar el secundario en escuelas de monjas y estaba acostumbrada a un mundo pequeño, de pautas bastante rígidas, que me agobiaban. El contacto con la Universidad y el trabajo en las villas abrió ante mí un panorama inmenso en el que el futuro aparecía como un camino de lucha y esperanza. Latinoamérica estaba en ebullición y muchos jóvenes de mi generación nos enamoramos de esa vitalidad desbordante.

Con Marta, una de mis compañeras del grupo de la villa, se dio una relación de mucha amistad y cercanía. La Negra, como la llamábamos todos, era unos años mayor que yo y estudiaba filosofía, estaba mucho más armada ideológicamente, y a mediados del 68 tenía casi decidida su integración al PCR. Pasábamos noches enteras discurriendo acerca de la necesidad impostergable de adquirir un compromiso militante más fuerte que el que teníamos con el grupo de Ciudad Oculta. Un compromiso revolucionario, decíamos. Marta se había contactado en la facultad con militantes del PCR. Yo simpatizaba con el peronismo revolucionario, pero el discurso de Marta pudo más y el marxismo que ella describía en oposición al peronismo tuvo más peso a la hora de comparar argumentos. Nos llevó poco tiempo tomar una decisión, concretamos una reunión con los militantes de villas del PCR y nos integramos a ellos. Tuvimos compañeros con los que militar era una alegría y un compromiso constante: Luisito Elenzvaig, desaparecido en 1977, el "Tano" Luciano, Paula, los López que vivían en Ciudad Oculta, y muchos otros que recuerdo con enorme afecto. Por supuesto, abandonamos el grupo católico que, obviamente, no era compatible con nuestra elección, pero seguimos militando en Ciudad Oculta.

Eduardo no militaba en ámbitos de superficie y sus diferencias con el devenir del PCR se profundizaron aceleradamente; entre tanto, junto a otros compañeros mantenía frecuentes debates con militantes de las FAR (Fuerzas Armadas Revolucionarias). Yo seguía con atención lo poco que me llegaba de estos debates, al tiempo que me preocupaba la situación que vivíamos en Ciudad Oculta, donde la militancia de mi grupo se había ido transformando en algo semiclandestino que nos alejaba de la gente. En poco tiempo los habitantes del barrio supieron que los inofensivos maestros que de día daban clases a los chicos, ayudaban a los enfermos y colaboraban con la comisión vecinal eran los mismos que de noche hacían pintadas, colgaban carteles del Che Guevara en los postes de luz y ponían trampas cazabobos para volantear. Alguna gente comenzó a cerrarnos sus puertas y quedamos reducidos a un grupo de vecinos que adherían al PCR.

Aquéllos fueron años de militancia fuerte y entusiasta, alegrías y decepciones, encarcelamientos y libertades. En el 71 nos fuimos del PCR y junto a un grupo de compañeros integramos una agrupación independiente, Los Obreros, que en el 73 en gran parte se sumó a Montoneros. Para mí fue la época de la proletarización y la de mayor actividad gremial, un tiempo de compañeros muy queridos a los cuales me unió un fuerte afecto: el "Polaco" Rubén Díaz y Marta Raya, Susy Togno y Juan Alberto "Pacho" Zanandrea, Mona, el "Chango" Sosa, el Bebe y tantos otros.

Marta, Mona y yo salíamos todas las madrugadas a buscar trabajo en alguna fábrica y no nos resultó sencillo lograrlo, pero después de varios meses las tres ingresamos como operarias en distintas empresas. Yo entré en Wobron, en Pacheco, provincia de Buenos Aires, y con Eduardo nos mudamos a Villa Adelina para acortar mis viajes e integrarme a las compañeras de la fábrica que vivían en la zona. Mi trabajo consistía en el soldado de circuitos eléctricos en placas que formaban parte de las motorolas que Wobron fabricaba. Éramos todas mujeres, excepto los capataces y supervisores; allí pude comprobar en carne propia la justicia de las reivindicaciones de las trabajadoras, pero también comprendí que mis compañeras, obreras auténticas, no estaban desesperadas por hacer la revolución ni por seguir ciegamente a la pretendida "vanguardia del proletariado". Con el paso de los meses consolidamos un grupo unido y solidario y logramos pequeñas reivindicaciones, pero quedé muy expuesta y, poco antes de concretar la elección de una comisión interna, me despidieron. Sentí una enorme sensación de fracaso y a pesar de que a la mayoría de los "proletarizados" nos sucedió lo mismo, yo no podía dejar de cuestionarme como militante. Entre tanto el clima político se iba enrareciendo y, aunque no éramos capaces de verlo, se prenunciaban en el país tiempos de oscuridad.

En mayo del 74 nació Grisel, preciosa, pero en medio de un clima muy inestable en lo familiar. Poco antes fuimos detenidos y al salir en libertad tuvimos que abandonar el lugar donde vivíamos. Por un tiempo paramos en casas de compañeros con ella recién nacida. Comenzó entonces una época de mucha angustia en la que a mí me resultaba muy difícil compatibilizar la maternidad con mi trabajo en una escuela y la militancia.

Vinieron los años difíciles, luego los trágicos: a fines del 75 comenzaron a exiliarse algunos compañeros y en el 76 los asesinatos y las desapariciones, que la Triple A había inciado mucho antes, se volvieron cotidianos. Para esa época Eduardo y yo tuvimos noticias de que habían ido a buscarnos a uno de nuestros anteriores domicilios, tomamos algunas precauciones durante unos días, pero no le dimos demasiada trascendencia al tema.

Poco antes del golpe yo había entrado a trabajar como redactora en un diario y estaba muy entusiasmada en ese aspecto, pero la pérdida de compañeros y el terror que se respiraba en el país me desgastaban día a día.

A fines del 76 quedé embarazada de Lautaro. Desde el exilio los compañeros nos instaban a abandonar el país, planteo que ya habían hecho antes de irse. En el 77, los pocos que quedaban partieron tras inútiles esfuerzos por convencernos de que era una locura quedarse. Yo fui siempre una militante de base, pero Eduardo había tenido mayor exposición.

Hubo un momento en el que seriamente consideramos la idea

de irnos, pero necesitábamos ayuda familiar. Eduardo no tenía trabajo, carecíamos de pasaportes y yo estaba embarazada. En la práctica la militancia había quedado reducida a envíos de materiales e informaciones locales a Europa, para compañeros que hacían una revista en el exilio. Eduardo decidió hablar con su padre y pedirle que nos ayudara con dinero para poder irnos; mi papá estaba muy enfermo y vivía con su esposa en Santa Fe. Pero la negativa del padre fue contundente: le dijo que si se iba del país nunca más iba a poder ver a su hijo mayor, la relación entre Eduardo y su ex mujer era pésima; además, la madre de Eduardo que sufría del corazón iba a morir sin volver a verlo ni a él ni a sus nietos; que era más peligroso salir del país en ese momento que quedarse, y le recriminó lo que llamaba sus errores políticos, por los cuales corría peligro. Lo instó a ponerse a trabajar y a retomar su carrera de ingeniería, a ser un hombre adulto de una vez por todas. Eduardo llegó a casa destruido y convencido de que no teníamos alternativa. Había que quedarse, trabajar, pensar en el futuro y hacer como que no pasaba nada. Lo acepté tácitamente, muda, a pesar de sentir una tremenda rebelión interior. Poco después comencé a tener pérdidas y tuve que hacer quince días de reposo para mantener el embarazo. Dediqué la poca energía que me quedaba a trabajar en el diario, atender a Grisel y cuidar mi panza. Eduardo, con ayuda de amigos, consiguió un buen trabajo en una empresa de informática, y se metió obsesivamente a pensar en cómo podía reciclar la casa vieja que teníamos. Pasaba horas y horas haciendo una maqueta del proyecto. A veces me contaba que se veía con un compañero a quien yo no conocía y a quien llamaba "El Cura". La soledad era mortal, frecuentábamos a algunos amigos que no tenían nada que ver con la política, y a una pareja que había dejado la militancia hacía tiempo. Algunas noches tomábamos unas ginebras y recordábamos mejores tiempos, tratando de conjurar el horror de las sirenas, los ruidos, los coches que se detenían con brusquedad. Las cartas de Norma y Sergio desde México eran una compañía irreemplazable. En un momento Eduardo volvió a mencionar la posibilidad de irnos, pero le dije que no, ya estaba a punto de parir, las noticias de los compañeros en el exilio eran malas, pasaban hambre, no conseguían trabajo, algunos estaban mal anímicamente. Yo ya no tenía fuerzas para afrontar semejante travesía y seguíamos sin pasaportes ni dinero.

El 21 de agosto de 1977 nació Lautaro, tuve un parto difícil aunque normal, era ver nacer la vida en medio de tanto espanto. Fue un momento de felicidad. Era un bebé divino, dulcísimo y alegre. Tomé licencia en el diario y entré en una profunda depresión, tenía accesos de llanto y una inmensa sensación de cercanía con la tragedia.

En octubre había entrado en una etapa de crisis total que me empeñaba en negar. Sentía un inacabable agujero en el alma por los que ya no estaban, por las esperanzas perdidas, por los sueños abortados, por un mundo que, sospechaba, había desaparecido para siempre. Me ocupaba con fervor de Grisel y de Lautaro, y procuraba que mi desasosiego se notara lo menos posible. Pero cada retraso, cada espera era una tortura. Cuando Eduardo se iba a trabajar por la mañana, Grisel lo despedía en la puerta y le gritaba: "¡Chau, bambino!", una frase que había aprendido de una canción; él le respondía: "¡Chau, bambina!", y la angustia se le veía en la cara. Era tanto el esfuerzo que hacíamos por no quebrarnos anímicamente que ni siquiera hablábamos de estas cosas. A lo largo del día nos llamábamos diez veces por teléfono, nadie lo decía, pero los temores eran palpables. Había motivos más que sobrados para temer, aunque fingiéramos que no pasaba nada. No éramos de los que no sabían qué estaba pasando.

La noche del 4 de noviembre de 1977, la anterior al día de su secuestro, Eduardo llegó muy nervioso a casa. Ensayó una explicación acerca de dificultades en el trabajo, pero antes de irnos a dormir se puso muy mal y me dijo: "Sé que me va a pasar algo, a mí me van a matar. Vos tenés que ser fuerte y cuidar a los chicos. Rehacer tu vida". Eso fue todo. Ninguna explicación, ninguna otra respuesta. Un silencio cerrado. Nunca pude saber de dónde provenía su certeza. A la mañana siguiente insistí. Me dijo que me quedara tranquila, que lo de la noche había sido porque estaba muy nervioso, que la presión que vivíamos era insoportable. Le creí, cómo me iba a animar a no creerle.

Después de que lo desaparecieron a Eduardo, los chicos y yo pasamos un mes de casa en casa, mientras hacía hábeas corpus y averiguaciones, todas inútiles. Nuestra casa no había sido allanada, pero algunos vecinos dijeron que habían visto unos Falcon rondando la zona durante varios días. Rápidamente tomé la decisión de no volver allí, no sólo por seguridad, sino porque la idea de vivir los tres solos en ese caserón me resultaba imposible. Al mes de la desaparición de Eduardo volví para llevarme un poco de ropa, unos juguetes y el perro. Todo estaba tal cual lo habíamos dejado aquel sábado antes de irnos al supermercado. La impresión fue terrible, ver las cosas de Eduardo, las camitas de los chicos, las enredaderas en el patio, como si nada hubiera pasado, como si todo hubiera sido una gran pesadilla. Drugo, nuestro perro, sobrevivió tomando agua del baño y comiendo lo que le tiraban al jardín unos vecinos que lo escuchaban ladrar y habían notado nuestra ausencia. Junté unas pocas cosas en un bolso, le puse la correa al perro, cerré todo y huí. No pude tolerar ver lo que había sido y ya no sería, era la imagen de la vida rota.

Pasamos un mes en la casa de los padres de Eduardo donde la angustia nos sobrepasaba a todos. El clima se me hacía irrespirable en todas partes. La proximidad de las fiestas de Navidad y Año Nuevo agudizaban el dolor y alentaban esperanzas; se decía que para esos días liberarían detenidos y "blanquearían" a muchos desaparecidos. Al filo de la Navidad se dio a conocer una lista de gente que pasaba a estar a disposición del PEN alojada en distintas cárceles del país. En una de esas listas figuraba un Eduardo A. Marino en la cárcel de Coronda, Santa Fe. Sin más trámite, con Lautaro en un moisés, Grisel y una amiga mía, nos largamos en tren a Santa Fe, a la casa de mi padre. Fueron días y días de golpear las puertas de la cárcel sin que me dieran ninguna información, hasta que finalmente a mi abogado, que también había viajado desde Buenos Aires, le comunicaron que el detenido era Eduardo Alberto Marino, y no Eduardo Aníbal Marino. De Eduardo Aníbal Marino, nadie sabía nada.

Cuando volvimos a Buenos Aires, a través de Aldo y Cristina, un matrimonio amigo de Eduardo, conseguí un departamento de dos ambientes con un alquiler muy bajo y sin contrato, y allí nos instalamos precariamente.

Me bastó algo más de un mes para darme cuenta de que los chicos y yo teníamos que estar juntos y solos. Eso era lo más sano en medio del desastre, no contábamos con una familia que nos contuviera y las discrepancias con el padre de Eduardo aumentaban diariamente. Descarté la posibilidad de irme del país. Volví al diario antes de que terminara mi licencia por maternidad y decidí que iba a hacer una vida normal y pública, que ésa era la mejor manera de proteger a mis hijos. Y que era la única garantía de no perder la poca cordura que me quedaba. Trabajar mucho, estar con mis hijos y, fundamentalmente, tener que salir todos los días a la calle. Eso para mí significaba una tortura cotidiana, porque desde el secuestro de Eduardo sentía una especie de fobia, sentía que la calle me ponía a expensas de la tragedia. Los Falcon me consumieron la adrenalina y la energía que muchos seres humanos deben gastar a lo largo de sus vidas. Era todo muy irracional, porque si me subía a un taxi, o a un colectivo, o iba en los autos del diario a hacer notas, la sensación de peligro inminente cedía, se atenuaba. Por un rato. Lo mismo me pasaba cuando llegaba a un lugar cerrado. Muy loco, muy torturante. Un desgaste psíquico infernal. Y la certeza de que en cuanto le aflojara a lo que me arrastraba al encierro, a evitar la calle, perdería la razón.

En febrero del 78 esto se me hizo inmanejable, casi no dormía, apenas comía, desplegaba una actividad agotadora, seguía haciendo averiguaciones inútiles, me metía en situaciones riesgosas y pensaba que lo mejor que me podía pasar era desaparecer. La angustia me corroía y me iba cerrando al punto de no poder hablar casi con nadie del tema. Tenía accesos de furia que me llevaban a cometer imprudencias. Decidí consultar a un psicólogo. Después de muchas vueltas –no era fácil conseguir un psicólogo para estos casos en febrero del 78–, logré tener tres entrevistas con uno. Al tercer encuentro me dijo que él también era un ser humano y que tenía miedo, que no me iba a atender. Me despachó no sin antes tener el tino de advertirme que tuviera mucho cuidado, porque percibía en mí tendencias suicidas. Me costó muchísimos años y mucha destrucción poder volver a tomar la iniciativa de hacer una terapia. Esa noche de febrero, cuando salí del consultorio del "ser humano" me compré una botella de ginebra y acuñé la frase que me acompañó por mucho tiempo: "Con lo único que cuento es conmigo misma". Me convencí de esto tan terminantemente que hasta me alejé de lo poco que tenía. Algunos primos, algunas amistades. Hace muy poco tiempo comencé a recuperar parte de esas relaciones abandonadas. Entre tanto, también privé a mis hijos de esos contactos, sin quererlo, sin pensarlo. Pero lo hice. Es cierto que al principio la familia tenía temores, pero al percibirlo yo extremé esos alejamientos. Contaba con Renée, una vieja amiga, y con la gente del diario que me acompañó y me bancó muchísimo. Ahora pienso que en muchos temas armé un cerco protectivo inexpugnable. Congelé muchas cosas, especialmente las referidas a los sentimientos. Sentir me dolía terriblemente. Era un lujo que no podía permitirme. Esto se fue agudizando con más pérdidas. En el 80 murió mi papá. Más tarde la madre de Eduardo. En el 82, el padre. Me aislaba, me apartaba de viejas amistades, conservé muy poco de lo que había sido mi vida antes de la desaparición de Eduardo. Creo que tanta pérdida me dejó acobardada.

A fines del 78 había retomado la militancia, esta vez en mi gremio, Prensa. Allí volví a sentir que tenía un lugar en el mundo. Y deliberadamente me lo propuse como una forma de resistencia. Militar, seguir haciéndolo. Que no me pudieran, a pesar de todo. Desde otro lugar, con otra gente y otra perspectiva, pero seguir. Durante diez años dediqué mi vida a eso. Nunca había militado en

Prensa, pero se acercaron compañeros peronistas del gremio, formamos una agrupación, la Scalabrini Ortiz, con unos pocos periodistas militantes que quedaban en el país y que provenían de diversos grupos políticos. Trabajaba y militaba, era para mí un terreno conocido y lo hacía con ganas, dedicación y honestidad. Por sobre todo, sentía que no me habían podido quebrar. Y eso no era poco.

Pero no alcanzaba. Mi desarticulación interior continuaba y crecía, me envolvía, me aprisionaba, era como una jaula de cristal que se interponía entre el mundo y yo. Para mis hijos fui, por muchos años, una mamá muy angustiada, presente pero ausente en muchos sentidos. Una mamá que no soportaba ninguna situación que pusiera más en evidencia la ausencia del padre. Reacia a ir a las fiestas escolares porque me producían dolor y bronca, sentía que no teníamos nada que festejar, y lo que era peor, se lo hacía sentir a los chicos que, naturalmente, deseaban ser como los demás y festejar. Una mamá que les hablaba de política y a través de eso intentaba explicarles todo, que llenaba la casa de militantes, y de hijos de militantes para que ellos jugaran y se divirtieran, para que resultara menos evidente esa soledad fatal de los tres. Una mamá que sábado o domingo los llevaba al diario a trabajar con ella, o a las reuniones sindicales. Una mamá que no era una mamá común, que no hacía dulces en invierno, ni helados en verano, como soñaba Grisel. Que no soportaba mucho tiempo en casa y que siempre estaba tensa ante los reclamos, porque sentía que nada alcanzaba. Que no tenía respuesta satisfactoria para la pregunta fatal. ¿Por qué en casa éramos tres y no cuatro?, como en las de los demás chicos. Una mamá que quizá nunca haya podido describirles a ese padre, ser humano, con virtudes e imperfecciones, porque cuando explicaba se angustiaba tanto que era mejor no preguntar. Mis hijos crecieron así, y más de una vez se sintieron muy solos. Distintos. Cuando volvimos a nuestra casa se sintieron discriminados en el barrio. Había quienes ante cualquier travesura se sentían con derecho a hostigarlos, o a amenazarme con denunciarme a la policía o al Ejército. Conocían la historia y la utilizaban. Se sentían con derecho a ejercer su pequeña cuota de justicia por mano propia. Éramos familiares de un "subversivo", sospechosos, y había que darnos nuestro merecido. La malignidad de alguna gente fue indescriptible, su adhesión militante a la dictadura y a su metodología, también. Todo lo que ocurrió no ocurrió casualmente. Yo ya no sentía miedo y respondía a las amenazas y hostigamientos enfrentándolas y desafiando, pero me daba cuenta de que esto no alcanzaba para mis hijos, y que una mujer sola con chicos suele ser blanco de ataques irracionales, siempre machistas, provengan de hombres o mujeres.

Fueron años de oscuridad, de equivocaciones, de sensación continua de no estar haciendo lo suficiente. De tratar de enfrentar todo, de hacerme la dura y la fuerte cuando por dentro estaba partida en pedazos. De tratar de darles a mis hijos una seguridad que muchas veces se convertía en sobreprotección, o en querer compensar lo que no era compensable. Etapas de inseguridad económica, de necesidades, de postergación permanente, de no poder continuar estudiando, de un futuro siempre incierto.

Entre tanto yo continuaba con cuanto trámite era posible por los desaparecidos, pero nunca hubo un dato creíble. Hasta el 80 la respuesta para mis hijos era siempre la misma: "No sé adónde está papá, hay que esperar". Respuesta que no alcanzaba para nada y a la que Grisel generalmente respondía: "Teníamos que habernos subido a un colectivo y seguir al auto que se lo llevó", y que yo sentía como reproche, como: "No hiciste lo suficiente".

La vida transcurría duramente y en apariencia había un cierto orden, los chicos iban al colegio, tenían amigos y cada vez menos se referían a su padre. Empezó a imperar el silencio, sobre todo después de la muerte de los abuelos, era demasiada pérdida junta. Yo sacaba el tema, pero desde lo político, les contaba que había que pelear para conseguir la democracia, les decía que sólo de esa forma íbamos a saber qué había pasado con Eduardo. Creo que mi miltancia los atemorizaba más, aunque no lo decían.

No puedo precisar en qué momento empecé a creer que Eduardo no volvería. Eran muy pocos los casos de sobrevivientes y todavía el silencio era inmenso. Las versiones eran contradictorias, por épocas las noticias alentaban esperanzas, pero la realidad las abortaba. En el caso de Eduardo no hubo nunca la menor información. Fueron inútiles todos los rastreos y todas las denuncias nacionales e internacionales. Nadie sabía nada.

A mediados del 80 una amiga, Hilda, me llevó a ver a una vidente. Muchos familiares de desaparecidos hicimos consultas de este tipo, no porque creyéramos, más bien por desesperación. Lo cierto es que esta mujer, sin ningún dato, sólo con una foto y un pañuelo de cuello que yo conservaba de Eduardo, me dijo terminantemente: "No lo esperes más, a este hombre lo han matado". Lo más impactante fue que describió la ropa que tenía puesta el día que lo secuestraron, algo que yo nunca había comentado con nadie. Con los ojos cerrados y la foto contra su corazón, me dijo sencillamente: "Él llevaba una camisa escocesa beige y marrón, un jean marrón, campera marrón y zapatillas". Exactamente así estaba vestido Eduardo la tarde del 5 de noviembre de 1977. Me resistía a creerle, cómo podía ser que supiera ese detalle de la vestimenta que yo ni siquiera había mencionado, me preguntaba si no sería de los servicios, si no diría eso porque tenía información real y no porque era vidente. Le insistí mucho para que me dijera cómo lo habían matado y ella decía que saberlo me provocaría más daño, hasta que finalmente me contestó: "Con un tiro en la garganta".

Esa noche, cuando llegué a casa después de mucho caminar con Hilda sin rumbo fijo, ya estaban los chicos dormidos. Teníamos en el living una foto de Eduardo con Grisel, comencé a prender velas por todas partes y me senté en un sillón a mirar la foto a la luz de las velas, hasta que se apagaron. Con los años pensé que en realidad la versión de la vidente fue la única cosa concreta que alguien me dijo acerca de él. Real o no, marcó un punto de inflexión en mí, simbolizó una respuesta. Esa noche hice lo que los seres humanos hacemos con nuestros muertos, velarlos. Al día siguiente retornaron todas las dudas y la convicción de que era una situación absurda, descabellada. Pero creo que internamente algo se modificó en mí, se instaló la posibilidad de la muerte. Todo esto es, naturalmente, muy confuso, porque también existió esa percepción en el preciso momento en que lo secuestraron, la violencia de los golpes, el grado de brutalidad desplegada en tan pocos instantes, los culatazos en su nuca. Sé que en ese momento tuve un presentimiento de muerte. Pero son deducciones que van apareciendo a través de los años. Lo concreto es que una no sabe nada y que su cabeza imaginó mil muertes y vuelve a imaginarlas cuando lee testimonios, cuando ve películas, cuando habla con otros, y aun sin necesidad de ningún estímulo externo. Es un pensamiento circular que no tiene fin. Porque no hay respuesta. No hay certeza. No hay verdad. No hay justicia. No hay olvido.

Aconsejada por una psicóloga, les dije a los chicos, a fines del 80, que Eduardo había muerto, que seguramente lo habían matado. El "hay que esperar, no se sabe nada", los rebelaba cada vez más y aumentaba la inquietud. No sé si fue lo mejor, nadie sabía qué había que hacer y dentro de las propias familias se daban mensajes contradictorios entre abuelos y padres, tíos y primos, lo que agravaba las situaciones para los chicos. En la adolescencia los dos hicieron distintas crisis. Grisel, que ya tiene 24 años, recién ahora se está aproximando al tema. Este año, al cumplirse 21 años de la desaparición, llevó ella el recordatorio de Eduardo a *Página/12*, y en la misma semana armó con las Madres una pancarta con la historia de su padre para una exposición que se hizo en el Centro Cultural San Martín. Lautaro, a principios del 97, hizo una crisis muy profunda, desde entonces hace terapia y como parte de eso va revisando la historia de su padre a quien casi no conoció, tenía poco más de dos meses cuando lo desaparecieron.

A partir de esa crisis también yo ahondé en nuestra historia, pero ya no desde lo político, sino desde lo personal, desde lo humano, desde la gravitación que un hecho como éste tiene en la propia vida. Así nació, en parte, este libro.

Necesité hablar con muchas otras mujeres que pasaron por lo mismo para poder verme, para sentirme, para saber qué me pasó. Para darme cuenta de que durante muchos años desaparecieron enormes pedazos de mí. Para saber que yo –quizá como otras mujeres– por mucho tiempo quedé como un contorno, como una silueta vacía dentro de la cual, con paciencia y lentamente, voy redibujando la historia, apropiándome de mí misma, recuperando esos pedazos de una a los que también desaparecieron. Sabiendo que nuevamente voy siendo yo, una sobreviviente, y que merezco la mejor vida junto a los que me rodean. Sin renunciamientos, sin concesiones, con toda la memoria y el dolor que conlleva, pero empezando a sentir que es importante estar viva.

Todo fue tan brutal y tan difícil que por años permanecí en la oscuridad. Acobardada. Con la completa certeza de que sólo podíamos esperar más tragedia, con la total convicción de estar expuestos para siempre a la catástrofe. Con un sentido trágico de la vida del que ni siquiera tenía plena conciencia, sólo conocía la resistencia como respuesta. Hoy sigo convencida de que hay que resistirse al olvido, al engaño, al reduccionismo de la historia y de la memoria, pero que eso sólo es posible si me recupero a mí misma como ser humano único, con derecho a vivir, a amar, a gozar, y no sólo a sufrir la vida como una obligación penosa a la que fui arrojada, así como otros fueron arrojados a la muerte.

A mí me llevó demasiados años, porque para empezar a recuperar la propia identidad desdibujada, hay que deshacerse de la culpa de estar vivo, una culpa irracional e inexplicable, pero existente. Hay que entender la necesidad de deshacer algunos pactos que una selló consigo misma en los lugares más oscuros de su inconsciente.

En esos años sin paz –no podía haber paz a mi alrededor– me sentía peleando a ciegas y estrellándome furibundamente contra muros invisibles. Aunque al fin, creo que esa misma terquedad fue la que me llevó a encontrar un camino para dejar de pensar que con lo único que podía contar era conmigo misma, y para dejar de provocar que, en muchas situaciones, fatalmente esa profecía se cumpliera. La ayuda terapéutica fue determinante, lo sigue siendo.

Creo, además, que enamorarme y poder formar una pareja sólida fue parte importante en ese camino. El hecho de pensar que tenía derecho a darme esa posibilidad, y la realidad de reencontrarme con Jacobo –con quien nos habíamos conocido militando, a los dieciocho años–, hizo que nos empeñáramos en construir un vínculo muy fuerte juntos. Jacobo, que para mí desde la ternura sigue siendo aquel "Ricardo" de los 70, cuando la revolución era un sueño posible y compartido, también fue duramente golpeado por la historia de aquellos años, padeció un larguísimo encarcelamiento desde el 76, y sobrevivió entero e inquebrantable. Estamos juntos desde el 89, nos casamos y en febrero del 93 nació Lucila. Junto a Grisel y Lautaro hoy somos una familia, fuertemente ligada y decidida a darnos las posibilidades que antes no tuvimos.

Fue en este intento de vivir en pareja donde surgieron algunos de esos pedazos de mí desaparecidos, las imposibilidades, los hábitos adquiridos en años de mascullar soledad, la pérdida de la capacidad de alegría, de optimismo, de confianza. La desarticulación con una misma, el miedo a establecer un vínculo porque siempre existe el riesgo de perderlo. La necesidad de que nada se vaya de control porque puede sobrevenir la catástrofe. Si una está sola o en alguna relación no demasiado comprometida, estas cosas difícilmente aparezcan.

La desaparición de Eduardo en particular, con las consecuencias subsiguientes en mi vida y la de mis hijos, han dejado huellas profundas e indelebles. A las que uno puede, con mucho tiempo y mucho trabajo, acotar, manejar, reconocer, atenuar y conjurar para que no le jodan el resto de la vida. Pero están, y tengo la sensación de que siempre van a estar. Hay situaciones que tienen la capacidad de retrotraerme en instantes a más de veinte años atrás, como si el tiempo no hubiera transcurrido, como si desde lo irracional yo aún permaneciera atónita, estupidizada, congelada en el tiempo. Hoy puedo reconocerme cuando me veo trasladada a esas situaciones, aparece un alerta, una luz roja, mi cabeza ata cabos y retorna a la realidad de hoy y me repito una y otra vez que no es lo mismo, que eso ya pasó, que no tiene por qué volver a suceder. Pero necesito hacer antes ese ejercicio de introspección, y lo cierto es que en todo ese trajinar una se va alejando de la locura, pero a la vez toma conciencia de lo cerca que la tuvo y, quizás, aún la tiene.

Hubo momentos, al principio de mi relación con Jacobo, en los que muy oscuramente, confusamente, sentí que si quería que siguiéramos adelante había un lugar, una manera de hacer, que yo debía abandonar. Demoré un tiempo en tener plena conciencia de que ese lugar que yo sentía que debía dejar era el de "mujer de desaparecido". Un espacio interno dentro del cual había actuado casi inconscientemente durante más de doce años. Y no porque lo hiciera públicamente, sino porque en lo más profundo había una tendencia a mantener inalterable ese estado que no es nada, porque no es ni soltera, ni separada, ni casada, ni viuda, no es nada, y no me refiero a un estado civil de trámite legal, me refiero a una serie de comportamientos y rasgos que se enraizan profundamente en la personalidad. Hablo de aquello que puede hacer que una termine teniendo por toda identidad ésa, la de mujer de desaparecido. El riesgo de no poder redibujar dentro del propio contorno, de la propia silueta devastada, todo lo que una fue, es y será: una mujer. Como si toda una hubiera sido desaparecida también.

Lucila es para mí una nueva oportunidad de ser madre de otra forma, junto a Jacobo y con la posibilidad de dedicarme a ella como no pude hacerlo con Grisel y Lautaro. La veo crecer y trato de no perderme nada, ningún detalle, ningún cambio. Muchas veces aparece el contraste, las cosas que les faltaron a mis otros dos hijos, y es doloroso y no es compensable. Lo que no estuvo no se recupera ni se compensa. Sólo se puede mejorar cada día y a veces se choca con vacíos que han quedado instalados en los chicos y en una misma. Y con reproches o reclamos que ahora formulan porque sienten que hacerlo en el seno de esta familia es posible.

Mi actividad gremial se interrumpió en el 87, tras el cierre del diario *Tiempo Argentino*, donde fui delegada de la comisión interna. Poco después, con la irrupción del menemismo, la agrupación gremial que integraba se desarticuló y abandoné el PJ (Partido Justicialista). Actualmente no milito en ninguna parte. Prefiero tratar de aportar a la conservación de la memoria colectiva. Dedico el mayor tiempo posible a leer, a estudiar; es algo que no pude hacer por años y que aparece como una necesidad muy fuerte. De cualquier manera continúo cerca de lo político por mi trabajo, pero nada de lo que hay hoy reaviva en mí esa pasión de otros tiempos, en realidad lo único que me apasiona es tratar de comprender lo que está pasando y cómo podrían gestarse alternativas superadoras.

Mantengo una estrecha relación con compañeras y compañeros de la militancia setentista, mi querida "Gordita" Norma Osnajansky, el "Pola" Rubén Díaz y Marta Raya, Susy Togno, y algunos otros que felizmente sobrevivieron. Son muchas las preguntas sin respuesta que han quedado pendientes y para nosotros es inevitable seguir rastreándolas con espítiru crítico y con necesidad de abandonar las seguridades que parecían proporcionar ciertos dogmas.

Hay momentos en los que siento un vacío con respecto a la militancia, pero también siento una gran rebeldía por las manifestaciones autoritarias que siguen conviviendo hoy en las estructuras políticas, por derecha o por izquierda, no las soporto ni en los partidos ni en otras organizaciones.

Fue y es difícil, doloroso aceptar la derrota de los sueños y las esperanzas y ver, al mismo tiempo, cómo se intensifican las injusticias, las desigualdades y las trampas. Pero aceptar la derrota no significa resignación. Queda la alternativa de la resistencia cotidiana, resistencia a la destrucción de la dignidad, de la memoria, de la historia. Resistencia a creer que es normal, razonable y del "sentido común" lo que en realidad sólo responde a los intereses del orden establecido. Resistencia a aceptar que hay una sola manera de hacer las cosas y que esa manera es diseñada a medida de los poderosos. Queda siempre la terca esperanza de que en el lento y pesado paso de la historia, vayan apareciendo surcos de luz, de justicia, de libertad.

Buenos Aires, diciembre de 1998.

DESAPARECIDO
EDUARDO ANÍBAL MARINO
5 DE NOVIEMBRE DE 1977

Al menos que tu alma me acompañe por la vida

LAUTARO JULIÁN MARINO, 1999

A cada puerto que voy venís conmigo
testigo de mis naufragios y destinos
Camino mirando el sol y no te encuentro
mientras mi peor dolor me mastica por dentro
Me abrazo a la muerte, tanto quisiera verte
Me abrazo a la vida, y le pido que te traiga
A veces me siento vivo y a veces me siento muerto
A veces te siento vivo y a veces te siento muerto
Estás tan cerca de mí que no te veo
Estás tan cerca de mí que no te encuentro
Revuelvo todo el lodo en busca de tu alma
y encuentro sólo partes de la mía
Viviste como un hombre, yo lo sé
moriste como el hombre que se fue
guardando para siempre aquel silencio
Tu vida es un misterio para mí
tu muerte tantas cosas que yo vi
Tu vida fue un relato para mí
tu muerte tantas cosas que sentí
No me dejes llamarme, ni me llames desde allá

Mi tiempo ya vendrá y ahí te encontraré
Sólo acompañame, como lo hiciste siempre
Sólo caminemos juntos por acá.

VIDELA Y EL CONCEPTO DE DESAPARECIDO

"... Le diré que frente al desaparecido en tanto esté como tal, es una incógnita. Si reapareciera tendría un tratamiento equis. Pero si la desaparición se convirtiera en certeza, su fallecimiento tiene otro tratamiento. Mientras sea desaparecido no puede tener tratamiento especial, porque no tiene entidad: no está muerto ni vivo.

"En materia de detenidos se ha hecho 'un seguimiento de los casos en consideración' y se han modificado algunas situaciones, pero también está el caso del mantenimiento de algún cupo de personas que, pese a no tener proceso, no pueden vivir en libertad porque no merecen tener esa calidad."

***Clarín,* 14 de diciembre de 1979.**

Delia Bisutti

EL 9 DE ENERO DE 1977 Marcelo y yo habíamos ido a una pileta, en Ramos Mejía, a pasar el día con nuestro hijo de un año y medio y una pareja de compañeros; yo estaba embarazada de seis meses. A la tarde, cuando salimos de allí y estábamos por cruzar las vías del tren para ir a esperar un colectivo, nos paró un coche y me secuestraron a mí y a la otra pareja.

Marcelo estaba a media cuadra siguiendo al nene que recién empezaba a caminar y se escapaba por todos lados, cuando vio que nos subían a ese auto alzó a nuestro hijo y se alejó del lugar.

Estuve desaparecida cuatro días, y a los cuatro días nos dejaron libres a mí y a la otra compañera, pero su compañero, Luis, no apareció. Hay muchas cosas que contar, pero todo eso está registrado en la Conadep, pude determinar el lugar en el que estuve, e inclusive hice un reconocimiento cuando entramos en democracia.

Fue un momento muy difícil, mi desaparición transcurrió en un calabozo de una comisaría de la provincia de Buenos Aires. En agosto del mismo año me secuestraron nuevamente y me llevaron otra vez a esa misma comisaría.

Los dos militábamos, yo en el sindicato docente, en la provincia de Buenos Aires, y Marcelo en Foetra (Telefónicos), y estábamos en lo que en aquel momento era la JTP (Juventud Trabajadora Peronista), la línea más combativa del peronismo.

El 4 de febrero de ese mismo año, él tenía una reunión con los compañeros de la agrupación político-sindical de Foetra, estábamos a punto de mudarnos y yo me quedé con el nene, preparando cosas, Marcelo se fue al sindicato y nunca más volvió a casa.

Ahí empieza otra parte del calvario. Quedé con Felipe de un año y medio, y embarazada de casi siete meses. Recién a los dos días tuve una llamada de un amigo y compañero que pudo saber que a la salida de esa reunión habían sido secuestrados tres compañeros, se los habían llevado en unos Falcon verdes.

A partir de ahí comenzó otra vida... distinta, primero con el sufrimiento y la angustia de la situación que se vivía, con los miedos, porque ése fue el año más terrible; todos los años de dictadura fueron fuertes y malos, pero el 77 creo que fue el más duro. En esa situación ya no me mudé al lugar que habíamos alquilado, me fui con el nene a la casa de mi mamá, faltaba un mes y pico para la fecha del parto.

El 28 de marzo de 1977 nació mi hija con un problema físico que, aunque no pudimos corroborarlo totalmente, pudo haber sido causado por mi primera desaparición en la que ya estaba embarazada de seis meses. El encierro, la tremenda presión psicológica. En esa oportunidad no hicieron abuso físico, no me golpearon ni me picanearon, pero hubo una presión muy fuerte, y eso puede haber afectado la formación neurológica. La nena nació con microcefalia.

Nos hicieron cientos de estudios a las dos, los vieron en Estados Unidos a través del doctor Norberto Liwsky, no se pudo comprobar fehacientemente que ésa haya sido la razón, pero no hubo otros elementos clínicos anteriores, ni siquiera en los controles médicos previos a la detención, que explicaran algún otro motivo causante de esa discapacidad.

A la situación de que tenía que dar a luz poco después de desaparecido mi marido, se sumó la enfermedad de la nena. Y fue todo mucho más duro.

Ni bien salimos de la clínica tuvimos que ir a hacer una serie de estudios al Hospital de Niños para determinar cuáles eran los motivos y cuál iba a ser el futuro de mi hija. Todo esto en medio del clima y la angustia de no saber nada de Marcelo, intentando, como todos los familiares, averiguar algo, encontrarlo. Con mi suegra, que es un baluarte en la lucha de la búsqueda, empezamos a ir a las primeras reuniones que ya se hacían en la Liga Argentina por los Derechos del Hombre. Éramos muchísimos los que estábamos en la búsqueda, pero también se convivía con el miedo de hablar, porque uno no sabía bien con quién hablar, a quién preguntar, en quién confiar sin correr riesgos. A partir de ahí fue una vida difícil, muy difícil.

Durante unos cuantos meses, mientras le hacían los estudios a la nena, me quedé viviendo en la casa de mi mamá. De allí me secuestraron la segunda vez, en agosto del 77. Me llevaron al mismo lugar –eso fue lo que posibilitó más tarde el reconocimiento–, y eran las mismas personas que me habían secuestrado la primera vez. Fueron también tres o cuatro días, pero en esta oportunidad hubo picana y otros tratos semejantes, digamos, a los que sometían a todos los desaparecidos. En ninguna de las dos oportunidades compartí el encierro con nadie, estuve en el calabozo sin haber visto ni conocido a otros detenidos, sólo escuchaba voces, gritos, a través de las paredes. Cuando me llevaban al baño y me sacaban la venda de los ojos, pude ver que las toallas llevaban una inscripción que decía: "Ejército Argentino". Por las preguntas que me hicieron, supuestamente no eran los mismos que habían secuestrado a mi marido. A los tres o cuatro días me volvieron a soltar. A partir de ahí se me hizo todo más complicado, porque el miedo era mucho más fuerte que la primera vez.

A pesar de todo, seguimos la búsqueda con mi suegra que es militante de la Iglesia Evangélica Metodista. Allí te encontrabas con los más proclives a la defensa de los derechos humanos, y también con los más proclives a avalar silenciosamente las prácticas de la dictadura. Pudimos conseguir una entrevista con unos pastores que no eran de la línea más progresista, pero que se comprometieron a darnos información. No sé a esta altura si era información cierta, creemos que sí, porque sabemos que tenían forma de conseguirla. No solamente la Iglesia evangelista, también muchos de la Iglesia católica han peleado a favor de los derechos humanos; otros muchos han sido cómplices de la dictadura. Nos dijeron que a Marcelo supuestamente lo había secuestrado el Ejército, y que habría pasado por distintos lugares, entre ellos uno en Ezeiza. Yo no pude corroborar, nunca, ninguno de estos datos. En un momento nos dijeron que tenían posibilidades de llevarle una carta, así que le escribimos, pero tampoco sabemos si realmente le llegó o no. Jugaban mucho con el dolor de los familiares en aquel momento. Y uno apostaba a todas las posibilidades, a que en cualquier momento apareciera, porque como yo aparecí y otros aparecían, también se podría haber dado con él. Pero no se dio, hoy eso es una realidad.

Lo que sí puedo decir es que hubo gente infinitamente perversa en todo esto, porque te alentaban esperanzas, te mentían, hubo familiares a los que les sacaron dinero, propiedades. En aquel momento una no estaba capacitada para analizar esta situación, lo que hacía era relacionarse con todos los que podía para intentar tener alguna forma de contacto o de saber algo, pero a través de los años, mirado a la distancia, siento que fue macabro, realmente muy macabro.

A fines del 77 me fui de la casa de mi mamá, alquilé una casa para vivir sola con mis dos hijos, con mucha resistencia de mi familia, por supuesto. Pero yo quería preservar lo que era el núcleo familiar; además, siempre fui bastante independiente y sentía que necesitaba tener mi propio lugar con mis hijos.

Fue muy difícil porque el nene era muy chico, tenía dos años y medio, y la nena con el problema constante de su enfermedad, no era solamente llevarla al médico sino a los tratamientos con neurólogo y kinesiólogo, porque el cuadro era complejo. En el 77 y 78 tuve licencia en la escuela por el caso de la nena, pedí licencia con goce de sueldo y me la otorgaron.

Creo que en esa época vivía como en una nube negra, con mucha angustia, con esa angustia que no se puede poner en palabras, pero que se transmite. Pienso que esto tuvo que ver mucho en la relación con mi hijo. Felipe es el que evidentemente más lo vivió, porque aunque mi amor, mi afecto por él era muy fuerte, la angustia también era muy fuerte. Y había que controlar algunas emociones, ¿y cómo? si todavía hoy una no se controla. Estuve muy dedicada a mi hija cinco años. La nena vivió diez años, y el mayor evidentemente sufrió mucho todo esto.

Era difícil el tema de la desaparición del papá porque no se hablaba en la familia, no se hablaba por dolor, por no generar más angustia. Lo que le planteé a mi hijo en una primera instancia, fue que el papá se había ido muy lejos, porque yo tenía la expectativa de que en algún momento apareciera. Después, bastante más tarde, hubo que decirle que el papá había muerto. Esto surgió ante sus preguntas y la imposibilidad de explicarle que el papá estaba "desaparecido", ¿qué categoría era ésa? Además, también en el 77, cuando me volvieron a secuestrar en agosto, murió mi papá; fueron demasiadas pérdidas de golpe. La verdad es que el 77 fue el año más duro. Aún hoy me pongo mal cuando hablo de esto.

Y así vivimos. Creo que por fortaleza interior, por pelea exterior, porque estaban los chicos de por medio, porque una tuvo una vida de militancia, qué sé yo... Una no daba el brazo a torcer. Si para los que se fueron, para los exiliados, fue duro, para los que quedamos en el país en estas condiciones, fue un ostracismo total. Todo era pérdida, dolores, angustia, y tratar de posicionarse para ver cómo seguir, porque ya a fines del 77 no había muchas expectativas, las esperanzas las seguía teniendo, pero ya en el marco de una realidad muy abrumadora. Cada tanto publicaban listas de gente a disposición del PEN y eso, de hecho, provocaba expectativas porque se sabía que aparecía gente que hasta ese momento había estado desaparecida, no había otra explicación. De manera que siempre estaba la esperanza de que en algún momento Marcelo apareciera en una lista. Eso hacía todo mucho más duro, porque se vivía en una espera constante muy difícil de llevar y porque fue frustración continua. Porque es una desaparición que puede llevar a que aparezca como puede llevar a que no aparezca, y te lleva a que... hasta el día de hoy, habiendo pasado por todos esos procesos… no es una persona que se murió… Y eso trae conflictos en todo, en las relaciones familiares, en las relaciones con los hijos, y una misma, que pasa por distintas etapas, porque está esperando reconstruir esa vida familiar que quedó trunca. Y así quedó, porque esas listas aparecieron con muchos nombres pero nunca con el de mi marido.

Creo que mi hijo fue el que más vivió esto sin hablarlo. Nunca tuve problemas con él, pero tuvo problemas en el jardín, a los cinco años. ¡Bah!, digo que nunca tuvo problemas, él vivía todos los días con esa angustia y sin su padre, y convivía además con su hermana que tampoco podía contarla como hermana, o sea que era una familia bien distinta a las demás.

Él convivió con esto hasta que entró al jardín a los cinco años, allí empezó a manifestar algunos síntomas de la realidad que vivíamos, pero fuera de eso nunca lo habló hasta el día de hoy. Creo que él todavía no terminó de hacer su proceso, no sé si alguna vez va a poder expresarlo. Y tampoco hablaba del papá, porque no lo podía tener físicamente, tenía un año y medio cuando lo perdió. Y tampoco podía hablar de la hermana, porque no la podía compartir, no podía jugar con ella. Así que yo digo, cuando él pueda analizar todo esto, lo que vivió, lo que sufrió… Supongo que habrá habido otros casos parecidos, o no, pero en el de Felipe, a la desaparición y la falta de padre se sumó la situación de la hermana.

En el 79 no me renovaron la licencia y tuve que reintegrarme a mi trabajo de maestra. En aquel momento yo puteé mucho a la asistente social que hacía el seguimiento de la situación, porque podía haberme dado un año más de licencia, pero ella evaluó que no era conveniente para mí, que yo tenía que ir a trabajar, con lo cual no me sentía…, no era que no me sentía capaz, sino que la situación me superaba. Me tuve que reintegrar al trabajo en el 79, no tenía otra posibilidad, necesitaba el sueldo, más allá de toda la ayuda familiar, el sueldo para vivir era el mío. Tuve que reestructurar todo porque al viajar de un lugar a otro con los dos chicos, el traslado de la nena era complicadísimo. A esa altura, mi suegra, que también tenía esperanzas en la aparición de Marcelo y había reservado algún dinero para el supuesto regreso, me lo dio para que me comprara un auto, era la única forma de moverme con la nena. Yo ni sabía manejar, porque en la puta vida había manejado, así que además tuve que aprender, porque persistí en seguir viviendo sola con mis hijos. No sé si fue lo mejor, yo consideré que sí, porque si bien mi familia no compartía mi militancia, estuvo al lado nuestro igual, con sus diferencias, pero bancando la situación.

Nos trasladábamos todos los días: llevaba a Felipe a la escuela, le dejaba la nena a mi mamá porque tampoco podía dejarla en una guardería por las características de su enfermedad. Era una chiquita que no creció; la microcefalia hace que sea un bebé que no crece, que no se siente, que no camine, que no hable, nada... Fue como un bebé de por vida, y era una situación también difícil, con convulsiones constantes por el mismo tipo de cuadro clínico.

Ésos fueron los primeros años de la vuelta al trabajo, en una situación de seguir viviendo en el miedo, en el temor, de no hablar nada de esto afuera; y aun en la misma familia, al haber mucho dolor, hay temas que no se pueden conversar. No creo que sea lo mejor, pero es lo que se pudo hacer, lo que nosotros pudimos hacer.

Antes del nacimiento de la nena yo trabajaba en La Matanza, en Isidro Casanova, y pedí traslado a una escuela más próxima a la General Paz, que era más cerca de donde vivíamos. Me dieron el traslado... ¿Adónde?, a una escuela que está al lado de la comisaría a la que me habían llevado las dos veces que me secuestraron. No lo podía creer, fue bastante duro internamente porque tampoco lo podía compartir con nadie, estábamos en el 79, en plena dictadura. Yo pude saber en qué lugar me habían tenido detenida porque mientras estaba allí escuché varias veces, a través de las paredes, un número de teléfono, en cuanto salí de mi encierro llamé a ese número porque supuse que era el del lugar, y cuando me atendieron dijeron: "Comisaría de Villa Insuperable". Un tiempo después fui con un familiar a ver la comisaría; y años más tarde lo denuncié ante la Conadep.

Mi llegada a esa escuela fue con mucho temor, encima al poco tiempo supe que el presidente de la cooperadora era un comisario retirado de esa comisaría, pertenecía al Círculo de Oficiales; y se manejaban esas cosas que, sin hablarlas, se intuyen, se sienten, se saben. Tuve que trabajar en esa situación, fuera de eso era una linda escuela y de mis compañeras no tengo nada que decir. Pero estaba ese clima que no podía compartir con nadie y se me hizo insoportable. Volví a pedir un traslado a otra escuela y me tocó en suerte una muy cercana, de manera que igual quedé trabajando en la zona donde había estado secuestrada.

Qué vida terrible que llevaba una en esos años... con estas angustias, con las listas que aparecían y con tantas cosas que el tiempo ha ido desdibujando en la memoria. Lo que sí recuerdo es que en el 78, durante el Mundial de Fútbol, sufrí mucho, puteé mucho, por todo lo que significaba el Mundial en medio de la pelea por los derechos humanos. Por lo que significó ese festejo popular de la pasión futbolera y vivir las contradicciones de ese clima festivo y de esta realidad contundente que se hacía carne todos los días, y la lucha de las Madres. Creo que fue en 1978, si no me acuerdo mal, que estuvo Amnesty en el país y aparecieron esos cartelitos en los autos: "Los argentinos somos derechos y humanos". Esas cosas quedan muy marcadas.

La sociedad argentina estaba dividida entre los que no querían ver lo que pasaba, los que lo veían y lo querían negar, los que sabían y lo justificaban, y los que sabíamos porque lo estábamos sufriendo todo los días y en carne propia. Había que tener mucho cuidado cuando se conversaba de estas cosas. De lo que estoy convencida es de que ninguno puede decir que no sabía. Nadie, nadie puede decir que no sabía. Que no quiso saber es otra cosa. Que hayan querido ocultar la realidad... pero se sabía, porque si no le había pasado al amigo, al vecino o al marido, le había pasado a alguien cercano, a alguien del barrio. En mi barrio cuando vinieron a buscarme a la casa de mis viejos, hicieron corte de calles, se enteró todo el vecindario, fue un despliegue impresionante y fuera de toda lógica, porque desde antes del nacimiento de mi hija y de su enfermedad, yo no militaba en ningún lado, el único sustento de eso era mi detención anterior. Pero se enteró todo el barrio, sin embargo el silencio fue absoluto. Con esto quiero decir que nadie puede decir que no sabía qué estaba pasando en el país.

Después, en el 83, vivimos el show del horror, por todas partes se veían imágenes terribles de lo que había sucedido. El horror con que se mostró el tema de las desapariciones en mucha gente provocó como un shock, y otros simulaban que recién se enteraban de lo que había pasado.

La guerra de las Malvinas, en el 82, significó también algo muy duro para mí, porque se decía –nunca se pudo corroborar– que muchos desaparecidos habían sido trasladados a las islas. Y no sé qué me pasó por dentro con eso, pero fue muy fuerte, como algo que hizo un crak, algo que estalló. La situación, la espera, esa guerra tan loca y tan desastrosa, los manejos perversos de tantos años de dictadura. Por primera vez hice un crak desde todo punto de vista, se manifestó en los riñones, con un cólico renal. Pero en realidad no sé si fue un cólico renal, ése fue el diagnóstico, tuve unos dolores que nunca había tenido y nunca volví a tener, tuve que estar días sin moverme de la cama. Creo que fue otra cosa. Ese crak que digo. Algo se rompió en mi interior.

Fue a partir de eso que decidí ver a una psicóloga y empezar una terapia. Inmediatamente apareció sobre el tapete un tema muy resistido por mí, el tema de cómo seguía mi vida con mi hija, teniendo en cuenta que ya había hecho todo, desde el mejor médico hasta el peor curandero. Mi hijo empezaba a tener manifestaciones vinculadas a eso, y también yo, que hasta ese momento había resistido firme, entre comillas… Fueron muchas charlas hasta que vimos la posibilidad de que mi hija fuera a un "hogar", internada. Fue muy duro, muy duro para mí entenderlo, asumirlo, no podía asumirlo. Qué significaba seguir con ella tantos años, en las condiciones en que yo estaba... había que cargarla a upa. Felipe, mi hijo, que requería otras cosas pero estaba limitado por la situación de la nena. Empezó entonces otra etapa difícil, porque yo no bajaba los brazos pero estaba muy caída, sobrepasada. Duramente me empecé a convencer de que por lo menos era importante averiguar si había algún lugar donde pudiera internar a mi hija. Eso me costó mucho, tuve el apoyo muy fuerte de una amiga con la que podía hablar de estas cosas, sobre todo de la nena, porque yo ni siquiera lo podía plantear familiarmente, sabía que no a iba tener apoyo en absoluto. Empecé a ver lugares, a recorrer, me tenía que convencer de que iba a estar bien atendida en el lugar en el que la dejara. Inicié la búsqueda, pero con la decisión interior de no encontrar nada. A todo le encontraba defectos, inconvenientes. Finalmente me mencionaron un lugar en Vagues, un pueblito anterior a San Antonio de Areco, me pareció tan lejos... Pero fuimos a verlo, resultó ser una casa hermosa, con muchos chiquitos con diferentes problemas. Hablé con el director y aunque parecía un hombre bueno, cálido, no me animé a plantear la situación de mi marido desaparecido, de todos modos las vacantes estaban cubiertas, no había lugar para mi hija allí. A los quince días volví porque el lugar me había impresionado realmente bien, y le conté todo al director, me contestó que se iba a ocupar pero que por el momento no tenía vacante disponible. Se ocupó, dos semanas más tarde me llamó para decirme que mi hija ya tenía un lugar allí. Fue una gran conmoción para mí, creo que no estaba preparada para afrontarlo y dejé pasar los días, hasta que una tarde el director me volvió a llamar y directamente me dijo: "Mañana la internamos, te pasamos a buscar por tu casa". Fue muy duro, pero en cuarenta y ocho horas mi hija estuvo internada.

La primera semana me interné con ella, para que se fuera adaptando. Y yo también. Fue terrible esa experiencia para mí, fue mucho dolor, mucha angustia sumada a la que ya tenía. Era agosto del 82, durante los primeros meses a ella también le costó mucho, volaba de fiebre, cada fin de semana la encontraba así, un sufrimiento. Pero la flaquita resistió. Ese lugar, el Hogar San Camilo, creo que fue una bendición, la nena se adaptó, la atendían muy bien, el director era un gran ser humano, todos. Y yo empecé a tranquilizarme, fue importante, fueron cinco años de tranquilidad en ese sentido, podía visitarla a cualquier hora, quedarme con ella unos días si quería. Mi agradecimiento con toda esa gente es infinito.

Con la nena internada, mi hijo y yo quedamos solos en casa y pasado el primer tiempo de angustia por la adaptación de mi hija, creo que Felipe empezó a experimentar cierto alivio, como una distensión, porque era duro estar todo el día con la hermanita que continuamente requería mi atención. Mi familia también comenzó a entender mi decisión, muy de a poco, afectivamente les costaba, pero lo comprendieron.

En el 83 tomé otro cargo docente en Capital, porque necesitaba más dinero. Así volví a vincularme con compañeros del sindicato docente de la provincia de Buenos Aires, con lo que era Udem de La Matanza, Mary Sánchez era la secretaria general del gremio. Hasta ese entonces yo había estado como recluida en mi propio ostracismo, en mis hijos, en los médicos de la nena, en mi trabajo; mi estado y mi angustia no me habían dejado espacio ni decisión para otras actividades.

Ya se avizoraba el fin de la dictadura; poco después volví a ser delegada en una escuela. Aunque los compañeros no habían podido mantener el sindicato abierto durante los años de la dictadura porque la persecución fue inmensa y desaparecieron a muchos docentes, habían encontrado la manera de no desvincularse por completo, y en el 83 me encontré con que el sindicato funcionaba, se mantenía el trabajo, había reuniones. Muy de a poco volví a integrarme, a reencontrarme con compañeros con los que había compartido la militancia hasta el 76.

Esa época fue muy fuerte desde todo punto de vista, incluso en el sentido de empezar a pensar que la aparición de mi marido... bueno, no se iba a dar. Y tratar de hacer cortes que nunca se terminan de hacer. Porque con esto de no enterrar nunca, el corte no se hace nunca. Y hay que seguir viviendo, con otras expectativas, de otra manera, hay que relacionarse con otras cosas, ya con un poco menos de miedo, pero con la misma angustia de antes, porque eso no se va, creo que por años no se va. No sé si habrá algún tratamiento para quitar la angustia. Si hay, voy a tener que hacerlo en algún momento... pero creo que es medio difícil. Todo fue muy, demasiado difícil, pesado. Lo de la nena, no sólo no poder compartir eso con mi marido, también tener que compartir un montón de cosas en forma restringida con la familia. Fue muy duro, para mí y para mi hijo. Algunos me decían: "Si Dios te mandó esto, es porque se lo manda a los más fuertes...", y yo sentía que en realidad me decían: "Es un castigo, hacéte cargo porque sos una persona fuerte, por eso te castiga porque sos capaz de sobrellevarlo". Maldita sea el momento que entendieron que yo era capaz de sobrellevarlo. Hubiera preferido una vida mediocre, común, con otras cosas.

Una pensó tantas cosas en ese momento, que por qué carajo... Sabía que estaba militando, sabía en qué país estaba viviendo, sabía por qué militaba, sabía por qué peleaba y contra qué peleaba, esto creo que tiene que quedar claro, bien claro. Porque en algún momento uno de mis hermanos, ante la situación tan dura, el nacimiento de mi hija, la falta de mi marido, creía que yo tenía que renegar de todo lo que había hecho. Eso no lo acepto, todo lo contrario: reivindico mi militancia aun con todas estas consecuencias. Estoy convencida de lo que hicimos, de lo que hice en el marco de la pelea por un país mejor y desde dónde lo hice. Nada tengo que ocultar. Que se puede haber cometido errores, no hay duda, los puedo haber cometido yo, el conjunto, pero eso no significa que una reniegue de lo que hizo. De ninguna manera. Por eso es que en el 83 me volví a conectar con los compañeros, por mi convencimiento de la necesidad de la pelea y la lucha.

La que sí entendía todo esto era mi suegra que fue y es una Madre de Plaza de Mayo, de las que van todos los jueves a rondar por sus hijos. Claro, una también siente que le mutilaron la vida. Lo sobrelleva, trata de vivirlo, de procesarlo. Me costó mucho. Convencerme de que no había posibilidad de regreso. ¿Y después?, ver de qué manera uno vuelve a convivir, o vuelve a vivir su propia vida. De todas formas me sigue costando, porque yo no pude rehacer mi vida. La afectiva, digo. Creo que es un problema mío, nada más. Limitaciones, o miedos, ¡qué sé yo!, cosas que una tiene sin resolver. Y bueno, eso ya... La psicóloga, en algún momento en que yo decida volver, si me ayuda o no me ayuda... Creo que ya entran en juego otras cosas también, ¿no? Pero fue muy duro. Muy duro tener un proyecto de vida y que se lo arranquen de esa manera.

Además, no hay un duelo de la situación. Otros salieron de otra manera y reconstruyeron de un modo distinto su vida; yo reconstruí así, seguí mi vida con mi hijo, desde lo familiar en el núcleo más chico, el núcleo primario familiar.

Recomencé mi militancia también, y a partir de ahí retomé prácticas habituales de vida, más allá del trabajo y de la familia, lo que es el compromiso que una lleva adentro por convicciones. Esto también fue gradual, porque yo sentía como un cansancio infinito. En el 83, cuando fueron las elecciones del gremio en La Matanza, no me sentía en condiciones, con fuerzas como para reanudar una militancia muy fuerte, integrando la comisión directiva del gremio. Pero luego mis ganas y mis fuerzas fueron creciendo y salí delegada en Capital. Porque esto se lleva en la sangre, y ya seguí con todo hasta llegar a lo que hoy es la UTE (Unión de Trabajadores de la Educación), y armando la agrupación sindical y poniendo toda la experiencia que yo traía de la provincia.

Entre tanto María Eva, mi hija, seguía en el Hogar, y nosotros sabiendo que podía vivir dos, cinco o diez años. Siempre con esa angustia de fondo. Falleció en 1987.

Creo que los años terminados en siete son fatídicos, por eso quiero que este 97 termine pronto.

Con Felipe, aún hoy no podemos hablar abiertamente de estas cosas, lo intenté muchas veces porque entendía y veía, o sentía que él y yo necesitábamos hablar de todo eso. A los cinco años estuvo en tratamiento con una psicóloga. Un tiempo después ella me dijo que estaba bien en ese momento, pero que seguramente en la adolescencia iba a necesitar apoyo nuevamente. En el 87, cuando murió mi hija, me pareció que era un buen momento, él ese fin de año terminaba séptimo grado, o sea que además estaba en una etapa complicada como es la del cambio del primario al secundario. Pero en esa ocasión mi hijo se resistió mucho y me dijo que no tenía ninguna intención de hablar acerca del pasado, con una resistencia muy firme; no lo podía llevar obligado y no había otra forma. Yo sí volví a terapia y no me sirvió. Pero creo que uno de mis errores fue no haber vuelto en ese momento –por razones económicas– con quien ya me había tratado anteriormente y conocía mi historia. Empecé con otra psicóloga y tuve que volver a contar todo de nuevo, y no me dio el cuero.

Mi hijo continuó cerrado, muy firmemente cerrado en ponerle una barrera a la angustia y al dolor. Empezó el secundario en una situación muy dura, con la muerte reciente de la hermanita y sin poder elaborar y compartir lo ocurrido en su vida. Creo que ahí hizo un reclamo, no "un" reclamo, hizo tantos reclamos... sigue haciéndolos. Pero cuando falleció la hermana me dijo algo así como que: "Ahora vas a tener todo el tiempo para mí".

Muchas veces yo intentaba hablar con él para que pudiera expresar sus broncas, sus reclamos, fueron muchas, pero no sé, creo que servía y no servía, porque como yo en realidad no podía ocultar mi propia angustia –hoy hablo y sale sola–, creo que ante la necesidad de no vivir mi angustia y la de él, prefería no hablar. No había forma de recuperar historia compartida.

Recuerdo que poco después de que falleciera la nena yo estaba mal, con mucha angustia, y él me miraba, me controlaba y me decía: "No llores, no llores...". Y yo no lloraba, no podía llorar, y era peor porque no podía descargarme, pero él estaba a la expectativa por si yo llegaba a llorar, porque él no se lo podía bancar tampoco.

Así que cada vez que hablábamos de estos temas era en ese clima, y es un clima en el que no se puede, no se puede porque siempre está todo muy invadido por la angustia. Creo que él se preservó como pudo.

Esta situación también planteó una relación muy difícil en su época de adolescente, con reclamos fuertes. Lo del reclamo es constante. Pero en esa etapa de crisis yo creo que él se debe de haber sentido como desprotegido. Querido pero no tanto, porque él lo ha manifestado en algunas cosas. La angustia hizo que algunas relaciones quedaran contaminadas, aun desde el afecto.

Como todos los adolescentes él tuvo crisis de adolescente. Se nos hizo dura la relación en muchos momentos, muchas disputas, peleas. Recuerdo lo que me decía la psicóloga años atrás, que en realidad era como que los dos nos reclamamos por una ausencia, por algo que no está, ¿y a quién se lo vamos a reclamar? Él me lo reclama a mí, y no es que yo se lo reclame a él, pero es algo que está en medio de los dos. Evidentemente la relación está contaminada por el hecho de ese papá que no está. De este rol de madre doble, de lo que no era posible hablar. Y del reclamo de la ausencia. Había reclamo, reclamo de algo que falta y no está. ¡Y no está! Y yo te lo reclamo a vos… Pero yo no se lo puedo dar porque yo soy yo. Nada más que yo.

¿Y la otra parte? Además una tiene que cumplir ese doble rol, de madre y de padre entre comillas. Y de los límites y el afecto. Porque una no quería sentirse invadida por el dolor e invadida por el hijo, y no por sentirse invadida, sino por no hacer jugar eso de que por el hecho de que no está el papá, entonces pongo todo en mi hijo. No, porque mi hijo era mi hijo, y a mí me faltaba la otra parte que él no me iba a dar, yo a él no se lo podía reclamar. Creo que siempre él reclamó esto de, bueno, de por qué carajo yo no le di otro papá. No dicho en palabras, ¿no? pero la vida marcó estas cosas, y fueron así. Y esas cosas quedan marcadas. En medio de la vida y de la relación. Uno va subsistiendo y viviendo, tratando de vivir como puede, y de decidir como puede, como le parece lo mejor. Yo creo que él empezó, no a entender, pero sí a compartir algunas cosas de bastante más grande.

Me acuerdo de cuando ganamos las elecciones en el sindicato, en diciembre del 88, y salió una nota en *Clarín* con mi foto con el secretario adjunto, él la vio y agarró una birome y destrozó la foto. Destrozó la foto, destrozó el diario. Una reacción saludable, pero bien manifiesta. Y durante muchos años, pienso que por el mismo dolor, por temor a la pérdida, él resistía todas mis relaciones vinculadas a mi vida de militante. No se resistía a otro tipo de relaciones amistosas o de familia, pero por ejemplo, a mis dos amigas con las que compartimos mucho, Diana y

Carmen, con quienes siempre estuvimos y seguimos muy juntas –Carmen también estuvo desaparecida y tiene un hijo varón–, mi hijo se resistía. Creo que era esa resistencia de no querer saber nada. Aunque no se hablara de nada que tuviera que ver con esa relación de compromiso político sindical. Creo que una de las razones debe ser el miedo, ¿no? Pero bueno, yo no lo puedo analizar desde mi lugar de madre, aunque creo que los temores siguieron durante mucho tiempo. Porque no era una cosa de resistencia a las personas, ni a los hijos de mis amigas, yo creo que era el temor de "que no se meta en eso". Porque el estar en "eso", con "esas" relaciones, es estar relacionado con este dolor, con esta parte de la falta. ¿Por qué a mí no me podía pasar lo mismo que al papá? Pero no lo ponía en palabras. Y no lo pone todavía hoy que tiene veintidós años.

Una también tiene que ver sus propios pasos, si miro para atrás siento que me tuve que preservar de muchas cosas. Y me digo a mí misma que mi vida está comprometida con la militancia, y por más que tenga que seguir preservando a mi hijo, no puedo dejar de ser lo que soy y quiero seguir siendo. No sé si es muy duro lo que digo, pero es como decir que yo no puedo no seguir haciendo mi vida de militancia para preservar la relación con mi hijo.

Ahora una lo ve más objetivamente. A veces yo llegaba tarde de las asambleas, más tarde de la hora que le había dicho, y yo sé que sufría, que tal vez sentía miedo, y que cada minuto más tarde debía ser como un suplicio, porque seguía estando el miedo al no regreso. Creo que esto no es joda, además, él vivió mis desapariciones dos veces. Dos veces la madre no estuvo unos días y no se sabía dónde cuernos estaba. Ése fue otro de los temas que nunca pudimos hablar.

Fuera de estos temas, Felipe felizmente no tuvo dificultades en relacionarse, siempre fue un chico muy afectuoso, que no tuvo problemas en la relación con otros chicos. Y creo que fue un mérito de él y que fue importante en su forma de crecer.

Recién después de que terminó el secundario empezó a entender y a bancar un poco más –¡pasaron años!– mi actividad sindical. Empezó a aceptar a los compañeros del sindicato, él no venía al sindicato antes, ni pisaba; aunque fuera que sólo había que pasar un momentito por el sindicato, él no entraba.

Creo que hoy tenemos una relación distinta, aunque nos peleemos igual, porque una es madre... Somos madre e hijo y hay cosas que están en el medio igual, y aunque es muy querido hay cosas que han quedado. Nos queremos y nos cuidamos mucho mutuamente. Muchas veces recuerdo que me planteaba que él quería una mamá como todas. Eso sí llegó a decírmelo clarito. La mamá que estuviera siempre en casa cuando él llegara; y eso fue así en la época más dura, yo estaba todo el día con ellos. Pero a partir del 83 el ritmo fue distinto, por ahí aparecía en los diarios y tenía otras actividades, o sea, no era una mamá igual que las mamás... comunes. Y él quería una mamá común, así me lo reclamó y me lo pudo decir en palabras. Y yo, en palabras, le tuve que decir que –no sé si por suerte o por desgracia– le tocó vivir con una mamá no común, y que yo no iba a dejar de hacer lo que me hacía bien a mí, y que lo iba a fortificar a él, porque mi vida es mía, además de compartirla con él.

Pero creo que lo que una tiene, no como deuda, pero sí como objetivo respecto de nuestros hijos y del conjunto de la sociedad, es que en algún momento los culpables, los nombres y apellidos de los represores, puedan saberse todos y pueda haber justicia en este país.

La obediencia debida y el punto final provocaron mucha bronca porque todo lo que se vivió fue muy duro y, a pesar de que se recuperó la democracia, no se saldó esta etapa de la historia en la Argentina. La democracia no terminó de saldarla, porque en democracia se hicieron leyes para tapar nuevamente la historia. La vida nos muestra que con leyes esas cosas no se tapan porque siguen estando todos los días en la calle. Los represores están sueltos, son los mismos del gatillo fácil de hoy, y son los mismos que nos matan a los pibes de hoy. Estamos en democracia y todavía no hay justicia, pero la lucha continúa y creo que sí o sí va a tener que terminar con juicio y castigo a los culpables. Ésta es una de las cosas pendientes, no sé si es bronca, no sé cómo llamarlo. Es deseo de justicia, no de venganza. Uno vivió muchas cosas, denunció nombres de represores, dio datos, pero la Justicia argentina y la democracia argentina no dieron respuesta. Y creo que hoy vivimos las consecuencias, la impunidad, el hecho de no haberse saldado como correspondía esa etapa del país. Ésta es una deuda que tiene la democracia con las consecuencias de la dictadura.

Las Madres han luchado y siguen luchando muy férreamente y no han podido tener respuesta y no han podido enterrar a sus hijos. Las Abuelas continúan buscando a sus nietos. Los Hijos hoy están viendo cómo socializan o de qué manera bancan esta historia tan pesada. Y las esposas o compañeras quedamos ahí, batallando en el medio, reivindicando la lucha, pidiendo por nuestros desaparecidos; y bancando nuestra propia historia, nuestro propio presente y nuestros propios hijos, con la mochila al hombro, solas. Creo que nosotras pataleamos, creo que resistimos desde otro tipo de grito que el de Madres, Abuelas, Hijos. Desde el grito para adentro.

Es otro dolor el de la madre que el de la esposa, o que el del hijo, no es ni más ni menos uno que el otro. Son distintos.

Que a una madre se le muera un hijo, yo desgraciadamente lo siento en carne propia, es un dolor irreparable desde todo punto de vista.

Pero que te quiten a tu marido, a tu compañero es otro dolor también irreparable, desde otro lugar. Desde el lugar de la construcción de tu vida.

Y que un hijo no haya podido vivir con su padre o con su madre, es otro dolor, es una pérdida desde no haberlo tenido, desde no haberlo compartido, pasa a ser una pérdida desde el comienzo de la vida.

Yo creo que las mujeres de los desaparecidos hemos peleado mucho, con una carga de angustia muy fuerte y luchando para subsistir, preservándonos para no caer, para poder criar a nuestros hijos y para poder transmitirles –yo por lo menos lo intenté– el menor dolor y la menor angustia posible. Pero el dolor no se controla con el pensamiento, porque creo que aunque una intenta que no suceda, es algo que se transmite a flor de piel. No es lo mismo abrazar a un hijo en situación de angustia que en situación de felicidad.

Me acuerdo de mi hijo mirando una foto. Una foto en la que estábamos con el padre y con él, cuando era chiquito. Lo único que Felipe pudo decirme fue: "Acá era cuando éramos felices".

Buenos Aires, 31 de julio de 1997.

DESAPARECIDO
MARCELO ANÍBAL CASTELLO
4 DE FEBRERO DE 1977

REFORMAS DE LA LEGISLACIÓN PENAL

(...) Las modificaciones dispuestas por la ley 21.306 son las siguientes:

Art. 379.- Podrá concederse la excarcelación del procesado, bajo alguna de las cauciones determinadas en este título, en los siguientes casos:

1) Cuando su detención o prisión preventiva se hubiese decretado con relación a un hecho, aunque cayere bajo más de una sanción penal, cuya pena privativa de libertad no excediere en su máximo de ocho años, ni en su mínimo de dos, y siempre que por sus características y por las condiciones personales del sujeto, pudiera aplicársele condena de ejecución condicional.

2) Cuando su detención o prisión preventiva se hubiese decretado hasta por cinco hechos independientes, aunque a éstos correspondiera pena privativa de libertad superior a ocho años, si por sus características y por las condiciones personales del sujeto, pudiera aplicársele condena de ejecución condicional.

3) Cuando hubiese agotado en detención o prisión preventiva, que según el Código Penal fuese computable para el cumplimiento de la pena, la prevista como máximo, para el o los hechos que se le imputen, o la solicitada por el agente fiscal, que a primera vista resultase adecuada.

4) Cuando sobre la base de la pena privativa de libertad solicitada por el agente fiscal, que a primera vista resultase adecuada, pudiera corresponderle condena de ejecución condicional.

5) Cuando la pena privativa de libertad solicitada por el agente fiscal, que a primera vista resultase adecuada, permitiera conforme al tiempo de prisión preventiva cumplida y computable, el ejercicio del derecho acordado a los condenados por el artículo 13 del Código Penal, siempre que se hallase acreditada la observancia con regularidad de los reglamentos carcelarios.

6) Cuando la sentencia, no firme, imponga pena que permita el ejercicio del de-

recho acordado por el artículo 13 del Código Penal, siempre que se hallase acreditada la observancia con regularidad de los reglamentos carcelarios.

Art. 380.- Sustitúyese por el siguiente:

Sin perjuicio de lo dispuesto en el artículo anterior, no se concederá la excarcelación cuando por la índole del delito y de las circunstancias que lo han acompañado o por la personalidad del imputado fuere inconveniente la concesión del beneficio en razón de su peligrosidad o por la gravedad y repercusión social del hecho.

Art. 385.- Suprímese la frase final:

"En los dos últimos casos no será alcanzada por la medida prevista en el artículo 411 de este Código".

Art. 388.- Sustitúyese por el siguiente:

La eximición de prisión y la excarcelación serán revocadas cuando:

1) Se acredite que concurre alguna de las situaciones previstas en el artículo 380.

2) No se cumplan por el encausado las obligaciones establecidas en los artículos 381 y 386.

3) El eximido de prisión no se presentare dentro del quinto día de notificado el peticionante a labrar el acta prevista en el artículo 386, si la caución fuere juratoria. Si la caución fijada fuera real, el juez señalará el plazo para que se labre el acta del artículo 386.

Art. 397.- Sustitúyese por el siguiente:

El auto que deniegue o conceda la excarcelación o eximición de prisión será reformable o revocable de oficio o a instancia de parte durante todo el curso de la causa. Es apelable por el Ministerio Público, la defensa y el tercero peticionante, en el plazo de tres días. El recurso sólo se otorgará en relación.

El artículo 2º de la ley 21.306 es de forma.

El Código Procesal Civil y Comercial

El Poder Ejecutivo promulgó ayer una ley por la cual se modifica el artículo 1º del Código Procesal Civil y Comercial –decreto-ley 17.454/67–, que se relaciona con la improrrogabilidad de la competencia atribuida a los tribunales nacionales en razón de la materia.

El texto anterior permitía la prórroga de competencia siempre que se tratase de asuntos exclusivamente patrimoniales y prohibía expresamente dicha prórroga a favor de jueces o de árbitros que actuasen fuera de la República. Por el nuevo instrumento legal se elimina dicha prohibición, excepto en aquellos casos en que los tribunales nacionales posean jurisdicción exclusiva.

"Art. 1º.- Modifícase el artículo 1º del Código Procesal Civil y Comercial de la Nación –decreto-ley 17.454/67– el que quedará así redactado: La competencia atribuida a los tribunales nacionales es improrrogable. Sin perjuicio de lo dispuesto por el artículo 12, inciso 4º, de la ley 48, exceptúase la competencia territorial en los asuntos exclusivamente patrimoniales, que podrá ser prorrogada de conformidad de partes, incluso a favor de jueces extranjeros o de árbitros que actúen fuera de la República, excepto en aquellos casos en que los tribunales nacionales poseen jurisdicción exclusiva. El acuerdo de partes por el que se establezca la prórroga de competencia a favor de jueces extranjeros o de árbitros que actúen fuera de la República, en los casos en que proceda, será válido, únicamente, cuando haya sido celebrado con anterioridad a los hechos que motivan la intervención de éstos." (...)

La Nación, **martes 4 de mayo de 1976.**

Noemí

LA DESAPARICIÓN DE MIGUEL fue el 30 de junio de 1977. A las cinco y media de la mañana golpearon la puerta violentamente. Yo tenía de mi matrimonio anterior dos chicos, Emilio de once años, y Natalia, de nueve, que vivían con Miguel y conmigo y que escucharon todo.

Nosotros teníamos discos de los Quilapayún y cuando el nene oyó, lo único que atinó a hacer fue esconderlos con su cuerpito, porque inmediatamente supo de qué se trataba. Es que uno vivió siempre con el miedo de que uno es contra y a uno lo persiguen.

La desaparición de Miguel no fue violenta, había como un sadismo, no sé, no de violencia; pero por ejemplo, me pidieron que le preparara abrigo porque donde iba a estar iba a tener mucho frío. Y revisando la casa encontraron cartas de mi vieja, ella vive en la costa, y me decían que ya tenían lugar para ir a veranear. No, no había violencia. Nadie gritó. Salvo los golpes en la puerta todo fue tranquilo. Y se lo llevaron.

Nos quitaron muchos libros y me pedían armas. En mi casa no había armas. La única arma que tengo es el cuchillo de la cocina, les dije. Era mucha gente, no sé cuántos porque estaban distribuidos por toda la casa, y afuera también. A los chicos no los tocaron, casi ni los miraron, prendieron la luz en el cuarto de mi hijo Emilio, vieron que había un nene y ni entraron ni revisaron. Pero en el resto de la casa hicieron un desparramo, las biliotecas, todo. Y se lo llevaron a Miguel. Dijeron que eran fuerzas de seguridad, eso fue lo único que dijeron. Y se lo llevaron.

Lo primero que hice fue ir a la brigada de Caseros a hacer la denuncia. Fue impresionante. Llegué al lugar y vi a otros, que bajaban de los Falcon, después de haber hecho el trabajo durante la noche. Los tipos, con el pelo teñido. Armados, claro. Espantaba verlos.

Después fui a la casa de un compañero a decir lo que había pasado. Y a partir de ahí sentí mucha solidaridad de la gente. Muchísima. A los chicos nunca les faltó comida, nada. Y empecé a hacer los trámites, mientras esperábamos.

No me olvido, a muchos lugares iba con los chicos, y Natalia, la menor, me decía: "Ahora mami no hay que hacer nunca más nada, no hay más actividades"; entonces Emilio le contestó: "No, en este momento es cuando más cosas hay que hacer". Mis hijos también fueron muy solidarios, yo me sentía muy, muy apoyada.

Y la vida fue así. Con miedo. Tuvimos que estar mucho tiempo en la misma casa, hasta que encontramos una casa donde radicarnos, y los chicos pudieron seguir con su actividad en la escuela sin demasiado trastorno.

Yo estaba embarazada y en noviembre nació Ariel. Y pese a todo, a que era una época muy terrible, con mucha angustia, donde te bajaban de los colectivos, te revisaban las agendas, la cartera, te preguntaban de dónde venías y adónde ibas, yo la tengo como una época muy plena. Sobre todo rescato el tema de la solidaridad en mi familia, mis chicos, la gente que me rodeaba, otros compañeros. Nadie se rajó.

Éramos hasta felices con ese dolor espantoso con el que se vivía. Porque era muy intensa la sensación de que una estaba haciendo todo lo que se podía hacer. Hoy una piensa que podría haber hecho más cosas. Muchas más. Que por qué no hice. Pero era esa sensación de estar cumpliendo con el deber, verdaderamente. Desde el corazón, desde las entrañas, desde las tripas. Qué sé yo cómo decirlo. Era pleno, ésa es la palabra.

Y era con todo el dolor, con toda la incertidumbre. No se entendía un carajo por qué se lo habían llevado. No había una militancia tan comprometedora. Pero después nos enteramos de que esa noche fue terrible, se habían llevado como a treinta compañeros de distintos sectores.

¿En qué cambió mi vida después de la desaparición de Miguel? Eso es lo intangible. Yo de verdad no sé. No sé la dimensión que tiene esto. Sé cómo se instaló en el afecto. Cómo uno intentó que no fuera un bronce. Pero yo no sé cómo habría sido si él hubiera estado. No, no lo sé. A él se lo llevaron el 30 de junio de 1977 y Ariel nació el 16 de noviembre, así que estaba embarazada más o menos de cuatro meses. Y así anduve, con mi panza a cuestas. Pero el tema solidario fue muy groso en esa época. Nunca más se recuperó esa solidaridad.

Era la plenitud, la intensidad. El miedo. Recuerdo haber deseado mil veces que me llevaran a mí también. Muchas veces. Y decir, bueno, uno no tiene derecho, pero era más fácil desde adentro. Estar adentro. Era una situación más clara para el que estaba adentro. Estar afuera donde uno andaba sin saber qué hacer era muy difícil. Sintiéndose responsable de no se sabe qué cosas. Y el miedo. Era un miedo. No sé si era miedo, era como una esperanza en realidad. Qué loco, ¿no? Qué loco. Porque sí, yo me acuerdo de escuchar pasos en la vereda y decir, vuelve. Simultáneamente pensar no, me vienen a buscar. No era pánico. Era una cosa muy loca. Es como que en realidad hubiera sido mejor que me llevaran a mí también. Es terrible y es muy loco. Pero es verdad, es la verdad más profunda. Más profunda.

Debe de tener que ver con que uno sabía que era un opositor importante, aunque no anduviera con armas ni en ninguna selva. En mi familia la cultura era la de la oposición. Y se sabe que todo el que no cumple con las normas es perseguido. Uno también sabía que podía estar preso, que te fajaban. Que si te encontrabas con los del CDO (Comando de Organización) te bajaban de un balazo. Ciudadela era terrible y el CDO era muy fuerte. Nosotros desde el Partido Comunista estábamos vinculados con los Montoneros, y éramos fuertes también, porque no en cualquier lugar los Montos se juntaban con el PC. Éramos un PC medio *sui generis*. Entonces aunque uno no andaba armado, sabía que era un transgresor, y no era culpa lo que sentía, qué sé yo, porque uno es consciente de que es un transgresor, y a mucha honra.

Creo que la culpa por haber sobrevivido está más en la gente que se exilió que en los que nos quedamos, pese a que yo detesto esa diferenciación porque cada uno hizo lo que pudo, como pudo. Pero los que nos quedamos, los que la tuvimos que apechugar desde otro lugar, creo que sentíamos esa cosa de plenitud, de estoy haciendo todo lo que puedo.

Aunque después una diga, no hice todo lo que pude. Y fui cobarde de más de una vez. Desde el momento que se lo llevaron. Yo no grité cuando se lo llevaron a Miguel. Y tengo una prima que se la llevaron y gritó tanto su nombre y su dirección, hizo tanto escándalo, que lograron ubicarla y tuvieron que legalizarla. Estuvo un montón de tiempo presa con su nena, pero la tuvieron que legalizar, blanquearla. Y entonces me digo ¿y si yo hubiera gritado? Esas cosas pueden quedar como culpa. No hice. Fui cobarde. Les tuve miedo.

Pero también pensás que eran siete, ocho, diez tipos armados. ¿Qué puede hacer uno indefenso absolutamente? Ante el atropello. Indefenso no sólo ante el arma que te ponen. Ante la invasión. La violación. Con los chicos ahí.

Uno tiene la sensación de que hizo mucho y de que no hizo todo. Porque si hubiéramos hecho todo, pero no individualmente, si hubiéramos hecho todos, a más de uno lo habríamos podido salvar. Estoy segura de eso. Segura.

Creo que la gente no sabía. Hasta muchísimos años después. Yo fui a una marcha con Ariel, que tenía, no sé cuántos años, pero ya era consciente de todo y él eligió ir con un cartel y la foto de su papá, tendría más o menos seis años. Y Gustavo, mi actual marido, lo llevaba a caballito, con su cartel. La gente lo tocaba y decía: "¡Es el hijo de un desaparecido!". Como: "¡Ah, existen!", pero ojo, pensemos que la gente que estaba en la marcha era la gente más consciente, la que sabía. Lo tocaban, le daban caramelos, una revista publicó la foto de Ariel con el cartel del papá. Era conmovedor, es cierto. Pero yo no quería ese manejo, tenía algo de siniestro. Nunca más lo llevé a Ariel.

No, no, la gente no era lúcida. Muchos vecinos que vieron cómo se lo llevaron a Miguel, dijeron que sacaban cajones con armas de casa. Muchos lo dijeron. A una le mandé una maldición y murió quemada. Dijo que vio perfectamente cómo se lo llevaban a Miguel, y yo le pregunté por qué no hizo nada. Me contestó: "Porque de tu casa se llevaban armas", y yo pensé: "Vas a morir como una rata". Y murió como una rata. Le explotó una garrafa y se incendió toda. Terrible.

Y yo no tengo sentimiento de venganza. Pero me acuerdo que sentía mucho miedo del posible rechazo de la gente. Lo de la desaparición de Miguel no era una cosa que andaba ventilando. Era mío. De cualquier manera, todos sabían. Hubo muchos secuestros en el barrio.

Me acuerdo cuando tuvimos que ir a inscribir a Ariel en el Registro Civil. Había que explicar claramente la situación. Pero me atendió una zoquete. La estúpida podría haberlo anotado con el apellido del padre. Fui con el papá de Miguel, o sea con el abuelo del nene, y él le decía, le explicaba la situación, le decía que lo único que quería era ponerle su apellido, que era el apellido del padre del nene. O sea que estaba todo el reconocimiento. Pero ella no lo aceptó. No.

Esperamos al límite para hacer el trámite, porque confiábamos en la aparición. Pobrecito. Tiene el nombre de Miguel por esa historia. En realidad se llama Miguel Ángel Ariel. Pero no tiene el apellido del padre. Tiene el nombre. Que no representa nada. Pero...

En el 78 era cuando una se sentía más paria. Éramos las kelpers. Éramos la escoria. Realmente se sentía. Y esta sensación queda, la de estar siempre en otro lugar. Nunca en el correcto. Nunca. Es como la falta de un lugar en el mundo, de mis iguales, que sé que las hay. Pero iguales desde adentro, no desde el dolor. Desde la vida.

Una es una cosa que jode. Es como decir: "Esta mina a mí me recuerda permanentemente que los desaparecidos existen". Es algo que jode mucho, porque todo el mundo se lavó las manos, o la mayoría. Ésta es una culpita que nadie está dispuesto... claro, ¿quién se va a hacer cargo? Y una está ahí, a medida que va ganando fuerza y puede decir: "Mi marido es un desaparecido", te encontrás con el: "¡Ah!, ¿pero él estaba metido?".

Él es un desaparecido. Una discusión que yo he tenido hasta con familiares de desaparecidos. Un desaparecido es un desaparecido. Todas las desapariciones son injustas. "No, porque Fulano, ¿sabés en qué estaba?", esto era así. Cómo le pedías a la sociedad que respondiera y se hiciera cargo de lo que estaba pasando en ese momento. Imposible. Con todo el bombardeo de información, si estas cosas estaban dentro de los propios familiares. Yo no me banqué éstas y otras cosas de los organismos de derechos humanos. Hice todos los trámites a través de la Liga. Pero no pude bancarme estas cosas. Ni el autoritarismo de Hebe de Bonafini. No sé. En las entidades había jerarquías, como no querer reconocer la militancia del desaparecido, o dónde militaba. Esa cosa falsa. Y una lo sentía.

Sé que ahora hay un discurso que no me conmueve. Que me parece antiguo. Es una cosa de piel, siento que yo no me regocijo con el dolor. Creo que en ciertos lugares hay regocijo del dolor.

Yo lo espero. Siempre. Cosas terribles, ni en el Borda deben pasar. Y sí. Sí. Ir en el tren y ver una cara, y creer que es Miguel. Eso me ocurre hoy, todavía. Locuras que quedan. Que una está así, sentada, y siente que alguien pasa. Y es él. Esto es una locura absoluta porque yo soy atea, no tengo ninguno de esos rollos, pero yo esto lo siento. Será parte de la locura y yo convivo con ella, no me preocupa, pero... Y es Miguel. No. No es que lo veo ni ninguna de esas cosas, pero siento un calorcito. No sé, estará vinculado a los deseos terribles que uno tiene. Por más que yo sé que si estuviera acá no estaríamos juntos, porque era ese loco terrible, y creo que no me hubiera bancado esa vida muchos años. Fue hermoso mientras duró. Seguro que estaríamos separados. Era un chanta divino, oportunísimo, pero era difícil. Y siento esta cosa, de buscarlo. Y cuando me hablan de alguien a quien mataron rápido yo digo qué suerte, dentro de la locura y del espanto, qué suerte. Y siempre digo, ojalá, porque como nunca se supo nada. Ojalá haya muerto en la primera tortura.

No sé cómo jugó todo esto cuando volví a armar pareja. Yo ya era eso, esa persona, con toda esa historia, y no hacía mucho análisis. Yo. Me enamoré, como una colegiala. Y hasta tuve esa cosa solidaria de la madre de Miguel cuando se enteró de que salía con Gustavo. Mi suegra lloró muchísimo, muchísimo, pero me dijo: "Quiero que seas feliz". Es muy groso.

Además sentía que también tenía derecho a la felicidad. A la felicidad. Una habla así y parece una película de mentira. Pero a esa cosa linda, tenía derecho y los chicos también. Ese bagaje ya era parte de uno, no se hacía grandes planteos. Yo no traicioné a nadie. Es como que también había necesidad de oxígeno, tal vez. Y habría inconsciencia, porque yo pienso, ¿y si hubiera vuelto? Qué espanto. Qué hijaputez. Pero yo no sentía que era una hija de puta, francamente. No lo sentí. Tenía absoluto derecho a eso que me estaba pasando y estaba muy tranquila. A lo mejor lo di por muerto. Sin haberme dicho explícitamente, desde hoy. Y a lo mejor no fue así. Porque realmente, esta cosa de que voy en tren y miro y digo, pero si es él... Ni sé cómo sería Miguel hoy. Tal vez mire esa cara joven. No sé, eso no lo sé. Porque una desea que viva. A esa persona la amó también. Que sea feliz. Como cuando decían se fue a Suecia, está en España, en México. Ojalá. Ojalá que sea feliz absolutamente. Lástima que no creía en eso. No creía y sí creía. Siempre como una esperancita; que a lo mejor está en algún lugar. No podés creer que la gente desaparezca en el aire. Serán las cosas que una hace para poder sobrevivir. Si no... Ni siquiera te desaparecieron.

Cuando Ariel fue creciendo comenzamos a explicarle lo del papá desaparecido, sin describir el grado de violencia de las desapariciones, pero haciendo que no sintiera que su padre era culpable de algo. Miguel no era culpable de nada. Fue víctima de un sistema injusto, terrible. Esas cosas le decíamos. Ariel tenía cinco años y cuando cantaba el himno en el jardín de infantes, ponía el puñito así, cerrado.

Nadie se daba cuenta porque él no levantaba el bracito, yo sola lo veía, cerraba el puñito con el bracito apretado contra el cuerpo. Y siempre tratamos de explicarle todo y de dejar bien claro que no éramos culpables de nada.

Pero a través del tiempo, como somos diferentes, ni mejores ni peores, pero diferentes, Ariel sintió esa diferencia. Y muchas veces quiso ser igual a todo el mundo. Muchas veces. Ahora está orgulloso de ser diferente y hasta se siente mejor que muchos. Esta historia de que uno estuvo e hizo todo lo que creyó, para él tiene un valor. Tiene el valor de que uno no se rajó, no se tapó los ojos y estuvo donde había que estar, o donde creía que había que estar. Eso nos hace ser distintos al resto de la gente, a los que cuando pasaron por canal 9 *La noche de los lápices* se enteraron de las atrocidades, mientras nosotros nos despertábamos con eso y nos acostábamos con eso. Uno es más importante, pese a todo, pese a sí mismo, dejáme de joder. Sí, sí. No es lo mismo. Aunque no haya servido para un carajo. Y no sabemos si no sirvió, no lo sabemos. Pero no hay comparación.

En Ariel no hay reclamo con respecto al padre. A casa siempre viene la abuelita, la mamá de Miguel, y es un lamento, lloramos juntas. Ella me enternece muchísimo. Y siempre hablamos de lo mismo, tantas veces, creo que es como una letanía para Ariel. No sé, tal vez estoy interpretando, pero creo que esto es como una carga que le hemos impuesto a Ariel. No sé, como sobre esto no hay nada escrito uno siempre hizo intentos. Yo siempre traté de que Miguel no fuera un mito para Ariel, pero exigí respeto. Ariel no lo conoció al papá más que por referencias, y no debe ser fácil para él.

Un papá es un papá. Un señor que cuando cabe cambia pañales, nos reta cuando tenemos malas notas, nos acompaña a jugar al fútbol. Pero este papá que tiene Ariel, hermoso... Además era tan hermoso Miguel. Con unos hermosos ojos verdes, una hermosa sonrisa... en una foto. No es un papá. Es una cosa que le han encajado a Ariel sin comerla ni beberla. No tiene nada que ver Ariel con esa persona. Esto realmente nunca lo hemos hablado.

Yo hice lo que creí que era lo mejor, le dije sabés, te informo, esto es lo que ocurrió. Sin mentiras. ¿Cómo lo transmitió una? No sé, no sé si lo hizo en la forma correcta.

Entonces yo no sé bien cómo funciona todo esto con Ariel. ¿No reclama nada porque no quiere saber nada de la historia? ¿O realmente es que él no tiene nada que ver con esa historia, con esa persona, con Miguel? Él no tiene nada que ver.

Es más papá de él Gustavo, que hace diecisiete años que está con él, que se pelea de una forma feroz, pero que cuando hay que ir al médico sale corriendo y lo lleva, que ese papá de figurita, de foto. Es terrible pero es así.

Además es una cosa que está ahí marcada, para todo la vida. Porque tu papá no es cualquiera, es un desaparecido tu papá... ¿Y él? Yo qué hago con esto, dirá. ¡Qué le importa! No porque no le importen los desaparecidos, pero no tiene nada que ver con él, lo real es que con él no tiene nada que ver. Tiene que ver conmigo. Con sus hermanos mayores, que aunque no eran hijos de Miguel estuvieron muy vinculados a su vida. Pero Ariel ni siquiera llegó a escuchar su voz. Esto es muy terrible, recién ahora lo pienso. ¿Qué papá? Es biológico, es un accidente.

A Gustavo no le dice papá, hubo un intento... Pero a mí me parecen falsas esas cosas. Entonces, ¿qué pasa desde Ariel con esto? Yo no sé si yo no le transmití lo correcto, o si le encajé un paquete a alguien que no le correspondía. Francamente tengo mis serias dudas. No sé. ¿La otra cuál era? ¿Ocultar la situación? No, no ocultar, pero tampoco que fuera un fardo la historia ésta... ¡Bah! No sé de qué estoy hablando. Estoy hablando pavadas, era imposible hacer otra cosa. Lo que pasa que visto desde hoy parece un disparate. Pero una pensaba que iban a volver, que Miguel iba a aparecer, una trató de que lo quisiera. Además, ideológicamente, era su historia. ¿Cómo lo voy a privar de su historia?

Yo me acuerdo de cuando Ariel tenía cinco años y cantaba consignas, pero eso hoy me parece un espanto. Yo me cerré mucho, cada una de mis palabras era la verdad revelada, y transmití eso. Y hoy me parece lo injusto. Porque pienso, por qué ésta es la historia de Ariel si él a su papá no lo conoció. No tiene nada que ver con él más que biológicamente. Es una duda. No lo sé, no lo sé.

Y también pasa que a través del tiempo esa persona, el desaparecido, es perfecto, perfecto. Porque yo no me acuerdo de las cosas malas de Miguel, que las debe haber tenido. No, todo lo que yo me acuerdo es que era una delicia y cómo lo disfruté. Y seguro que todo el tiempo no disfruté, dudo de que haya sido así. Pero es que esta persona ya no está, aunque fuera perfecto.

Imagináte vivir con el Che Guevara, era perfecto, por donde lo mires. Un tipo con una claridad, todo el tiempo, todo el tiempo... Imbancable debe haber sido. ¿Y cómo sos el hijo de un tipo como el Che? Yo no voy a poder, deben pensar los chicos. ¿Cómo se igualan con ese modelo, cómo lo alcanzan? No sé, ese papá de Ariel es una cosa que tuvo que aprender a amar, que seguramente lo quiere, seguramente. Porque una se lo enseñó.

Provincia de Buenos Aires, 1º de septiembre de 1997.

DESAPARECIDO
MIGUEL ÁNGEL HORTON
30 DE JUNIO DE 1977

LECTURAS PROHIBIDAS

La circulación por correo de *El Capital,* de Carlos Marx fue prohibida el lunes pasado en Buenos Aires (...)

Los libros prohibidos "infringen normas regidas por la Ley Antisubversiva con relación a la difusión de ideologías extrañas al ser nacional argentino".

Además de *El Capital,* se han prohibido *Categorías del material dialéctico,* de Rosental, *El problema de la conciencia,* de Shorojova, *El materialismo dialéctico y el concepto,* de Khrasanov, *La asimilación consciente de la escuela,* de Ganelin, *Metodología de la labor educativa,* de Kannikpva y *Dialéctica General,* de Tomaschevski.

Algunas editoriales españolas han recibido notificación oficial de que determinadas publicaciones suyas han sido prohibidas en Argentina. (...) Todo lo que huele a marxismo es inmediatamente eliminado. Se ha llegado a extremos grotescos, como fue aquella quema de libros recién llegados al aeropuerto de Buenos Aires, un envío considerado altamente peligroso fue nada menos que *Rojo y negro,* de Stendhal.

En Córdoba, en la Base del 14 Regimiento de Infantería Aerotransportada, se han estado realizando "autos de fe" contra libros y revistas, en presencia de periodistas. Según el jefe de la Unidad, se trata de "literatura perniciosa que afecta al intelecto y nuestra manera de ser cristiana". Esta medida pretende impedir que esta literatura continúe engañando a nuestra juventud sobre el verdadero bien que representan nuestros símbolos nacionales, nuestra familia y, en fin, el país.

***El País,* Madrid, 12 y 13 de marzo de 1977.**

Patricia Escofet

MI COMPAÑERO ERA OSVALDO PLAUL, sociólogo, trabajaba como director de operaciones comerciales de un laboratorio americano, y desapareció el 4 de enero de 1977. Hacía poco más de dos años que estábamos viviendo juntos, no estábamos casados porque él era divorciado de su primera mujer. Tuvimos un hijo que se llama Matías y que tenía ocho meses cuando lo secuestraron a Osvaldo.

En el momento de la desaparición de Osvaldo, mi familia acababa de pasar por una situación muy dolorosa. Mi madre, mi hermano, mi cuñada y dos peones de un campo que tenía mi papá estuvieron un mes secuestrados en un campo de concentración que habían armado en lo que era el Regimiento 1 de Caballería Montada, en La Plata. A ellos los liberaron el 31 de diciembre de 1976, y a Osvaldo lo secuestraron el 4 de enero de 1977.

La reacción de mi familia fue sacarme del medio, llevarme lejos, desesperados porque por su propia experiencia tenían plena conciencia de lo que estaba pasando con la gente a la que secuestraban. Yo tenía veinte años y hacía más de tres que no vivía con mis padres. Era en La Plata una dirigente estudiantil bastante reconocida y había tenido que irme de allí amenazada. Mi familia, a su manera, intentó protegerme.

La familia de Osvaldo, su padre y una hermana –su mamá había fallecido–, en un primer momento reaccionó intentando la búsqueda de Osvaldo conmigo. La relación con nuestro hijo, Matías, fue medianamente fluida hasta que tuvieron la casi certeza de que a Osvaldo lo habían matado. A partir de ese momento tomaron una posición que fue aislarme junto con Matías. Y a la vez que nos aislaban se quedaban con nuestro patrimonio. Para hacerlo no dudaron en fraguar poderes y hacer "aparecer" a Osvaldo vivo, otorgando un poder especial para vender los bienes que le correspondían de la herencia de su madre. El que apareció haciendo de Osvaldo –cinco años después de su desaparición– en una escribanía y con la libreta de enrolamiento de Osvaldo fue un primo suyo.

El padre de Osvaldo, valiéndose de artilugios y de un poder que le había dado mi mamá cuando salió de estar secuestrada, vendió la casa que era nuestra y me lo explicó muy alegremente: "Mirá, Patricia, la verdad es que vos fuiste algo muy chico en la vida de Osvaldo, tu único mérito es haber sido la madre de Matías, así que yo voy a hacer trabajar este dinero para que cuando mi hijo vuelva se encuentre con un patrimonio importante".

Finalmente logré recuperar parte de ese dinero y compré un pequeño departamento para Matías y para mí. Por supuesto las relaciones se empezaron a desdibujar, se mezcló lo patrimonial con lo afectivo. Matías pasó a ser mi hijo. Osvaldo se convirtió exclusivamente en el hijo de su padre y en el hermano de su hermana. Pasó a ser soltero. Yo pasé a ser nadie. Y Matías hijo de una madre soltera. Esto era lo que figuraba en el imaginario de ellos.

Éstas son como historias paralelas, yo en ese momento estaba ausente de todo eso. Mientras seguía buscándolo, ellos lo resucitaban para poder vender sus bienes. Mientras yo me negaba por una cuestión de principios a hacer la presunción de fallecimiento de Osvaldo, ellos lo resucitaban, vendían todo y simulaban.

De la aparición fraudulenta de Osvaldo fraguada por su padre y de la venta de sus bienes me enteré años después, cuando salió la sentencia de la desaparición forzada y se tuvo que regularizar la situación de Matías como heredero de Osvaldo. La explicación de este buen señor fue: "Sí, había una casa, unos terrenos, pero yo eso lo vendí inmediatamente después de la desaparición, como Osvaldo en vida no quería nada de eso...". Inicié un juicio por nulidad de todas esas ventas, y allí apareció la historia del despojo material que sirvió de base al despojo afectivo. ¿O fue el despojo afectivo lo que sirvió de base al despojo material? Esto no se va a saber nunca. Lo cierto es que hasta el día de hoy sobre quien recae el peso de que esto haya ocurrido es sobre la mujer del desaparecido, porque: "Es tu mamá la que crió a un hijo que tiene en cuenta lo material", le dijeron a Matías.

Una desdibujó mucho su historia en lo cotidiano, en tener que compensar, en tener que ser una especie de arquero que se la pasaba atajando penales todo el día, entonces el resto de lo que pasaba en la cancha uno lo perdía porque no tenía la posibilidad de verlo.

Yo empecé a poder reconstruir mi historia a partir de una circunstancia legal, de un juicio por la patria potestad de Matías que inicié y gané durante la dictadura. A partir de los testimonios en ese juicio pude reconstruir cosas de mi vida. Era muy duro... muy desparejo. Ver que en la familia viajaban a Europa, vivían de la plata dulce. Y se iba perdiendo cotidianamente base, no existía la posibilidad de formarse, de tener un trabajo digno, de estudiar, de estar mucho con los hijos. Y cuando estaba con los hijos una se sentía carente. Me pasaba que cuando estaba sola con Matías enseguida le invitaba amiguitos, porque la presencia sola de Matías a mí me abría la llaga no sólo de la ausencia de Osvaldo, sino de la ausencia de proyecto, la ausencia de esos otros hijos que alguna vez pensábamos tener.

Y bueno, es en estas estructuras familiares donde yo creo que se ve reproducido lo que pasa en otras estructuras. Lo que pasa en los organismos de derechos humanos es más de lo mismo, y estoy convencida de que el peligro que nosotras corremos es convertirnos en un grupúsculo o en una secta que sea utilizado cada tanto por grandes o pequeñas estructuras de poder y por las estructuras familiares a gusto y conveniencia, cuando necesitan que aparezca el "souvenir".

Nosotras no somos el "souvenir" de la represión. Ni los desaparecidos perdieron su vida para ser como un regalito de quince años, ni nosotras quedamos vivas para esto.

Yo creo que políticamente molestó y sigue molestando mucho la presencia de las mujeres de los desaparecidos. De hecho mi experiencia es que las mujeres de desaparecidos que actúan en organismos de derechos humanos tienen enterrada su identidad como personas autónomas. Están cristalizadas en una situación de sufrimiento permanente. Hay como una cierta psicotización, es como escuchar o ver durante años a una persona pidiendo en una esquina. Y me da mucha pena el hecho de que no hayamos podido generar un núcleo de crecimiento diferente para este sector que fue bien golpeado. Realmente bien golpeado por las estructuras familiares, sociales, laborales, y obviamente golpeado por la estructura del Estado. Y hoy es el sector que tiene que dar respuesta a los "sin respuesta" que tienen nuestros hijos.

Esto se refleja también en los organismos de derechos humanos, podemos verlo en la propia Hebe de Bonafini cuando dice que quienes pidan el resarcimiento económico: "Van a ser expulsados". O en la actitud que tuvo cuando se vetó primero, y volvió a sancionarse nuevamente, la ley de excepción del servicio militar a hijos de desaparecidos, echó a cachetazos a nuestros hijos de la Plaza de Mayo, y publicó en el diario *Sur* un histórico documento en el que se sostenía que nuestros hijos no podían tener "privilegios" y tenían la obligación de hacer el servicio militar y de "juzgar con su mirada" a los militares que han sido los represores de sus padres.

Es muy fácil decir todo esto cuando no se tiene ni el sexo ni la edad para hacer el servicio militar y se está en una condición de poder respecto de estos chicos.

En 1989 un grupo de mujeres de desaparecidos comenzamos a juntarnos por problemas específicos. Esto no se armó en forma premeditada o sistemática y tuvo como objetivo no crear ningún núcleo desde donde se generaran peleas de poder. El primer tema específico que nos convocó fue que se estaba cajoneando la ley de excepción al servicio militar obligatorio para los hijos de los desaparecidos. Así empezamos a reunirnos y a empujar por esa ley junto a nuestros hijos. La pelea fue muy grande y cuando por fin se sancionó la excepción, nos dimos cuenta de que ése era el problema menor.

En un primer momento la cuestión más seria que se nos planteó fue ver que con tantos organismos de derechos humanos que existen en la Argentina, y en los que muchas de nosotras habíamos participado circunstancialmente porque siempre sentimos que estábamos muy alejadas de las peleas por el poder dentro de esas estructuras, no existía un listado sistematizado de hijos de desaparecidos, de las víctimas más desprotegidas del terrorismo de Estado.

Esa comprobación nos llenó de desesperación y a ello se sumaba que estaba por expirar la vida legislativa del proyecto de excepción al servicio militar. Sin saber bien qué hacer, fuimos a *Página/12* con la idea de hacer una convocatoria, algo público, y cuando estábamos ahí y un periodista nos preguntó qué era lo que queríamos publicar, yo tomé un papel y escribí: "Hijos de desaparecidos llaman a hijos de desaparecidos" y el teléfono de Familiares de Desaparecidos, con una breve explicación sobre la importancia de la sanción de la ley.

La respuesta fue muy fuerte. Llamaron de todo el país. De Córdoba, Jujuy, del Sur, de la Plata, de todas partes. De esa forma nosotras mismas empezamos a sistematizar un poco esa información y con muchas firmas y mucha presión comenzamos a reclamar la sanción de la ley.

Fue en ese momento cuando el hijo de un importantísimo represor, gobernador de una provincia en la época de la dictadura, que se desempeñaba como asesor de un senador, nos alcanzó un documento secreto de la Armada en el que se fundamentaba por qué el proyecto de ley no debía prosperar. Este hombre nos citó en su estudio y nos dijo que él nos iba a ayudar porque creía que éramos honestas en lo que pedíamos para nuestros hijos, y porque él sabía y conocía quiénes fueron los secuestradores, los torturadores y los asesinos. Y nos dio el documento al que le recortó el membrete después de asegurarse de que nosotras lo viéramos y confiáramos en su autenticidad.

Salimos de ese estudio de la calle Lavalle preguntándonos por qué a nosotras nos daban eso, y creo que veíamos muchos más Falcon de los que realmente circulaban por la calle. Leer el contenido del informe aumentó nuestra desesperación, no sólo porque nuestros hijos pudieran llegar a hacer el servicio militar en los mismos lugares en los que –como está legalmente comprobado– habían estado y habían sido asesinados sus padres, sino porque el documento terminaba diciendo: "Si nosotros aceptamos la promulgación de esa ley, ¿qué va a pasar con los desaparecidos posteriores al 10 de diciembre de 1983?".

Lo que hicimos fue poner en conocimiento de alguna gente que éramos poseedoras de ese documento y nos entrevistamos con algunos diputados y senadores. Realmente presionamos mucho y fueron Solari Yrigoyen, Gass y Rodríguez Saa quienes decidieron presentar al día siguiente un proyecto sobre tablas para que la ley saliera, y nos invitaron para que concurriéramos con nuestros hijos a la sesión.

A esa altura la convocatoria se nos había ido de las manos porque en esos días se había sumado una cantidad impresionante de mujeres con sus hijos. Nos empezamos a reconocer entre nosotras. No nos conocíamos de antes, pero reconocíamos a quienes habían sido nuestros amigos y compañeros, en las caras de nuestros hijos. El día anterior a la sesión me amenazaron por teléfono y los organismos tuvieron una buena respuesta. Al día siguiente se sancionó la ley durante una sesión muy emotiva, muy fuerte.

Pero realmente no pudimos festejar demasiado, porque primero se produjo la reacción de los organismos, que cuando llegamos muy contentas con la sanción de la ley dijeron: "Mmmm, ahora hay que esperar que la promulguen, porque en cualquier momento la vetan". Efectivamente, la vetaron, con los mismos argumentos del famoso documento secreto de la Armada. Y cuando esto sucedió, una de las miembros de ese organismo de derechos humanos, ante nuestra desesperación, dijo con una sonrisa enorme: "¿Vieron que la iban a vetar...?".

No nos echamos atrás, la peleamos mucho y entró al período de sesiones extraordinarias, fue muy vergonzoso el veto y muy paradigmático lo que vendría después, lo que fue la reivindicación de algunos de los derechos de las víctimas de una de las represiones donde el Estado estuvo más abiertamente comprometido como institución.

Yo creo que el tema de las mujeres de desaparecidos con hijos es un tema muy complejo. Nosotras tuvimos muchísima presencia, una presencia muy importante, la de la cotidianidad. La presencia de levantar a los chicos, darles la mamadera, responder a sus preguntas más obvias y más terribles, contestar a todos los interrogantes que tiene un chiquito que vive en una casa donde no hay un muerto. Donde hay una silla vacía. Donde la situación de la incertidumbre se convierte en una omnipresencia. Acá no hay ausencia, hay una presencia que está por encima de todo.

A esto hay que sumarle lo que significábamos nosotras como continuación de un proyecto ya no político, porque si bien teníamos el mismo proyecto de cambio de modelo, no todos estábamos enrolados en la misma estructura política, no todas las mujeres comulgábamos con nuestros compañeros. Y estaba muy bien diferenciarnos de aquellas estructuras partidarias donde la máxima consideración que una podía llegar a tener era ser "la compañera de", porque muchas brillábamos con luz propia. Creo que esto molestó y mucho, fundamentalmente a las estructuras familiares que fueron las primeras que pasaron facturas en esta historia. ¿Por qué? Porque de quienes nos habíamos diferenciado en principio, era del modelo de nuestros padres, sobre todo aquellos que proveníamos de sectores de la pequeña burguesía.

Entonces pasaba algo así como: "Vos sacaste los pies del plato. Bueno, por sacar los pies del plato éste es el castigo". Yo creo que la represión, el terrorismo de Estado, no se inscribe en una sociedad que no acepta los métodos represivos como tales. Esos métodos represivos fueron aceptados, convalidados y está convalidada su reproducción. La diferencia fue el grado de brutalidad, pero el origen de la cuestión es el mismo.

Es en este sentido que yo creo que las mujeres tuvimos y tenemos una presencia muy importante, y que si no pudimos hablar antes es justamente porque era necesaria esa presencia de la cotidianidad. El estar en todos los días de nuestros hijos, de nosotras mismas y como referentes generacionales. Nosotras como referente generacional no desaparecimos. Tampoco desapareció con el desaparecido el referente generacional.

Hay otro elemento que diferenció entre sí a las mujeres de desaparecidos, una división muy marcada entre quienes quedaron cristalizadas en su personalidad como mujeres de desaparecidos y quienes pudieron seguir siendo Fulana, Mengana, Zutana. Esto tiene que ver con la identidad. Con la perversión de la desaparición y, a partir de ella, en qué nos convertimos cada una de nosotras cuando tuvimos que cargar con el desaparecido. Y tuvimos que hacerlo porque no hubo reconocimiento de la existencia del desaparecido por parte del Estado ni por parte de las organizaciones sociales más importantes. Nosotras hemos cargado con el desaparecido para que no se olvide esa circunstancia. Nos hemos convertido en personas con identidad propia y con identidad de NN. Y después de veinte años o más, en muchas esta situación se ha cristalizado y no pueden salir de decir: "Yo soy la mujer de".

Muchas de las que nos quedamos en el país, lo hicimos porque sabíamos que no íbamos a tener sujeto de relación con quien identificarnos en otro lugar del mundo. Una no se quedó solamente porque no sabía nadar o no se atrevía a cruzar el Atlántico. Una se quedó como parte de un compromiso. Creo que en esto las mujeres jugamos un papel mucho más importante de lo que la mayoría pretende. Nos quedamos porque quizá seamos quienes tengamos más conciencia de dónde estan nuestros compromisos más básicos, más primarios, esto que pasaba cuando una decía: "Yo no me puedo ir sin los huesos de mis seres queridos", es eso, es así.

A mí la vida me la salvó un terapeuta que había trabajado en Europa con familiares de desaparecidos de la Segunda Guerra, Francisco Berdichevsky. Me salvó la vida no en términos biológicos sino en términos de proyecto. Fue la primera vez que me encontré con alguien que sabía de qué le estaba hablando.

Con él yo aprendí a compensarme en la vida. A saber que los agujeros negros iban a ser siempre agujeros negros, y que lo máximo que podía lograr era compensarme. Que en mi vida había tanto lugar para espacios muertos como para espacios vivos, y poder abrir esos espacios. Saber que los espacios muertos iban a seguir apareciendo el resto de mi vida. Que acá nada lo cura el tiempo, que no hay voluntarismo, sólo hay mucho trabajo personal. Y que lo único que uno puede hacer para que esos espacios negros, esas muertes que son las propias, no te invadan y te anulen, es aprender a manejar cuándo uno quiere que aparezcan.

Creo que a partir de ahí yo pude recomponer mi vida sabiendo que hay cosas que siempre van a ser muy difíciles. Que para nosotras un día y veinte años no tienen diferencia. Que cuando una recuerda el momento es lo mismo. No pasó el tiempo. Esto es parte del mecanismo perverso que tuvo la represión. Esto fue finamente calculado, y dentro del cálculo está la profunda tristeza, melancolía e impotencia, la sensación de estar atada de pies y manos. Que van a pasar muchos años y quizá nosotras no lo veamos, para que esta historia pueda ser contada desde otro ángulo. Y pueda ser reivindicada como la de toda persona que pierde un ser querido, como una persona con un dolor permanente que tiene que ser respetada. Más aún por todos aquellos que sientan que los desaparecidos han sido quitados brutal y clandestinamente de nuestras vidas y han dejado un espacio vacío, y que podamos vivir ese dolor y sentirnos reconfortados en esa sensación de pérdida.

Yo nunca sentí el abrazo y la contención de decir: "Puta madre, pobre mina, se quedó sola con un pibe de ocho meses". Sí sentí la protección familiar, pero no con el abrazo, con la contención, con la piel. Fue la protección con la orden, con el mandato, el: "Volvé al lugar de donde nunca deberías haber salido". Y eso sirvió, peor hubiera sido si no lo hubiera tenido. Pero no deja de ser una falta. Si se llena, si no se llena, eso es lo difícil. Es muy difícil esta situación de duelo permanente.

Hace unos días mi hija de ocho años me preguntó qué es "La noche de los lápices", porque se conmemoraban los veintiún años y escuchó hablar de eso. Le conté, y le dije que muchos de esos chicos habían sido mis compañeros, en La Plata. Y es muy difícil cuando uno está delante de un chico de ocho años que no es parte de ese contexto, aunque sí es parte de este país y de esta historia, y de golpe ve llorar a su madre por la impotencia, por el dolor, porque esas ausencias siguen siendo algo muy fuerte, muy sentido. Ella por momentos me ve estar mal cuando recuerdo al papá de Matías. Yo me casé con Ariel y la tuve a ella, y cuando ella era más chiquita preguntaba quién iba a ser su papá cuando fuera grande, porque Matías le dice papá a mi esposo... Y una tiene que explicar todo esto con la verdad y de acuerdo a su edad. Pero con mucho dolor. Con mucha angustia porque es así como es la vida.

El tema de armar pareja no es un tema fácil, es un tema bien difícil. A nosotras nos desaparecieron los referentes generacionales, nos desapareció el sujeto con el que ideológicamente nos relacionábamos y hay algo en esto que no tiene que ver con lo político, tiene que ver con una opción de vida. ¿Y después con quién te relacionabas? Con un boludo que te decía: "No, porque ustedes fueron todos idiotas útiles". Y por más fuerte que estuviera el tipo, la cosa duraba muy poco y le decías: "Salí de acá, volvé a tu casa, boludo". Además, claro, uno se relacionaba con boludos porque el hecho de relacionarse con el boludo era el reaseguro de volver al desaparecido. De no dejar de ser la mujer de un desaparecido.

Además, en el reemplazo, falsamente, está la concepción del olvido. Si yo lo reemplazo, lo estoy matando. Y si yo dejo esa silla vacía ahí donde está, lo estoy manteniendo vivo. ¿Y cómo puede un ser humano pensar –y evidentemente lo hemos pensado y lo hemos hecho, no conscientemente– en pegar tanta cosa rota? Fue titánica la tarea, titánica y absurda. Pero uno no puede dejar de reconocer el proceso y el diálogo con la locura. El primer año de la desaparición de Osvaldo yo me lo pasé teniendo la fantasía de que me iban a llamar y me iban a decir que estaba en tal cárcel, a disposición del PEN. Y todos los meses bajaba su ropa, la lavaba y la planchaba de nuevo, porque en cualquier momento me iban a llamar y yo iba a tener que llevarle su ropa. Bueno, esto era dialogar con la locura. Y no reconocerlo también es una locura. La locura no la inventó uno. La inventaron otros, fue premeditada, fue bien clara y trajo todas estas consecuencias: cristalizarse en el sufrimiento, quedarse totalmente pirada, totalmente loca. Hay compañeras que hoy no están, que están muertas, pero que a partir de la desaparición de su compañero no volvieron nunca más a tener una vida... no, ni siquiera podría calificar cómo quedaron. Quedaron mudas. Mudas.

Una a veces dice, piensa, pero la gran puta, qué se jugó en todo esto. ¿Cuánto más que la desaparición, la tortura, el asesinato clandestino, la desaparición de los cuerpos? ¿Cuántas más cosas hay que compensar? Cuántas compañeras que murieron de cáncer. Cuántas que se suicidaron. Cuántos hijos que caminan por la cornisa porque no pueden digerir toda esta situación de tanto maltrato, de tanta perversión.

Obviamente, en todo ese contexto, no era fácil para nosotras volver a armar pareja, ¿no? Y en los intentos por ahí te pasaban cosas muy jodidas. En el 84 yo intenté armar una pareja y de pronto vi que a ese tipo le venía bárbaro estar en pareja con lo que él llamaba "la mujer de un desaparecido", yo funcionaba como un blanqueo de toda una situación de él de no compromiso durante los años más duros. Era como si pasar por una fuera bañarse en las aguas del Jordán. Entonces me di cuenta de que cuando una necesita de cualquier tipo de reconocimiento, se engancha en estas situaciones de pareja obviamente enfermizas, simplemente porque ahí me reconocieron algo que no estaba reconocido en otros lugares.

En medio de todo esto en casa la silla vacía era algo permanente, algo con lo que una convivía todo el tiempo, y aparecía la necesidad de Matías de que yo armara una pareja. Yo creo que Matías siempre tuvo esa necesidad, de tener un papá, por más que él ahora tiene veintiún años y una fuertísima imagen de su padre, él necesitaba tener un papá en casa. Y creo que influyó en esto muy positivamente el hecho de saber que su papá no estaba vivo. Yo se lo dije cuando me pareció que estaba en edad de comprender, se lo expliqué de manera que pudiera entenderlo, le dije que a su papá lo habían matado los señores que nos gobernaban simplemente porque él pensaba distinto de ellos. A medida que fue creciendo fui agregando información a eso. Mi familia armó una batahola terrible por eso, pero yo creí que era lo mejor y lo hice, y creo que fue bueno. Así, Matías pudo saber que la mía, si bien no era una situación reconocida en general, era una situación de viudez. Y las viudas se vuelven a casar. Cuando no se tiene claro que esto es una situación de viudez, nadie se casa. En ese momento una no tenía claro nada, una quería saber si era viuda, separada, casada o qué diablos era.

Por eso los intentos que hice antes de casarme con Ariel no funcionaron. Yo realmente no estaba dispuesta a que ningún tipo medianamente piola se acercara a mi vida. Y los que no eran piolas cumplían una función muy utilitaria si se quiere. Una también tiene que reconocer sus miserias en todo esto. De pronto, sin tener ganas de estar en pareja, pero pasando por situaciones de mucho apremio económico, aparecía un señor que decía: "¡Oh!, ¿cómo no tenés fruta para tu hijo?", y te traía un kilo de manzanas y uno de naranjas, y a una le parecía que era el príncipe azul y entraba en una especie de estado de fascinación del que en algún momento emergía. Esto no es privativo nuestro, le pasa a cualquier mujer o a cualquier hombre en un estado de necesidad y de confusión muy grande. Creo que es importante reconocer estas cosas. Que no es ningún bochorno que una después de años de no ir a un cine o a un teatro se enganchaba en una relación sin perspectivas de nada, con tal de ir al cine o al teatro. Qué sé yo, son esas prostituciones intelectuales que se han tenido, y no está mal reconocerlo.

Hasta que un día realmente me enamoré, me enamoré profundamente. Pero lo más difícil de todo esto es explicar que una no deja de amar nunca las cosas que amó de otro. ¿Entonces por qué se le pide a una viuda que entierre todo, por qué tiene que enterrar lo positivo que amó de otro? Para poder amar tiene que desamar y tiene que destruir. Esto es una cosa muy loca que no tiene que ver con el hecho de los desaparecidos, sino con el lugar que ocupamos, con el lugar que históricamente se le asignó a la mujer.

Y yo me enamoré, y que esté muy enamorada de mi marido no significa que cada vez que pienso en Osvaldo sienta que..., la puta, cómo se me escurrió. Esta sensación de que es el agua que se te va entre las manos. ¿Qué daría? ¿Qué puedo dar? Nada. Porque la situación es objetivamente dramática. Yo no puedo recuperar nada. Ni dando mi vida. Ni su hijo dando la suya. Nadie puede recuperar nada. ¿Desamar? ¿Dejar de amar? ¿Creer que se puede? ¿Dejar de amar a cada uno de los compañeros con los cuales una compartió un proyecto de vida? Con los que había elegido compartir la vida. Es la vida lo que yo compartía con Osvaldo.

Entonces, al margen de las situaciones o de los reconocimientos políticos, lo que yo en algún momento desearía de esta sociedad, de todos nosotros, es que pudiéramos recomponer o construir el respeto en relación a esto. Lo de que a rey muerto rey puesto, no existe. Nadie sustituye nada.

Creo que por más que una se haya podido encontrar con seres con los que comparte la vida, todo, hijos, afectos, ideología, forma de vivir, una todavía sigue simulando. Y sigue simulando porque en determinado momento salta el tema de: "Bueno, yo no me banco más seguir viviendo con el fantasma de...". Si una como mujer estuviera en una situación de mayor poder podría contestar: "¿Sabés qué pasa? Que el fantasma es un fantasma que existe en la sociedad". Acá hay muchos fantasmas. Está el fantasma del desaparecido y de los que desaparecieron después de diciembre del 83. ¿Quiénes? Los Bulacio, Núñez, Mirabete, Bru, los chicos que se mueren. Todos esos son fantasmas que dan vueltas en nuestra sociedad. Ésta es nuestra noche de brujas. No la de los yanquis.

Hay momentos donde yo me siento, en relación a la pareja, como diagnosticando, diciendo: "Es imposible que lo entienda, es imposible...". Y no pasa solamente con la pareja, pasa con todas las relaciones. Por eso ojalá pudiéramos recomponer en la sociedad, reconstruir. Acá no es necesario matar para vivir. Acá es necesario escuchar y ser escuchado para vivir. En la posibilidad de ser escuchado está la posibilidad de ser respetado.

Acá hay como un no respeto a la existencia de las familias en las que, por algún motivo, separación, muerte o lo que sea, las parejas se desarman. Y si uno de ellos vuelve a casarse, es como que esa familia anterior no existe más. Esa familia va a seguir existiendo. Siempre.

En el caso de los desaparecidos nosotras venimos a agravar el cuadro de situación con alguien que, encima, es un fantasma. Que tiene nombre y apellido. Que tiene una omnipresencia porque la propia desaparición lo hizo omnipresente.

Cuando Matías a los cinco años dibujó una familia, dibujó un papá enorme, que trágicamente nunca había tenido. Porque su necesidad del papá era muy grande. Y nuestra necesidad de no ser mal miradas por alguna elección de nuestra vida, enfrasca así, justito, con la estructura en la que fuimos educadas las mujeres, la de demostrar que éramos buenas. Entonces, una cosa es el repudio que una hace de las desapariciones y del terrorismo de Estado en lo político, y otra cosa es lo personal, desde una, la necesidad de defensa. Tiene que ver con esa cosa de estar en permanente estado de sospecha. Nosotras siempre estamos en estado de sospecha.

Los abismos legales que existen son tremendos y aportan a estas situaciones, como sucede con quienes no estábamos casadas legalmente porque en ese momento no existía el divorcio. Esto es algo que al no tenerse en cuenta en lo social no se tiene en cuenta en lo legal, porque se legisla sobre lo que existe. Y nosotras no existimos.

No existimos, entre comillas... Porque la pucha si existimos, la pucha si hemos tenido presencia, y ¡la pucha si molesta nuestra presencia! La presencia se da a través de cosas concretas, como por ejemplo los hijos que terminan de estudiar, los hijos que a pesar de todo consiguen un trabajo, y a pesar de todo están vivos. Quién hubiera dicho que ese hijo de subversivo iba a salir adelante, ¿no?, dicen algunos malignos. Una certeza que yo tuve durante todos estos años es que muchísima gente estuvo observando malignamente para ver si nos caíamos, si nos equivocábamos y si podían darnos en nuestro comportamiento como madres. ¿Y por qué una tiene que seguir demostrando lo ya tantas veces demostrado? ¿Por qué las que no estábamos casadas, hoy, para determinados trámites como el del resarcimiento u otros, más de veinte años después, tenemos que demostrar que éramos las compañeras de? Si eso está demostrado a través de las partidas de nacimiento de nuestros hijos con el reconocimiento del padre, está demostrado a través de las denuncias que nosotras mismas, personalmente, hicimos en los distintos organismos, a través de la búsqueda. ¿Qué se quiere decir con esto? Ustedes mienten. Ustedes nunca van a salir del estado de sospecha.

Éstas son las cosas que hacen que entre veinte años y un día para nosotras no haya diferencia. Esto la vuelve a una para atrás y es muy difícil de entender para quien no pasa por esa situación.

Y una se pasó años de su vida protegiendo lo que quedaba del desaparecido, que eran los hijos. Era la mitad de la vida de ellos en nuestras manos. Y una cuidaba de eso en situaciones laborales y personales muy desfavorables. Por eso es muy emocionante verlos hoy grandes, juntos, avanzando. Fueron chicos que con enormes limitaciones pudieron mucho. Yo siempre tuve una obsesión muy grande de vivir hasta que Matías tuviera sus dieciocho años, que cuando llegara a esa edad se pudiera desempeñar solo. Porque el único ser medianamente coherente que podía quedar a cargo de Matías era mi padre, un hombre grande que cuando murió tenía ochenta y seis años. Bueno, después yo me casé, y Ariel, mi marido, representa para Matías una figura masculina muy importante. A mí no me queda duda de que si yo mañana me muero Matías y Ariel van a seguir teniendo un vínculo. Pero esa sensación de que la desgracia va a estar abierta a la vida de ellos, creo que eso difícilmente se nos vaya alguna vez.

Matías siempre fue un chico con muchas ganas de vivir, con mucho empuje y energía. Y fue encontrando formas de ir compensando sus estados de angustia. Ariel tuvo mucho que ver con eso, entre otras cosas los metió a Matías y a su hijo mayor a hacer tae-kwondo. Las artes marciales con cierta perspectiva filosófica tienen su origen en situaciones de cautiverio en las que la gente no podía expresarse y encontraron la forma de hacerlo a través del cuerpo. Así Matías empezó a medir sus propias fuerzas y empezó a adquirir una profunda seguridad sobre sí mismo. Esto no significa que esa base de angustia con la que él creció, porque sus vínculos primarios se establecieron dentro de ese estado, no exista, pero logró encontrar el equilibrio. Tenemos una relación muy buena, pero es una relación de madre e hijo. No de amigos. Yo soy la mamá, fundamentalmente siento como mamá y me desespero como mamá. Tuvimos un momento desesperante cuando al cumplirse veinte años del golpe de Estado a un tipo se le ocurrió hacer un libro con fotos de los desaparecidos y fotos y datos de los hijos. Me dio como un ataque de locura, porque a Matías le parecía bien y quería participar. Allí le conté cosas que creo que antes nunca le había contado a nadie. Le conté lo que es la tortura, lo que es un cachetazo de esos hijos de puta, lo que es ponerse inútilmente en situación de riesgo. Le imploré que no accediera al pedido de ese tipo, que no podía existir un periodista medianamente consciente que pudiera pedir algo así. Sólo un servicio podía querer armar algo así. Le expliqué que nosotros hemos sido una familia muy amenazada. Siempre lo denunciamos penalmente, sin resultados, pero yo no reniego de recurrir a la Justicia en estos casos. Matías vivió y creció en ese marco y entendió mis temores. Por otra parte, sus pares son los hijos de los desaparecidos, tiene amistad con otros chicos y una mentalidad bastante amplia, pero los códigos comunes los tiene con ellos, con los hijos de los desaparecidos. Como yo tengo mis códigos con mujeres de otros desaparecidos. Entre nosotras tenemos códigos.

Buenos Aires, 18 de septiembre de 1997.

DESAPARECIDO
OSVALDO PLAUL
4 DE ENERO DE 1977

“EXCESIVAS EXPECTATIVAS” POR LA REUNIÓN DE LOS ALTOS MANDOS

Los recientes hechos de violencia –el asesinato del general **Omar Actis** y el hallazgo de numerosos cadáveres– fueron motivo de honda preocupación en el Ejército, reveló ayer un alto oficial del arma en una conversación con periodistas de todos los medios metropolitanos. Tras admitir tal repercusión, anunció también l**a decisión de investigar esos hechos hasta las últimas consecuencias y los calificó como destinados a perjudicar la imagen del gobierno y del proceso.**

En relación a la versión que indicó últimamente la posibilidad de crear un órgano de planeamiento, el alto oficial señaló que **existe un acuerdo básico para conformar un ente de esa naturaleza, pero que todavía no hay decisión adoptada.** Falta definir –dijo– el nivel de dicho órgano, su misión y sus funciones y **tampoco hay** –agregó– **ofrecimiento cierto a persona alguna para dirigirlo**. Estimó que antes de un mes se definirá esa situación, explicando que la vinculación del general **Genaro Díaz Bessone** con el tema se debe a que fue requerido por el comandante general para estudiar la nueva estructura, en consideración a la versación de ese oficial superior sobre el asunto. (...)

Consultado sobre la reunión de mandos del jueves pasado, estimó que hubo **“expectativas excesivas”** acerca de la citada conferencia.

En cuanto a las versiones que circulan sobre algún posible **“aperturismo político”**, afirmó que el Comandante General insistió en su conocida posición en el sentido de que no se trata de dar participación a los partidos políticos en las actuales circunstancias ni tampoco a organismos gremiales. En cambio –afirmó– la conducción gubernativa sostiene la necesidad de **una apertura a través de la participación de políticos o gremialistas en el proceso**, canalizada en la consulta sobre los grandes temas nacionales. (...)

Señaló que las directivas impartidas apuntan a convencer con hechos y con obras, teniendo como objetivos posteriores lograr comprensión, después obtener adhesión y finalmente conseguir la continuidad al proceso mediante la acción homogénea de los distintos sectores del país.

Se puso de manifiesto, igualmente, que durante la reunión de mandos afloró la existencia de **adecuados canales de comunicación y de amplia comunión de pensamiento entre el comandante general y sus subordinados**.

Clarín, 21 de agosto de 1976.

Susana Botner

MI MARIDO ERA ELÍAS SEMÁN, abogado, militante de VC (Vanguardia Comunista) y defensor de presos políticos. Lo secuestraron el 16 de agosto de 1978, ni bien terminó el Mundial de fútbol.

Vivíamos en Capital con nuestros dos hijos, Pablo de catorce años y Ernesto de nueve, después de haber tenido que huir primero de Córdoba y luego de Mar del Plata donde los chicos y yo vivimos un año.

En aquel momento yo trabajaba en un laboratorio y al mediodía del 16 de agosto me llamó una amiga para decirme que su marido estaba "muy enfermo", que le avisara a Elías. Lo de "muy enfermo" era una clave que usábamos en esa época para dar a entender que había pasado algo grave, que alguien había sido detenido. Yo me fui volando a casa y cuando llegué Elías ya había salido y no tenía cómo ubicarlo. Empecé a ponerme muy nerviosa y me pasé toda la tarde esperando y sacando papeles, buscando cosas comprometedoras. En realidad, ya a esa altura nada comprometía a nadie, quiero decir: "No teníamos el plano de la bomba", lo único que había en casa era libros, de marxismo, de historia. Pero yo, atada a las viejas costumbres de la militancia, tiraba cuanto papel encontraba. En eso estaba cuando de pronto abrieron la puerta y aparecieron dos tipos a cara descubierta que traían a Elías. Estaban de civil y no se identificaron en ningún momento. Nuestro departamento era en un segundo piso, sin ascensor, y después supe que abajo había autos con un montón de tipos armados.

Empezaron a buscar cosas mientras me decían que guardara valores, plata. Yo no entendía nada hasta que hicieron subir a otro que calculo que sería un oficial de policía de la seccional de la zona y le mostraban que yo tenía un dinero de la cooperadora de la escuela de los chicos, una máquina de tejer, otra de escribir, un grabador y no sé qué más. Le decían oficial y le demostraban que no se robaban nada... Todo muy loco. Mientras tanto, Elías buscaba cosas de historia que él estaba escribiendo. Yo no entendía nada porque Elías me decía: "Quedáte tranquila que está todo el partido adentro", y yo no comprendía cuál tenía que ser el motivo de mi tranquilidad.

No sé cuánto tiempo pasó porque es inconmensurable, pudo ser un minuto o una eternidad, no lo sé. Mi hijo menor estaba en casa con un amiguito y los mandaron a los dos a la casa de ese nene, creo que él no se dio cuenta de lo que pasaba. Pero Pablo, el mayor, se quedó y tuvo conciencia de que sucedía algo grave, se puso a llorar y a gritar que no lo tocaran al padre que él los iba a matar, terrible. Ellos me pidieron que le preparara un té a Pablo y lo sentaron a la mesa del comedor, le hablaban como para tranquilizarlo, algo siniestro. Mientras tanto yo me sentía confundida por la actitud de Elías, estaba muy tranquilo e insistía en que yo me tranquilizara: "que estaba todo el Partido adentro...". Siempre creí que en ese momento él no se daba cuenta y que le parecía que era una de las viejas detenciones del Partido Socialista a las que estábamos tan acostumbrados. Te detenían, se llevaban a todo el mundo, y después recibías visitas, te traían puchos. Siempre tuve la sensación de que Elías sintió eso. Pero cuando se fueron y se lo llevaron alcanzó a decirme dos cosas: "Que estos hijos de puta nunca te saquen la sonrisa"; y: "No le digas nada a mamá de esto". Logró confundirme por completo, con el paso de los años pienso que en realidad no quería asustarme, pero tenía conciencia de cómo eran las cosas. No sé... Los tipos se fueron diciéndome que me quedara tranquila, que en diez días íbamos a tener novedades de Elías; y que a los chicos había que enseñarles historia... Increíble.

Esperé, pero por supuesto no hubo novedades, a los diez días lo único que hubo fue un extraño llamado telefónico a la casa de mis padres, a la noche muy tarde, un llamado que se cortó sin que nadie dijera nada. Y nada más. Así que decidimos hacer todos los trámites, los que hacía todo el mundo, hábeas corpus, presentaciones, denuncias ante los organismos internacionales.

Un tiempo después supimos que se habían llevado como a cincuenta compañeros, en esa época ya quedaban menos militantes. En julio se habían llevado a varios chicos de la juventud de VC. Después se llevaron a la gente que estaba haciendo una revista con Elías, *Punto de vista*; todavía existe esa revista. En ese momento yo empecé a decirle a Elías que nos fuéramos, que aunque sea se fuera él, pero me contestaba que no iba a pasar nada. Y bueno, se lo llevaron a él y a otro montón más, cincuenta más o menos entre gente de la dirección y militantes de VC. De esos cincuenta, dieciocho quedaron desaparecidos y treinta y dos fueron apareciendo de distintas maneras y los legalizaron. Los hacían aparecer tirados en la calle, en una camioneta, amordazados y atados, entonces llegaban de las comisarías y se los llevaban porque estaban "en evidente actitud subversiva". Otros aparecieron directamente en una comisaría, a disposición del PEN. Una de las detenidas fue Estrellita, a quien el cónsul español logró sacarla de la seccional y mandarla a España.

Ella reconstruyó lo que pasó en El Vesubio, allí los habían llevado a todos, hizo la denuncia y la reconstrucción de todos los detalles del campo de concentración ante Amnesty International. A través de su testimonio y de otros pude saber que Elías estuvo en El Vesubio, que los tenían en cuchetas, acostados, que podían hablar entre ellos y que Elías hacía muchas bromas, que decía que todo era obra del PCR (Partido Comunista Revolucionario), porque los perseguía por "chinos", bromas de ese estilo político... Pero nada más, eso es todo lo que me pudieron contar, les cuesta mucho hablar a los que estuvieron secuestrados allí. Así que nunca pudimos reconstruir cómo terminó Elías, hay suposiciones, pero nadie que pueda decir exactamente cómo fue.

Al principio vivimos todo el pánico con Pablo y Ernesto, recuerdo que esa noche, la del día que se llevaron a Elías, yo fui con los chicos a dormir a la pieza de ellos para tranquilizarlos, me acosté en la cama de Ernesto, pero me castañeteaban los dientes como si estuviera desnuda en el Polo Sur. Tuvimos mucho miedo un tiempo largo. Todo nos parecía sospechoso, la gente que se paraba en la esquina, alguien que nos miraba, todo.

Sin embargo, a pesar del miedo nos quedamos en la misma casa. En cuanto pude hice este razonamiento: teníamos que irnos del país o clandestinizarnos, los chicos y yo, y me resultaba imposible imaginarnos en esa situación. Yo no me podía ir. Me ataba Elías, obviamente en los primeros tiempos yo pensaba que iba a aparecer; teníamos una teoría con una amiga mía, que lo iban a hacer aparecer detenido, como terrorista o algo así, pero que iba a aparecer.

Pasaron casi veinte años y todavía me cuesta reconocer la desaparición. Cuando me mudé de casa sentí que abandonaba a Elías porque me iba del lugar donde él sabía que yo estaba. Todavía sueño. Sueño que toca el timbre de esa casa y no me encuentra. A veces hasta me parece que lo veo en la calle y sigo a algún hombre porque pienso que es él. Bueno, por supuesto esto me pasaba con mucha mayor intensidad en los primeros tiempos. Yo sentía que tenía que quedarme a buscarlo, a esperarlo. No podía irme.

Además estaba mi papá, que era muy mayor, yo tenía con él una relación muy fuerte. Decididamente no me podía ir. Y como no podía irme tampoco cambié de casa, me parecía inútil, los chicos tenían la escuela, yo mi trabajo, y estaba convencida de que ellos, los que se habían llevado a Elías, sabían vida y milagros nuestros. Así que era lo mismo, o me iba definitivamente del país o me quedaba en la misma casa y continuaba nuestra vida.

Claro, ahora siento como una actitud irresponsable la decisión de aquel momento, una inconsciencia, porque podía haber sido todo más atroz todavía. Cuando a veces me dicen: "Qué valiente, te quedaste...", yo no sé si me quedé por valiente. No digo que haya sido por cobarde, eso es muy duro, pero la decisión de irse era muy fuerte, tan fuerte, creo que lo más valiente era irse. Porque no era irse de paseo o con una beca, era romper toda una vida, empezar otra. Y decir a Elías no lo busco más. Porque de afuera podía haber vociferado, pero no buscarlo. Para buscarlo tenía que estar aquí.

Yo recuerdo que ni bien me recompuse un poco decidí que tenía que poner todo el énfasis en que los chicos llevaran una vida lo más normal posible. Difícil eso. Difícil porque era una "vida normal" en medio de la dictadura. Ya de por sí las cosas eran anormales para cualquiera, había pinzas y controles por todas partes, se llevaban a los chicos que tenían el pelo largo... Y yo pensaba, ¿si se llevan a uno de mis hijos por el pelo largo y después descubren que es hijo de un desaparecido?

Y me volvía loca, loca. Pero bueno, hicieron su escuela, me empeñé mucho en que siguieran nadando, ellos estaban en el equipo de natación del club Vélez Sársfield, y yo iba a los torneos y me sentaba a tejer como cualquier señora, como si no pasara nada. Claro que eso era la apariencia, la superficie, nada más.

Creo que además me pasaban cosas que tenían que ver con la imagen de las mujeres militantes que teníamos en esa época, que teníamos que ser diez en todo. Ser madres diez. Esposas diez. Compañeras diez. Amantes diez. Militantes diez... ¡Agotador! Y yo tenía que ser diez, y Elías no estaba, pero mis hijos también tenían que ser diez. Y una parte importante de que los chicos fueran diez era cómo yo les transmitía la razón por la cual el papá no estaba, sin provocarles un resentimiento tal que el día que vieran a un cartero lo mataran porque tenía gorra; pero tampoco que creyeran que su padre no estaba porque se había caído en una zanja. Creo que esto era muy loco, cierta locura militante. Y a veces siento que todo eso me pesó tanto, tanto, que me consumió energía que podía haber usado en disfrutar más con los chicos, de los chicos.

Además nosotros ya veníamos muy castigados desde antes de la desaparición de Elías, sufriendo situaciones muy difíciles. Cuando se produjo el golpe tuvimos que huir de Córdoba porque el Ejército había arrasado el estudio de Elías. Primero estuve en Buenos Aires pero acá también estaba todo muy bravo, aunque yo ya no militaba.

Luego decidimos lo peor, que me fuera a Mar del Plata donde vivía mi hermana. Fue muy mala elección, ir a un lugar chico con mucha represión. Volví a Córdoba, sacamos a los chicos de la escuela, de su arraigo, de sus amigos. No paraban de llorar. En ese estado nos fuimos a Mar del Plata, a lo de mi hermana, y fue terrible.

Pablo y Ernesto se la pasaban juntando moneditas para el pasaje a Córdoba, querían volverse, no tenían consuelo. Corría abril del 76; en junio lo secuestraron al marido de mi hermana, era director de teatro, un tipo progresista, simpatizante de sectores de izquierda, pero no era un militante. Él también está desaparecido, mi hermana quedó con cuatro hijos. Y nosotros ahí, con ellos. Elías en ese momento estaba fuera del país; y yo me quedé en Mar del Plata con los chicos hasta que terminaron las clases. Fue atroz. Muchísimos años después no queríamos pisar Mar del Plata ni como lugar de veraneo, porque fue terrible el tiempo que habíamos vivido allí.

Finalmente logramos volver a Buenos Aires, nos reinstalamos con Elías y los chicos. Muy poco tiempo después se lo llevaron a Elías.

Después de esto y contrariamente a lo que sé que les sucedió a muchos, no sufrí un gran aislamiento, tuve un apoyo familiar muy grande y también de amigos y compañeros de trabajo.

En mi trabajo yo no contaba nada, y menos a los jefes, tenía miedo de que me echaran. Después me enteré de que los dueños de ese laboratorio tenían ambulancias que se usaban para trasladar torturados, desaparecidos. Gente muy de mierda. Muy de mierda. El laboratorio estaba en Yerbal y Boyacá. Aunque yo en aquel momento ignoraba esas cosas, no contaba lo de Elías, me producían desconfianza y temía que me echaran. Justo en ese tiempo falleció una prima mía, y como me pasaba la mayoría del tiempo llorando, en la calle, en el colectivo, en el trabajo, era imparable mi angustia, me justificaba con la muerte de mi prima que no tenía nada que ver con la dictadura, pero explicaba mi llanto. A los jefes jamás les conté una palabra, pero a mis compañeros pude decirles lo que me pasaba, tuve suerte, incluso había una compañera que había estado presa y su marido había tenido que irse del país con la opción. Fueron tres o cuatro matrimonios con los que nos acompañamos mucho durante todo el tiempo de la dictadura. Venían a casa sin temor, yo iba a lo de ellos con Ernesto, que salía conmigo porque era más chico. Después, en democracia, con algunos de ellos nos metimos en el PI (Partido Intransigente).

En lo que hace a mí personalmente, creo que la desaparición de Elías me cambió la escala de valores. Esto se acentuó unos años después con una situación absolutamente individual. Tuve un cáncer, un tumor muy agresivo, muy riesgoso. En esas circunstancias me enojé mucho con Elías. Yo tenía su foto en mi pieza, y cuando me operaron la di vuelta, lo puse de cara a la pared, porque él no estaba acompañándome. Me enojaba con el que podía.

Pero creo que todo eso ya venía de antes. Diría que desde que empezaron las desapariciones. Obviamente que la de mi marido me llega mucho más y muchas veces me puse a imaginar cómo sería la vida si Elías estuviese vivo. Cómo hubiera sido mi vida, si Elías estuviera vivo. Si seguiríamos juntos o no; más de una vez me lo pregunté; qué sé yo, hay tantas parejas que se separan, podría habernos ocurrido. Pero por otro lado, muchas veces me he encontrado llegando a mi casa, donde vivíamos antes, y había un balcón… y miraba el balcón y pensaba qué lindo sería tomar mate con Elías en este balcón. Envejecer con Elías.

Otras veces pienso en su generación, en que todos son docentes universitarios, o políticos, y trato de ubicar dónde estaría hoy él. Y siento que mi vida como compañera de él hubiera sido distinta.

Creo que lo que te cambia la escala de valores no es una desaparición, por más dolorosa que sea, y por más que te duela más el callo tuyo que el cáncer del otro.

Pero el cambio surge a partir de todas las pérdidas, de haber perdido tantos amigos, tantos compañeros, tanta gente que yo quería.

Por eso creo que son las desapariciones, todas las desapariciones las que me han cambiado la escala de valores. Valoro más la vida. Creo que eso fue casi lo más importante. Darle más valor a la vida. También al presente. Uno jugaba tanto con la muerte antes.

Yo siento que antes me alejaba de la muerte porque siempre fui muy pacifista, podía justificar la violencia revolucionaria como discurso, pero en mi vida tuve una pistola de juguete. Y por temperamento no sé si hubiera podido tenerla. Pero, de cualquier manera, desde el discurso jugábamos mucho a la muerte heroica. Muchas veces he pensado en Elías, y en que si él no hubiera jugado a una muerte heroica, por lo menos estaría vivo, no sé si juntos o no, no me importa, pero estaría vivo.

Sí, después de todo eso y de mi enfermedad sentí que la vida era algo tan importante... Creo que no se hace un cáncer así nomás, las enfermedades son casi todas psicosomáticas. Yo había pasado por toda la situación de desapariciones; y a eso se sumó la muerte de mi padre.

Lloré muchísimo cuando me enfermé y le decía a mi amiga que se hiciera cargo de mis chicos, de mis hijos. Creo que era lo que no podía soportar, pensar que yo no los iba a tener más y ellos no me iban a tener más a mí.

Después de que me operaron y vi que podía hacer un tratamiento, creo que puse tantas energías, tantas, tantas en que me tenía que curar, que bueno... creo que me curé por eso. El oncólogo se ríe porque yo le digo que él con sus drogas hizo apenas el cincuenta por ciento. Porque el otro cincuenta, si no lo ponía yo, pienso que no pasaba nada.

Y me parece que eso es lo que había cambiado. Pese al dolor inmenso, inmenso. Muchos años después hice terapia. Mucho después y a raíz de cosas estúpidas comparadas con todo lo que había pasado. Hice un intento de pareja y fracasó, y me fui al tacho. No podía entender que después de haber pasado por todo lo que pasé, una cosa así me tirara hasta ese punto. No podía levantarme, una depresión terrible que no me dejaba ni ir a trabajar, y eso que para mí, el trabajo era un valor absoluto. Y empecé terapia, concurrí durante más o menos tres años. Quizá debería haber seguido un tiempo más, me parece. Y entonces, claro, aparece el tema de Elías y todas las cosas; poco tenía que ver lo que me pasaba con ese intento frustrado de pareja, en todo caso había cosas negativas que a mí no me aparecían y las ponía en la pareja o en el intento de pareja. Pero ahí apareció la angustia tremenda por las desapariciones. Cuando digo las, no es que estoy tratando de colectivizar el dolor, mi dolor principal era Elías, pero las desapariciones, todas, enmarcaban el terror en el cual vivimos. Todo el terror.

Finalmente, el cáncer creo que tenía mucho que ver con todo esto. Pero yo quería vivir, con todo el dolor, pero quería vivir. Por mí, por mis hijos.

Creo que mis hijos fueron un sostén muy, muy importante. Nunca supe si esto era bueno o malo; a veces ellos dicen que no, porque uno debe vivir por sí mismo. Pero es que hay un momento en que el dolor es tan grande, tan grande, que lo que uno quiere para sí mismo no alcanza. Yo siento que sobre todo en los primeros tiempos de la desaparición de Elías, el hecho de que estuvieran los chicos para mí fue un sostén muy importante. Me dieron ganas de vivir, o me ayudaron a recuperar las que había perdido. Me ayudaron mucho con la enfermedad y a poder salir de ella.

Todo ese esfuerzo para ser la mujer diez y para que los chicos entendieran lo que había pasado con el padre y no fueran unos resentidos, creo que fue un costo grande para mí. Y no sé si fue lo mejor para los chicos. No lo sé. Por momentos veo a otras personas que se desenvolvieron con más naturalidad como madres y me parece que sus chicos lo vivieron mejor. No sé, no lo sé... Es muy difícil todo esto y a lo mejor también pasa por esa omnipotencia de creer que todo tuvo que ver conmigo.

Yo veo las dificultades que tiene Pablo sobre todo, más que Ernesto, y tal vez simplemente por diferencias de temperamento, de sensibilidad, de manera de absorber las cosas y por diferencia de edad. De hecho, Ernesto era mucho más chico. Ernesto puede hablar de las cosas y puede preguntar. Me pregunta por su padre y yo le cuento cosas, las que me daban rabia y las que me daban risa. Y las puedo hablar.

Con Pablo es mucho más difícil. Pablo era más grande. Y creo que fue un dolor tan, tan, tan grande para él, que a pesar de que yo hablaba, trataba de hablar del tema, intentaba que no fuera un tabú, evidentemente con eso no alcanzó. Quizá tendríamos que haber recurrido a una terapia, pero no lo hicimos, y yo siento que hoy, con tantos años que han pasado, a Pablo todavía le cuesta mencionar al padre. Es una carga muy grande.

Pero me quiero salir de ese lugar donde yo tengo todas las responsabilidades, porque no es así. Aunque siempre sentís algo de culpa, a veces me siento Eva con la manzana... Me tengo que parar y pensar, porque soy tremendamente culposa. Pablo dice que si por ahí se rifa una culpa, yo me la gano seguro. Creo que esto lo ha perjudicado a él, y a mí, y a la situación. Pero es lo que pude hacer.

La culpa pasa también por lo anterior, ¿no? Lo anterior a las desapariciones. La vida a la cual uno sometió a estos chicos sin que ellos tuvieran posibilidad de elegir nada. De ciertas cosas de las cuales hoy yo me puedo reír, pero no sé si él se puede reír tanto, o si en el fondo de su alma esas cosas le causan un dolor muy grande. Todo lo que no pudo hacer. Qué sé yo.

Creo que mis dos hijos tienen un cierto respeto afectivo por la militancia del padre y mía. Pero es eso, afectivo. Hoy los dos son hombres que andan por las ciencias políticas, sociales, el periodismo, y tienen sus propias opiniones, notablemente distintas de todo aquello. La valoración es afectiva.

Lo que a mí me gustaría es poder sentarme a hablar con Pablo. Creo que es necesario. Pero por ahora no parece posible. Y otras veces pienso que a lo mejor no, que no tiene que ser conmigo. Por eso de salirme de la omnipotencia y de la mujer diez. Hice lo que pude hasta ahora. Ya es grande, va a tener que arreglarse como él pueda. Y como en estas cosas los rollos son del hijo con la mamá, quizá sea mejor que se lo cuente a otro. Pero realmente no lo sé.

Lo que sucede es que los chicos han pasado cosas terribles, terribles. Mis sobrinos, por ejemplo, que también tienen a su papá desaparecido desde antes que Elías, volvieron a vivir una situación espantosa en el 84. Durante la investigación de la Conadep apareció una versión de que mi cuñado estaba loco, en el Borda, y mis sobrinos, que en ese entonces tendrían veinte años más o menos, fueron con una abogada y creo que con Magdalena Ruiz Guiñazú, a ver loco por loco, a ver si alguno era su padre. Eso fue espantoso para ellos, pero fueron porque nadie terminaba de absorber las desapariciones.

Muchos años después, en el 91, yo me había regalado un viaje a Europa, y soñaba con que allá iba a encontrar desaparecidos. Y cuando llegué a Europa miraba y miraba. En las estaciones de trenes. En la calle. En España. Y fundamentalmente donde había pobres, mendigos, porque me parecía que seguramente los habían largado así, en cualquier parte y a la buena de Dios, y que ellos estarían muy mal y que no sabrían quiénes eran.

Todo este tema es así... recién el año pasado logré mudarme a este departamento, irme del barrio en el que vivíamos juntos. Y me pasé un mes soñando que Elías iba a buscarme allá, y que yo no estaba, que lo había abandonado. Un mes de insomnio total, porque lo estaba abandonando. Ése era el barrio donde Elías sabía que yo estaba, ¿cómo me vine para acá?, pensaba. Y era 1996, ¿eh...? Parece que esto es eterno.

Mi mamá falleció hace muy poquito, y en ese momento le pregunté a mi hermana, la que tiene el marido desaparecido, si quería que hiciéramos velatorio. Me dijo que no, y no lo hicimos. Pero sinceramente ahora estoy muy arrepentida. Yo creo que lo hubiera necesitado. Me parece que en cada velatorio necesito el velatorio que no puedo hacer. Siento que me despedí mejor de mi papá que tuvo velatorio. Lo elaboré mejor. Creo que nosotras necesitamos un velatorio.

Yo fui al entierro del hijo de Juan Gelman. No porque me conociera, yo lo conozco a Gelman porque es público; fui porque sentí que ahí iba a elaborar algo de mi duelo. Después te queda la sensación de que te mentís a vos misma, porque finalmente el que está enterrado allí es Marcelo Gelman. Pero también pensás que es bueno, sea quien sea, es bueno poder encontrarlo, sepultarlo, que deje de ser un desaparecido.

Con Pablo y Ernesto y la gente de la Conadep fuimos a El Vesubio, y después al Olimpo. Del Olimpo me fui, no me lo banqué. Pero del final de Elías no tengo datos. No hay cómo, dónde buscarlo. Por eso nunca fui a los de los antropólogos, ¿qué les digo? Busquen... ¿Busquen dónde?

No sé qué pasó con nosotras, las mujeres de los desaparecidos; están las Madres, las Abuelas, que también son madres, y los Hijos. ¿Y nosotras? Pienso que nosotras, las mujeres, las esposas, las compañeras, corrimos más riesgos que las madres, ellas corrieron los suyos, pero nosotras éramos mucho más jóvenes y eso, de por sí, era un hecho riesgoso. Además, culturalmente se acepta que una madre busque a su hijo por cielo y tierra, hasta donde sea; pero a las esposas, a las compañeras se nos suponía·cómplices de nuestras parejas, ¿no? Desde ahí digo que había más riesgo, y más si había hijos y esos hijos se quedaban sin el papá. Por más que uno no imaginara en principio la desaparición como cosa tan concreta, el riesgo de algo tenebroso estaba ahí. Pero creo que hay que contar la historia, porque somos parte de ella.

Nos tocó vivir una situación muy particular. No somos viudas que crían a sus hijos como viudas. Somos esposas de desaparecidos, con hijos de desaparecidos, y eso es una situación muy dura. Porque la desaparición está y pesa. Por más que uno quisiera resolverla de la mejor manera con los chicos, ser la mujer diez que decía antes. Y si una no se proponía ser diez, también era muy duro. Siendo, qué se yo, cinco, también se hacía duro porque era duro. Duro y particular. El mero hecho de tener que ocultar la desaparición en muchos lugares, y de que los chicos tuvieran que formar parte de esa clandestinidad u ocultamiento.

Y si me pongo a pensar hay tantas cosas... me acuerdo de los torneos de natación, me encantaban los torneos y me encantaba que los chicos nadaran, me parecía, ingenuamente, que eso era una cosa maravillosa y muy sana, que allí no había ni drogas, ni gente mala, ni nada. Fantasías que uno tiene. Pero lo cierto era que yo que venía de una vida muy militante, enfrascada en las lecturas de marxismo, con actividades que me interesaban mucho, de pronto me encontré todos los sábados y domingos tejiendo ahí sentada, sola, y diciendo que me había separado de mi marido porque nos llevábamos mal, porque era un mujeriego... Inventando cosas que no tenía nada que ver con la realidad. Porque en esa época una no iba a cualquier parte y decía que el marido era un desaparecido.

Además el ocultamiento que había era tan cerrado, tan fuerte, que a mí nunca me pasó que en algún lugar alguien hablara de los desaparecidos y yo tuviera que contener mi situación. La gente no tocaba el tema para nada, por lo menos hasta el 84, después ya era distinto porque uno empezaba a contarlo. Y ahí te encontrabas de todo, también con los que decían: "Por algo será"; pero hasta el 84 la gente no hablaba.

Lo que sí sentí en el 84 fue como un alivio en poder blanquear la situación. Da risa, pero eso se concretaba en que empecé a figurar en la guía y a tener agenda. Y cuando me preguntaban si era casada, separada o viuda, decía: "Mi marido está desaparecido". Por eso tuve una discusión en la policía, iba sacarle el documento a los chicos y cuando me preguntaron el estado civil dije: "Mi marido está desaparecido", y me contestaron que "eso no es ningún estado civil", entonces, furiosa respondí: "Eso no es culpa mía". Claro, era en el Departamento de Policía.

También me encontré con casos en los que cuando decía la verdad no me creían, pensaban que Elías se había ido con otra y que yo mentía de rabia. No te creían para nada.

El que más problemas tuvo cuando yo empecé a decir en todas parte que Elías es un desaparecido, fue Pablo. Yo siempre sentí que a mi hijo Pablo le chocó que yo lo dijera. No sé exactamente cuál es la razón. No lo puede hablar, y conmigo menos, entonces no sé. Es una sensación, nunca me lo dijo, pero es la sensación de que a él le molestaba que yo lo dijera.

Lo que sí tienen mis chicos, y me parece positivo, es no querer levantar la bandera de hijos de desaparecido como si fuera un mérito propio. Eso creo que lo tienen mucho, los dos, y me parece bueno. Tal vez lo de Pablo tenga que ver con esto. Tal vez le parecía que cuando yo lo decía era como si fuera un motivo de orgullo o un mérito, aunque yo no lo dijera así quizás él lo sentía así. De hecho, en algunos lugares se vive así, y hay gente que reivindica su situación de familiar de desaparecido como si fuera un mérito propio.

Creo que a Pablo también puede significarle un peso ser el hijo de Elías, porque era bastante conocido, muy querido y respetado hasta por la gente que en su momento sostenía posturas políticamente opuestas a las de él. Creo que eso le pesa a Pablo, le hace sentir que él también tiene que ser todo diez porque es el hijo de su padre. Es que los desaparecidos no están... pero están. Y está el mandato.

Buenos Aires, 2 de octubre de 1997.

DESAPARECIDO ELÍAS SEMÁN 16 DE AGOSTO DE 1978

DE RENÉE SALAS A VIDELA

"Esta última tarde suya como Presidente de los argentinos, cuando charlamos durante una hora y diez minutos en su despacho, tuve de pronto la certeza de que todo lo que había intuido de Ud. en estos cinco años no era desacertado. De que no me había equivocado –ni yo ni otros ciudadanos– cuando veíamos en Ud. a un hombre transparente, sincero, recto, claro, prudente y reservado hasta la exasperación, con la inseguridad de los demasiado responsables y las dudas de los seguros. Su pasión por el país, su patriotismo, su dolor y su impotencia por algunas cosas que no pudieron concretarse, lo convierten a Ud. casi en un símbolo de este desgarramiento argentino que venimos padeciendo desde hace tantos años. Me gustó Ud., Videla. Me gustó como persona, quiero decir, me gustó como compatriota."

Gente, abril de 1981.

Haydeé

LITO Y YO NOS CONOCIMOS a principios del 76, cuando ya estaba muy dura la cosa. Fue una de esas relaciones que una veía como posible simplemente porque los dos militábamos, era más fácil compartir cosas con un militante que con otro que no lo era. En realidad en aquellos días, si una militaba era imposible mantener una relación de pareja con alguien que no fuera militante.

Al poco tiempo teníamos un metejón bárbaro, algo muy lindo en lo que compartíamos prácticamente todo; así conocí también a su hermano, Mario.

Ésas eran épocas de mucho raje. Los dos estaban rajados por toda su historia anterior de militancia; muy desarraigados, viviendo en un lugar que no les pertenecía. Lito había estado preso en el Uruguay donde había tenido una intensa actividad política; y Mario, en el momento en que yo lo conocí, estaba separado de su mujer y de su hijita porque no contaba con condiciones de seguridad como para vivir con ellas.

Así que la nuestra empezó como una relación casi de emergencia, que fue cambiando, creciendo. Al principio era una cosa muy comunitaria. Me acuerdo que vivíamos con mi hermano y con mi cuñada y su beba; más otra pareja de compañeros, ella estaba embarazada, él después se tomó la pastilla de cianuro; y Lito y yo. Eramos seis adultos con una beba y otra por nacer, y mi perra, todos viviendo en dos ambientes. Nadie se enteró, ni en el edificio ni en el barrio, de que éramos tanta gente, sólo nos veían a nosotros dos y a la perra, los demás no existían para los vecinos.

Un tiempo después tuvimos que mudarnos, ya sin la pareja que mencioné. Nos fuimos a una casa que nos duró nada más que veinte días, porque los militares cayeron en la casa de mi madre buscando a una de mis hermanas. Ahí comenzó el desparramo total, nos separamos todos.

Después de eso Lito y yo vivíamos en casa de conocidos. Ahora que lo estoy contando, pienso qué complicado que era ese momento. No era sólo el raje. Eran las separaciones. Era encontrarte con tu familia en la calle y cruzarte, no podías pararte a saludar. Era una militancia intermitente, se cortaba a cada rato, los responsables cambiaban porque desaparecían o porque se rajaban. Fue muy especial ese momento. Después creo que nos estabilizamos un poquito, pero tampoco duró.

Todo esto era a fines del 76, poco después desapareció Alicia, mi cuñada. Cecilia, mi sobrina, fue a parar con sus diez meses a casa de mamá. La llevaron los militares a lo de mamá. Diez días más tarde desapareció mi hermano Eduardo.

A partir de ahí Lito y yo hicimos como un nudo que no se desató hasta que él desapareció. Creo que era lo único que teníamos, el uno al otro, nada más. Con la familia de él era imposible comunicarse, y lo mismo con la mía. En el caso de él porque los hermanos con los que podía querer verse estaban también escapando. En mi caso, porque mi familia no me quería ver. Sí, sí. Y tuvimos épocas más difíciles, sobre todo cuando yo hice el planteo de que seguir militando era una locura. La provincia de Buenos Aires, donde militábamos, me daba muchísima inseguridad. Los viajes eran terribles, trabajábamos en Capital y cada viaje era como una pequeña muerte. Una cosa horrible. Uno llega a acostumbrarse. Yo todo esto, claro, lo pensé después. En ese momento era sobrevivir y chau; si veías una pinza, te bajabas de un colectivo y tomabas otro. Era lo más común y no pensabas qué terrible lo que estoy haciendo, al contrario, decías qué magnífico que lo puedo hacer, me estoy salvando.

Poco después nos mudamos a Capital, varias mudanzas, fueron dos o tres casas, ya ni me acuerdo. Creo que en aquellos días era muy importante para Lito ver a Mario, su hermano, estar con él, poder verlo de tanto en tanto, y a Silvia, su cuñada, y a la beba. Los cinco éramos el grupo familiar, la familia que todos teníamos en ese momento. Cuando desapareció Silvia el 1º de julio de 1977, nos quedamos absolutamente solos. Porque con Mario ya fue muy esporádico, nos podíamos ver pero de otra manera, con muchísimos problemas. A la beba no la vi más hasta hace dos o tres años. Y a Pieri, otra hermana de Lito, nunca la pude encontrar, pensaba que estaba desaparecida, hasta que hace muy poco un amigo me dijo que estaba bien y nos reencontramos.

Creo que el problema mayor que se dio entre Lito y yo, en nuestra relación, fue que él estaba absolutamente profesionalizado. No veía posibilidad de salida. Para él la militancia era lo único que podía hacer en la vida. Por un lado estaba su historia, y por otro, su situación. Lo histórico vos podés dejarlo de lado si tenés documentos como la gente, pero si los únicos que tenés son "yutos" y si te agarran en una pinza no salís, no la pasás, entonces no hay otra. Yo creo que lo de Lito era militancia o nada. Nunca lo planteamos así, éstas son cosas que yo vi después. Por eso las críticas pasaban por otro lado, no por lo ideológico, sino por el compromiso de cada uno. Para mí era un suicidio. Para ellos era una forma de lucha. Aunque la lucha se redujera para ese entonces a pegar obleas en los trenes parados y salir corriendo. Trabajo con las bases ya no había.

Eso permaneció así, tal cual, hasta que desapareció Lito, el 1º de julio de 1978. Fue casi un año de vivir de esa manera. Nos llegaban cintas, documentos, hacíamos reuniones en la casa base con la seguridad necesaria, eso implicaba todo, ¿no? Para qué detallarlo, jodido, nos pasábamos tres días en situación de guerra, pero de guerra concreta. No era la guerra que está en la calle y puede llegar a tu casa. Ahí era la guerra desde adentro, después venían lapsos de tranquilidad, hasta que volvíamos de nuevo a la casa base. Mario vivía en esa casa desde la desaparición de su mujer.

A pesar de esas diferencias nuestra relación se mantuvo y se mantuvo bien. La pudimos salvar a pesar de todo, creo que fue así. Conozco parejas que se hicieron mierda con todo esto. Pero bueno, después fue el abismo. ¿Qué decir del abismo?

Habíamos ido a almorzar con unos compañeros y teníamos que encontrarnos con el responsable de la casa base. Fue Lito. Me acuerdo que el encuentro era en Capital. Lito volvió llorando, desconsolado, eran como las cuatro de la tarde, me contó que cuando él llegó a la cita había un operativo impresionante, policía y ejército, coches de Coordinación Federal, era en una iglesia y vio un montón de gente de cara a la pared en una de las veredas de la iglesia. No me dijo a quién vio. Me quedé sin saber a quién había visto. Sólo dijo que tenía que ir a la casa para avisar, para asegurar la vida de los demás compañeros. Y se fue a eso de las cinco de la tarde. Y nunca más. Nunca más volvió.

Sé que por lo menos él, si hubo un enfrentamiento, no murió ahí. Lito no murió así, porque después fueron a una casa en la que habíamos alquilado un cuarto a preguntar por él y por mí. Nunca supe qué pasó, o a quién le pasó. Pero bueno, después les pasó a todos.

El año pasado yo encontré gente de aquella época y de aquella zona. Pero nadie sabía nada de ninguno de ellos. Habían escuchado de Mario, porque era un dirigente bastante conocido de la JTP (Juventud Trabajadora Peronista), pero nadie sabía qué les pasó, cómo fue. De algunos ni siquiera sabían que habían desaparecido. Ese encuentro fue muy fuerte, se puso una placa en Morón, en diciembre del 96, y fue como renovar las muertes. Mi hermano Eduardo y mi cuñada Alicia estaban en esa placa en homenaje a los compañeros. Fuimos con Cecilia. Fue algo muy emocionante, pero también es como un vacío total lo que te deja el hecho de retomar las historias de todos los que se oía nombrar; fue revivirlas.

Nunca pudimos saber nada de nada. Con Pieri, la hermana de Lito, desde que nos reencontramos tenemos el proyecto de ir a la casa base y preguntarles a los vecinos. Algo podrían decirnos. Pero nunca lo hacemos. No sé. Es como cuando uno dice yo voy a hacer tal cosa, pero no me pregunten cuándo. El día llega, siempre llega, yo lo aprendí a través de estos años.

De mi hermano Eduardo habían avisado que estaba en Campo de Mayo. Alicia, mi cuñada, supuestamente fue a alguno de los centros que tenía el Ejército en la zona oeste. Ninguno de ellos figuró jamás en las listas de la Esma (Escuela de Mecánica de la Armada). Ni por los nombres de guerra, ni con nombre y apellido, jamás. Ni nadie de los que yo conecté que habían estado en la Esma los vio, ni se enteró por otros de que los hubieran visto en alguna parte.

La que sí estuvo en la Esma fue Silvia, la mujer de Mario. Ella trabajaba en la Aduana, que estaba intervenida por la Marina, y se la llevaron de allí. La citó su jefe en medio de una licencia, ella concurrió y la secuestraron ahí mismo. Sé que estuvo en la Esma, pero nada más, obviamente nunca apareció.

Es muy difícil reconstruir, casi imposible. Hemos tratado con otras mujeres de compañeros, con otros familiares. Pero es muy difícil, es muy poco lo que se logró rearmar. Pero creo que cada vez que se reconstruye algo, que se ubican restos de algún compañero, es como poder enterrar a los nuestros. Es como si ése, uno, aunque sea uno solo, fuera de todos nosotros. Idealmente. Claro, sabemos que no es así, pero hay como un sentimiento que hace que uno lo comparta como si fuera su sangre. Y no quiere decir que con eso todo termina. Todo sigue. Están los chicos de las Abuelas. Están nuestros NN por algún lado. Nuestros queridos que los hacen pasar como NN. Ellos nunca fueron NN, eran mujeres y hombres íntegros.

No sé qué pasó con nosotras, con las mujeres, las compañeras de los desaparecidos. Qué pasó con nuestra voz. Con las que debieron criar solas a sus hijos –yo no llegué a tener hijos con Lito, no hubo tiempo–, o con las que, como en mi caso, cuando pasó lo peor criamos a los hijos de nuestros hermanos.

Lo que no creo es que nosotras no hayamos querido que se escuchara nuestra voz, eso lo descarto. Conozco borradas totales, pero eso es otra historia. No es hablar ahora y haber callado antes. No. Puede ser que no estemos en la categoría de deudos que hay que tener en cuenta. Creo que eso viene de lo cultural fundamentalmente. El hecho de perder un hijo, o perder un padre, o los padres, o los hermanos, son afectos permanentes y entonces tienen otra categoría. Perder un marido, un compañero, una pareja, es como si estuviera relegado a un lugar secundario. Dicho de una manera muy dura, la idea sería que son reemplazables. Y todos sabemos que los afectos profundos jamás son reemplazables. Como no creo que a una madre con varios hijos le duela menos la pérdida de uno de ellos y lo haya reemplazado con el cariño de los demás, para nada. Mi madre es un ejemplo, éramos ocho hermanos y mamá quedó marcadísima por la pérdida de Eduardo. También conozco madres que perdieron a todos sus hijos y no creo que el dolor sea mayor o menor.

En cuanto al lugar que puede ocupar el afecto, el amor entre un hombre y una mujer, es como si se lo viera desligado de los afectos permanentes, o sea que no figura dentro de ese bloque, dentro de lo que puede ser un hermano, un hijo, un padre. Como si fuera algo no solamente secundario, sino casi pasajero, eventual.

Incluso esto yo lo he sentido con mucho dolor en charlas con Cecilia, la hija de mi hermano, es como si el dolor de ella fuera tan superior a cualquier otro, que no me permite el mío. Pero la verdadera historia es que nos arrancaron a alguien en el momento en que ese alguien, no solamente era importantísimo para nosotras, sino que era alguien. Y quisieron reducirlo a un fantasma.

Esto de minimizar nuestro dolor, siento que también ha sucedido en los organismos de derechos humanos, como si valiera exclusivamente el núcleo primitivo. Porque cuando vos hacés la historia de los afectos desde el clan, lo único que sirve es lo que está adentro del clan. Lo que está afuera no sirve. Y nosotras somos de afuera. No sé, yo siento que los organismos están como burocratizados, tuve contacto con gente de los organismos en España, en Suiza y aquí, pero no me gusta la competencia que hay entre ellos, el celo de guardar datos de uno con respecto a los otros, aunque destaco que hay excepciones, hay gente que conserva el sentimiento, la sensibilidad, pero no tendrían que ser excepciones.

Creo que es visible que no hubo un lugar para las mujeres de desaparecidos en esta sociedad. Yo no tuve hijos con Lito, las que sí tuvieron, después se sintieron representadas por sus hijos, pero las mujeres en sí nunca nunca fuimos representadas. Y nunca fue explicitado el porqué. Ni siquiera tuvimos existencia.

Yo a veces me pregunto qué hubiera pasado si nosotras –y esto valga como una muestra de humor negro que es necesario en determinados momentos de la vida– en lugar de vestirnos como siempre, nos hubiéramos puesto pañuelos negros, todas vestidas de negro, y hubiéramos marchado siempre así en la Plaza de Mayo, como hacen las viudas de la zona mediterránea. Pienso que tal vez así hubiera sido reconocida nuestra existencia. Pero ese reconocimiento hubiera sido como formar parte de una lápida, como estar bajo tierra. Y eso no sirve. Eso es estar muerto en vida. Pero ahí se podría hablar, ahí dirían: "Las de los pañuelos negros". Todo esto lo digo con absoluto respeto por las Madres, por su lucha, por todo. Pero creo que en las pérdidas que sufrimos todos, resulta injusto calificar de mayor a menor el grado de los afectos de acuerdo a los grados de parentesco.

Estas historias que nos han pasado creo que desde la propia experiencia sirven, porque reflejan cómo podés salir adelante con el sentimiento y a pesar del sentimiento. Son historias de vida, son historias que se pudieron forjar a pesar de todo. Es como una lucha permanente contra la impronta que nos quisieron dejar los asesinos. Renegar de esa huella terrible que nos quisieron dejar. Es a pesar de todo, porque podemos seguir haciendo. Podemos criar hijos, podemos restablecer el vínculo, podemos recrear familias que estaban deshechas y ampliarlas. Si yo tengo que hablar de mi familia actual, los vínculos que hemos logrado, profundizado, los que realmente tienen muchísimo valor en este momento no tienen que ver con mi familia nuclear. Tienen que ver con una mística y eso no se da idealmente, se da con un trabajo de todos los días. Es una lucha, por eso yo creo que si te dejás sumir en el dolor es terrible. El ancla es terrible. Yo respeto más a las personas que no quieren hablar, que a las que hablan desde el ancla. Hablar desde la muerte es algo que me espanta, reivindicar la muerte me espanta.

Después de la desaparición de Lito yo me fui, me fui a la mierda. Antes de irme del país no me puse un pañuelo negro, pero casi me muero, llegué a pesar treinta y siete o treinta y ocho kilos. Estuve en casa de una amiga, estuve muy mal. Pero después empecé a darme cuenta de que yo seguía siendo una mujer. Me costó relativamente poco tiempo. Es decir, una mujer, que estaba viva. Estuve dos meses metida adentro de esa casa, sin salir y enferma, muy enferma, con cuarenta y dos grados de fiebre que no bajaba de ninguna manera, adelgacé y me deterioré mucho. Y cuando pude salir me repuse muy de a poco, era terrible, era como si cada paso me costara una enormidad. Lo que traté de hacer y que me pareció importante, fue no dejarme llevar por todo lo que me estaba sumiendo en la desesperación, procuré recuperar la lucidez. Yo pensaba que si no salía con toda la lucidez a la calle, caía en la primera esquina. Porque hay toda una actitud que se percibe, la hay. Creo que cuando salí fue cuando me sentí con la suficiente fuerza como para poder encarar el mundo y hacer algo. Hacer algo fue tratar de vivir sola, separarme de toda esa especie de cunita que me habían hecho en la casa en que estuve con una protección total, tratar de vivir por mi cuenta. De a poco me fui armando, me conecté con amigos que se interesaban por mí, que supieron que yo estaba, que me estaban pasando cosas muy jodidas, pero estaba. Ellos me ayudaron muchísimo. Y después me fui del país. Me pasó una cosa muy jodida, mi familia a pesar de saber que en ese momento yo ya no militaba, "no estaba en nada", como ellos decían, hacían pasar su seguridad por mí. Lito desapareció el 1° de julio y en el mes de noviembre volvieron a detener a una de mis hermanas, ella no militaba, coqueteaba con la militancia, y la llamó un tipo que había conocido y le dio una cita, fue y la agarraron de los pelos y se la llevaron. Estuvo desaparecida no recuerdo cuánto tiempo. En el 76 ya la habían llevado también de casa de mamá, yo estaba ahí y a mí no me llevaron porque no me conocían, eso había sido en el mes de octubre. Cuando la detuvieron la segunda vez decidí que en realidad el peligro era mi familia, que yo corría peligro por ellos y no ellos por mí. Sin embargo, la familia se ponía verde cuando me veía aparecer y se rajaban. Por eso cuando desapareció mi hermana, yo dije la puta que los parió, son ellos los que son un peligro para mí, yo de acá tengo que irme.

De todo mi núcleo los que quedábamos éramos mi sobrina, mi perra y yo. Recuerdo que llamaba al lugar al que hacíamos contacto telefónico y la persona que atendía me decía: "Señorita la única que sigue llamando es usted, no llama nadie más". Todos, todos los demás compañeros desaparecieron, o no estaban, o perdí contacto. Cuando me fui del país, fue porque yo sentí que acá no había lugar para mí. Para ese entonces lo conocí a Fernando, mi actual pareja; era una relación que en un principio no tenía proyecto, estábamos bien juntos, pero no había un proyecto. Decidí irme a Brasil y Fernando me quiso acompañar, me protegió muchísimo, creo que no podría haber hecho todo lo que hice sin él. Fernando trabajaba por dos, actuaba por dos, todo. Y ahí realmente yo empecé a salir a flote, lejos de todo. Después fue una larga marcha, España, Suiza, y mucho más tarde el regreso.

La historia del exilio es muy larga y es muy corta. Porque fueron siete años donde pasaron muchas cosas, diferentes pero parecidas, creo que lo principal fue lograr una cierta estabilidad, mi idea era siempre volver. Por eso quería estabilidad para volver, no para disfrutar de ese nuevo confort que había descubierto y quedarme. Era una gran tentación, pero la meta era volver.

Durante esos años mi contacto con Cecilia, la hija de mi hermano, eran notitas, cartitas, las tengo todas guardadas; fotos que me mandaban en las que yo veía cómo crecían Ceci y mis otros sobrinos. Uno de mis hermanos me fue a visitar a Mallorca, y otro a Suiza, fueron mis únicos contactos directos con la familia en esos años. Al volver a la Argentina el reencuentro familiar fue muy emocionante, pero lo único que permite que nos veamos es que nos queremos; sin hablar, de eso no se habla. De esa parte de la historia es imposible hablar. Ni siquiera lo hablan entre ellos, es de lo que no se habla, en serio. Es muy duro, yo no tengo demasiada aceptación de esto, porque la línea divisoria es ésa: "Te queremos, pero…". Te ponen ahí, la discriminación no es por la presencia, es por lo que se comparte, seguís siendo sospechoso; por ejemplo, el otro día estábamos todos juntos, yo no hice cambio de domicilio así que fui a votar a Belgrano, al barrio de la casa de mi madre. La invitación fue: "Bueno, ya que venís a votar a Belgrano, pasemos todos el día juntos para hacer fuerza por la Alianza". Desde ahí se hace fuerza, sin entrar en detalles. Y la Alianza ganó y estábamos todos muy contentos. Pero eso, nada más que eso. Yo escuchaba los comentarios que ellos hacían y me daba cuenta de que no tenía cabida en esa charla, que pasaba por otro lado, escuchaba lo que decían y me parecían marcianos. O la marciana soy yo, seguramente una parte de la marcianidad me toca.

No sé, una recuerda cosas que vivió, como por ejemplo eso de tener que manejar los miedos, algunas cosas que ni siquiera compartías con tu propio grupo. El miedo. Ahora que lo pienso, entre los militantes no nos permitíamos hablarlo. Había dos situaciones de miedo, una era desde la lucidez plantearte por dónde puede venir, qué puede pasar, cómo habría que actuar. Y uno barajaba todas las hipótesis posibles. Por otro lado era el tema de la calle, las pinzas, o estar durmiendo y levantarte en cualquier lugarcito perdido de la provincia de Buenos Aires, donde estuvimos bastante tiempo con Lito, y enterarte de que habían hecho un barrido de manzana ahí nomás de donde vos vivías y se habían llevado a cientos de personas. Yo creo que desde el pensamiento del miedo, de cómo ibas a actuar en una situación de muchísimo riesgo, había dos situaciones: lo mejor es dividirse, pensar por ejemplo que soy una roca. Y mi fantasía era que me iban a apretar para que dijera algo, y entonces yo largaba cualquier dato boludo e insistía con la palabra roca hasta el punto que ellos pudieran llegar a pensar que yo estaba reloca. Para mí ésta era la situación ideal, yo me convencía de que así yo perdía el miedo. Parece muy loco, pero a mí me servía, era como un seguro. Yo soy una roca. Y de ahí no van a poder moverme. En situaciones concretas las cosas se daban de otra manera, como si la consigna fuera: "Rajo y me salvo". Pero el problema del miedo era: qué pasa si me agarran; con eso tenían que ver todas las fantasías de cada uno.

Quizá la situación límite fue después, cuando Lito no volvió, pero ahí yo no tuve miedo. No era miedo, no tenía nada que ver con el miedo. Era otra cosa, a las tres de la mañana estaba dormitando, entre dormida y despierta, con la perra en la cama y de pronto las dos pegamos un salto. Salí al pasillo pensando que por ahí llegaba alguien. No pensé que venían a buscarme, pensé que era Lito que volvía. Pero miré y no había absolutamente nada en el pasillo. ¿Qué nos despertó a las dos? No sé. Mucho después yo asocié ese salto con cosas mucho más jodidas, con el momento en el que pueden haber caído Lito y Mario, con esas cosas que no se pueden explicar. Tal vez suena demasiado esotérico lo que digo, pero es que creo que fue como un llamado de atención ese salto que pegamos las dos, sin que hubiera nadie, ningún ruido. Me estremezco cuando recuerdo esto. Pero bueno, ahí no tuve miedo, tanto es así que cometí la locura de quedarme en esa casa hasta las doce del mediodía siguiente, saqué todo lo que había que sacar y me fui con toda tranquilidad. Pero realmente no recuerdo haber vivido situaciones de pánico, pánico verdadero. Recién mucho después, cuando logré una cierta estabilidad en el exilio, allí apareció el pánico, allí lo viví todo junto. Creo que en el medio de las situaciones una no se podía permitir el pánico porque sabía que eso era una muerte segura. El dolor me lo permití aquí, en el país, pero el pánico nunca.

Cuando te vas del país funciona otra cosa, dejás el lugar y dejás el horror. El exilio es como dejar de vivir, para mí fue muy duro. De alguna manera en aquellos años muchos vivimos un retiro, los que nos fuimos, los que estuvieron en prisión, los que se quedaron aquí. Pero yo he visto otras formas de retiro, en unos era el pasito atrás, en otros era el nunca más volver y el renegar de todo, el borrarse de todo. Para mí eso fue muy duro, porque yo comprendo la bronca, yo tengo muchísima bronca, hasta con las órdenes de suicidio colectivo que se dieron en aquel entonces y con las cosas que se prostituyeron, o no se respetaron. Pero la bronca que te lleva hasta el límite de negar tus ideales es otra cosa. Ésa no la acepto, ésa es una especie de autodestrucción, ésa es adoptar inconscientemente el discurso del Proceso, de los milicos.

Durante todos esos años fuera del país el único contacto que mantuve con Cecilia fueron fotos y cartitas, pero antes de exiliarme fue un período muy duro con respecto a ella. Dos días después del secuestro de mi cuñada Alicia, la mujer de mi hermano Eduardo, los militares la llevaron a Cecilia a la casa de mamá, estaba un poco lastimada. A Alicia se la habían llevado el 21 de diciembre de 1976 con la nena, y el 23 la dejaron a Ceci en lo de mamá. Sin explicaciones, se la dejaron ahí sin decirle media palabra. Tampoco volvimos a verlo a Eduardo, hasta que en enero nos enteramos de que a él también lo habían secuestrado, justo antes había hecho una llamada a casa de mamá, pero nunca llegó a ir. Cuando pasó esto el proyecto que teníamos con Lito era llevarnos a Cecilia a vivir con nosotros, era lo más lógico del mundo, habíamos vivido mucho tiempo todos juntos, ella era la bebé del grupo. Pero fue imposible por la situación de precariedad en que vivíamos nosotros dos. Durante ese tiempo la veíamos a Ceci en el zoológico, en lugares públicos, mamá y otro de mis hermanos la llevaban y nosotros paseábamos un rato con ella. Después de que desapareció Lito yo repetía esos encuentros con mamá y Cecilia, hasta que más o menos me instalé y Ceci se quedaba a pasar el día conmigo. Pero después vino la cosa perentoria de tener que irme y el proyecto de vivir juntas quedó en la nada, postergado.

Cuando volví del exilio, ya en pareja con Fernando, me encontré con que Cecilia ya era toda una persona de nueve años. Durante ese tiempo Cecilia había vivido con mamá y era un poco como propiedad de toda la familia, dos de mis hermanos habían pensado en adoptarla pero eso no se concretó. Al tiempo de llegar me animé a decirle a mi madre que quería que Cecilia viviera conmigo, que Fernando estaba de acuerdo. Mamá lo recibió con mucho alivio, le dio mucha paz, porque ya tenía más de setenta años y le preocupaba el futuro de la nena. Pero decidimos no imponerle nada a Cecilia, hacer las cosas de a poco. La relación de ella con nosotros fue creciendo, nos mudamos a Belgrano para tenerla cerca, la veíamos todos los días y empezó a quedarse los fines de semana con nosotros. Hasta ese momento ella había tenido un régimen muy especial con la otra abuela, la materna, fue una historia muy difícil, ese régimen de visitas de fin de semana había sido fijado por la Justicia en el Registro del Menor, porque mamá tenía la guarda de Cecilia y esto era muy peleado por la otra abuela. Pero la guarda se la dan a la familia paterna, yo me enteré a raíz de este tema. Por eso, como derecho por ley la guarda le correspondió a mamá como abuela paterna. Eso fue muy embromado porque se vivió como una guerra familiar que persiste todavía. Ellos prácticamente no tienen contacto con Cecilia, fue como esa cosa del bien que si no se tiene ya no es tuyo y no te interesa, lo dejás de lado. Ellos no se preocuparon de tener nada con Cecilia. Hasta que un día Ceci tuvo una charla conmigo, en la que me dijo algo así como que había habido una elección de ella hacia nosotros. En esa época Cecilia era una nena muy rebuscada para hablar, manejaba un vocabulario fantástico, buscaba todas las vueltas para decirte las cosas de una manera muy especial. Quedaba como que ella hacía una elección. Durante los años del exilio, de todos los hermanos que éramos, la única ausente fui yo. Ella sabía que yo estaba afuera por razones políticas y sabía que su papá y su mamá habían desaparecido por razones políticas. Qué se jugó en su cabecita no lo sé, pero creo que depositó mucho en nuestro regreso al país. Lo he hablado con ella y aparentemente en forma consciente no había nada, nada como mandato de los demás hacia mí, nada que ella recuerde. Pero algo habría, ella vivió esto como un desafío muy grande y después de un tiempo se produjo un vínculo muy fuerte. Ceci hizo el planteo en forma muy seductora, muy intelectualizada y empezó a darse una situación de proyecto común. Recuerdo que el proyecto era mudarnos a una casa más grande, después teníamos que comprar un auto y después un perro. Lo primero que llegó fue el perro, el auto no llegó nunca, y después nos mudamos a esta casa.

No sé bien cómo hablar de la experiencia con Cecilia. Yo tengo la tenencia de Ceci, fue un trámite muy largo, cada vez que consultaba me decían que hiciera la adopción plena pero nunca quise eso. Al final decidí por mi lado, me metí en el tema y conseguí la tenencia. Fue todo trabajoso, Cecilia tiene un carácter fuerte, se afirma en sus convicciones, en sus resoluciones, y además teníamos que compartir a mi mamá.

Creo que durante un tiempo mi mamá cumplió un rol de madre, pero con el correr de los años fue casi un rol de abuela, llegó un momento en que no se podía enfrentar a la preadolescencia de Cecilia. A partir de ahí empezó una especie de lucha, porque yo llegaba ahí como mamá cuando Ceci ya pasaba los nueve años. Era como cerrar un círculo, como si hubiera un mundo de afectos que había estado vacío y que de pronto se cerraba. Un mundo que tenía que ver con sus papás y conmigo, y con ella y sus papás, y con ella y conmigo. Se cerraba por todos lados ese círculo. Se cerraba sobre todo conmigo y con ella. Fernando primero tuvo un lugar más separado, él estaba muy contento por todo lo que se iba dando pero fue creándose su lugar muy despacio, con prudencia, con cuidado. Ahora su vínculo con Cecilia es terriblemente fuerte. Siempre se habló de la relación que teníamos su papá y yo, su mamá y yo, Lito. Ella desde el principio supo toda la historia, quizás eso lo hizo más fácil.

Pero desde lo ideológico ella nunca había tocado el tema, mi familia nunca le había hablado de eso. Conmigo lo que hace Ceci es aproximarse a la razón de la lucha de sus padres, eso entre comillas, porque puede parecer una bajada de línea, pero creo que esto reforzó el vínculo. Estar cerca de alguien que había tenido y había peleado por los mismos ideales que sus papás. Eso nos acercó muchísimo.

De a poquito, yo esperaba siempre su señal, nunca le impuse nada de todo esto, las charlas se iban dando a partir de algo que ella pedía. Me acuerdo que a sus catorce años tuvimos una pelea muy fuerte porque la habían invitado a una fiesta en el Liceo Naval, la invitación fue de un grupo de chicas compañeras del colegio. Era una fiesta importante, medio de gala, muchas de sus amigas iban. Y yo le dije no. No vas. Quiso saber por qué, me dijo que eran chicos como ella. Y yo le dije no, son pichones de hijos de puta. Esa frase quedó en casa. Le expliqué y con mucha rebeldía aceptó no ir. Ahora se espanta de pensar en cómo me hubiera visto ella a mí si yo le hubiera permitido ir, para mí fue crucial y para ella en ese momento parecía un no arbitrario. En general no se discute una fiesta desde lo ideológico...

Otra cosa de la que me preocupé mucho fue que el hecho de ser hija de desaparecidos, familiares de desaparecidos, aparte del sino trágico que puede o no estar reconocido, no significa nada más en principio. Lo que hay que hacer es construir algo muy grande a partir de eso, pero no se sabe lo que significa, puede ser un título, puede ser un denominador común por una cosa de duelo, de muerte, de perversión de los otros, pero si no, qué es. Porque ella una vez me dijo: "Yo soy especial", y le dije que no, que todos somos únicos, que eso que ella llamaba especial era haber tenido una historia muy jodida que era compartida por muchos. Que había vivido algo muy traumático, que yo lo había vivido también desde otro lugar y que muchos otros lo vivían, pero que eso no la discriminaba como especial, que había muchos que habían pasado por lo mismo. Creo que la propia familia la había puesto en ese lugar especial, porque "pobrecita Cecilia", le decían, y a mí me chocaba. Cuando se habló de que ella se venía a vivir con nosotros en la familia se sintió como si hubiera un reproche de mi parte, como si yo hubiera dicho esto se hace porque Cecilia no está cuidada. Y me dijeron: "Está bien, vos lo hacés porque querés, pero Cecilia es de todos". Y yo respondí que lo que es de todos, no es de nadie. Cayó muy mal eso, muy mal, pero yo lo sigo creyendo, porque como Cecilia era de todos estaba en un lugar muy especial y eso era justamente lo malo. Desde dónde la veían: desde la discriminación, no desde lo que unía sino desde lo que separaba. Creo que con el tiempo ella lo entendió bien.

Cuando se acercó a Hijos tuve miedo, pero entendí que tenía que hacer su experiencia y la apoyamos. Creo que ella se sintió en un lugar muy especial, pero porque en ese lugar también encontró a alguna gente que puede creer que es muy especial. Allí Ceci tuvo su tiempo de vestirse de negro, de instalarse en el duelo permanente, otra etapa que fue superando. Hubo momentos muy difíciles, tal vez yo era demasiado rígida, con el tiempo he aprendido a suavizarme. Pero creo que lo más importante es el vínculo muy fuerte que se ha ido creando entre nosotros tres. Y la creación de una relación tan fuerte con Fernando, porque ella no había tenido nunca muy cerca a un personaje masculino, y esto fue fundamental para ella. Recuerdo que cuando Cecilia, antes de vivir con nosotros, nos empezó a decir mamá y papá a mí me dio como un tembladeral. Fue algo muy fuerte que surgió así, espontáneamente de ella, de su necesidad.

Después, en su crisis adolescente, le sobramos como papá y mamá, como sucede con todos los chicos a esa edad. Pero para nosotros fue muy doloroso, lo sentimos como un rechazo hasta que pudimos entender que es lo habitual en todos los hijos con sus padres en esa etapa. Y pasó la crisis, y ésa no fue la primera ni será la última.

Ahora Cecilia tiene veintiún años y yo la veo bien, pero no sólo por estar en la facultad y tener un laburo y una familia, sino porque ella pudo salir de ciertos estados y ocupar otro lugar. Se fue diluyendo eso de sentirse especial, de decir que el dolor es de ella y nada más. Tal vez yo lo idealizo, pero creo que se va diluyendo, va dejando espacio a otras vivencias.

Buenos Aires, 17 de octubre de 1997.

DESAPARECIDO
ÁNGEL PASCUAL MARZOCCA
1° DE JULIO DE 1978

RATIFICAN UN DECRETO SOBRE HÁBEAS CORPUS

El Poder Ejecutivo ratificó el artículo 2º del decreto 642/76, por el cual modificó el Código de Procedimientos en Materia Penal respecto del recurso de hábeas corpus, para "conciliar –dícese– las necesidades de la seguridad colectiva con las garantías de la seguridad individual".

El texto de la resolución, que rige, "a partir de la firma del decreto que por ésta se ratifica", señala: "Ratifícase el artículo 2º del decreto 642/76, que sustituyó el texto del artículo 639 del Código de Procedimientos en Materia Penal, por el siguiente: 'La sentencia pronunciada en el recurso de hábeas corpus será apelable y sólo se concederá en el efecto devolutivo si fuera absolutoria. Cuando la persona a cuyo favor se deduce el hábeas corpus –expresa el artículo 1º– estuviere a disposición del Poder Ejecutivo en virtud de las atribuciones que a éste confiere el artículo 23 de la Constitución nacional, el recurso se concederá siempre en ambos efectos. El recurso deberá interponerse dentro del plazo de cuarenta y ocho horas' ".

Los fundamentos...

En el mensaje del Ministerio de Justicia se aclara que el Poder Ejecutivo promulgó en acuerdo general de ministros, el 17 de febrero último, el decreto 642 ad referendum del Poder Legislativo, por el receso del Congreso de la Nación "que, en última instancia –dícese– no llegó a ratificarse". Y prosigue: "las razones que llevaron al Poder Ejecutivo a dictar dicho decreto, subsisten en la actualidad, viéndose obligado el Estado a conciliar las necesidades de la seguridad colectiva con las garantías de la libertad individual". Indícase que la reforma introducida en el Código de Procedimientos en Materia Penal, permite que la Corte Suprema de Justicia de la Nación sea la que se pronuncie, en última instancia, en los casos de hábeas corpus, ya que así se cumplirá su función de intérprete final de las normas y garantías constitucionales.

La Nación, 19 de mayo de 1976.

Rufi

MI COMPAÑERO FUE ALDO RAMÍREZ, le decían "el Gordo La Fabiana". Era obrero en los astilleros Astarsa y participaba en una agrupación gremial naval.

Su militancia había comenzado a los catorce años dentro del peronismo. Sobre el final de la adolescencia entró en aquella locura de la recuperación histórica de un pedacito de tierra y se fue a plantar una bandera argentina en las islas Malvinas (Operativo Cóndor, 28 de septiembre de 1966). Fue la experiencia de un grupo de militantes en el que hubo de lo mejor y de lo otro... Terminaron presos.

Al Gordo yo lo conocí en esa época. Unos amigos míos me hablaron de alguien que estaba preso y que necesitaba chocolates, guantes y bufandas tejidas. En ese tiempo yo era militante cristiana y me parecía importante hacer algo por los demás, así que comencé a mandarle cosas y a escribirle cartas. No lo conocía personalmente, pero sí a través de su historia. Cuando salió en libertad fui a esperarlo con una amiga, éramos muchos esperando a todos los que salían. Creo que ahí no solamente me enamoré del hombre sino de su historia. Nos casamos.

Él, con el tiempo, pasó a ocupar un lugar muy importante dentro de lo gremial en un sector político en el que pasaron muchas cosas lindas y muchas cosas tristes.

En el 75 lo levantó la "Triple A" (Alianza Argentina Anticomunista), el 5 de octubre. Lo secuestraron junto a dos compañeros más y los tuvieron tres días desaparecidos. Lo torturaron. Creo que ésa fue mi primera experiencia de este tipo y ahí tomé conciencia de cuál era la historia en la cual iba a tener que aprender a vivir.

Pienso que a partir de allí empecé a hacerme cargo del dolor de la pérdida. Esos fueron tres de los días más terribles de mi vida. Salí a buscarlo con mucho miedo, porque ya sabíamos las atrocidades que estaba haciendo la Triple A.

Cuando lo largaron el Gordo retomó su trabajo en el astillero y siguió militando, hasta que por razones de seguridad, junto a otros compañeros tuvo que dejar Astarsa, irse. A partir de ese momento su vida fue sumamente clandestina, siempre yirando. Anduvimos yirando juntos.

Después, decidieron. Los compañeros con los cuales compartíamos la militancia, decidieron que él tenía que definir cosas. Que el compañero tenía que ser resguardado. Era mi compañero, mi marido. Pero como mi grado de militancia no lo alcanzaba en importancia... íbamos a tener que definir qué hacíamos con nuestra pareja. Paula, nuestra hija, ya tenía dos o tres añitos.

A mí me costó mucho esto porque no entendía, no podía entenderlo. El Gordo tuvo que tomar la decisión de decirme: "Es más importante la vida de Paula que lo que vos le podés aportar a la militancia, así que vos quedáte, piola...". Y él se iba a recluir. Lejos de la pareja, de la familia, pero activamente en la militancia.

Esto de que tomaran decisiones por mí, que decidieran que el Gordo y yo nos separáramos, me costó mucho. Pero yo estaba militando y acataba las decisiones.

Me costó mucho porque yo me enamoré del Gordo, y del entorno, y de todo lo que se hablaba, de todo lo que se vivía, de lo que uno creía que iba a alcanzar. Todo en aquella época me parecía perfecto. Cuando hablábamos del hombre nuevo, yo decía: "Lo logramos, lo tenemos chiquitito pero va a crecer y va a ser el superhombre".

Pero cuando a poco de empezar a crecer el hombre nuevo te hace una zancadilla, te cae feo. Qué carajo me está haciendo, te preguntás. Yo que creo tanto en él. ¿Cómo me está cagando? ¿Cómo van a decidir por mí? ¿Dónde está el parámetro de lo que es más importante? ¿Quién tiene la medida absoluta de la capacidad de una como militante?

Yo creo que los militantes nos comprometimos a determinadas cosas, y algunos por su capacidad o por su mayor grado de militancia podían estar un poco más arriba que una. Pero éramos todos importantes. Y nos teníamos que respetar. Mi aporte como militante era en el territorio, en la zona norte (del Gran Buenos Aires), con la gente. Pero los otros decidían que no. Que la cosa ya se venía muy fuerte y que había que apuntar para el otro lado. Yo no lo veía de esa manera, para mí lo importante era estar con la gente. Y así empezaron las tristes diferencias.

Por eso ahora digo, uno fantaseó tanto. Hoy todavía fantasean tanto. Pero no era todo como parecía. Porque si lo que pasó no hubiera pasado, si no hubiéramos tenido esa represión tan brutal; y no sé, nosotros también nos hubiéramos destruido. Los unos a los otros. Bah... no sé. No quiero hablar de la soberbia, me parece muy jodido, pero había cosas que eran logrables, uno apuntaba a cosas posibles. Pero todavía ni siquiera se había podido realizar lo mínimo y ya estábamos pensando tan alto... Que nos quedamos ahí, pensando. Y nunca se pudieron lograr.

Por eso tuve mucha bronca. Sí. Porque decidieron por mí. Porque mi compañero definió todo. Él fue el que dijo me toca a mí definir cómo va a ser esto. Cuando las parejas se separan hay dolor, bronca, odio, todo eso que es normal. Yo eso no lo viví. No lo viví.

En ese momento yo acataba, lo tomé como una decisión que tenía que acatar, porque si así lo decidían, tenía que acatar. ¡Pero qué bronca! Era mi vida. Era la vida de mi pareja. Habían entrado en mi vida. En mi privacidad. A definir cómo íbamos a vivir.

Yo hoy no sé si nos queríamos mucho o poco. Si esa pareja iba a ser eterna. Pero lo que sé es que la separación no fue por peleas, por no poder convivir. No fue por las cosas por las que normalmente se separa una pareja. Fue una separación política por una decisión de seguridad: "Hay que preservar al compañero". Entonces no podíamos estar más juntos. Porque yo no garantizaba... la seguridad del compañero.

El Gordo, para no romper, para no dañar los sentimientos, me decía: "Vos pensá que esto dura lo que dura una guerra". Él me hacía la historia de: "Mirá, los que se van a la guerra se despiden. Si vos creés que realmente lo tuyo es profundo –¡encima machista!– y querés esperar lo que dure la guerra, esperá. Ahora –me decía–, si vos ves que no podés, yo no te voy a culpar. Pero eso ya es una decisión tuya, ¿no?".

Encima metiendo culpa, porque si yo elegía algo, puta, mirá... Esto no era una separación, era una cuestión de vida, era preservar la vida del otro.

Yo todo el primer tiempo decía, puta, cuándo voy a tener pareja. No puedo tener pareja. Porque si tengo que esperar, no puedo tener otra pareja. Hasta que después las cosas venían tan mal, tan mal, que un día descubro... No es que descubro, porque hasta ese día nunca me había importado si el Gordo me era infiel, porque también era parte de nuestra cultura. ¿Por qué un hombre no te puede ser infiel? Pero yo me sentía que tenía peso, porque además de ser su compañera era su mujer legal, estábamos casados. El compromiso era de por vida para mí, porque yo tenía toda una concepción cristiana del casamiento mucho más marcada que ahora. Por eso mismo pensaba que tenía que esperar, que la vida de él era mucho más importante. Es más, yo me sentía un gusano, porque decía yo voy a sobrevivir, él no. Jetón, lo conocía todo el mundo. Con sus ciento siete kilos... Lo iban a encontrar seguro, no había tantos gordos. Lo iban a hacer mierda en cualquier momento. Y yo decía, sí, tendré que esperar.

Por otra parte, en la organización era el momento donde se cuestionaba seriamente la inestabilidad afectiva de los compañeros y compañeras militantes. Y yo realmente creía en esas cosas.

Hasta que me enteré de que no era todo tan así. Una cosa era el discurso y otra la práctica. Y ahí dije, se van todos a la mierda. Entonces yo también voy a empezar a vivir. No voy a esperar más. Pero no fue tan sencillo. Porque por razones de seguridad decidieron mantenerme siete meses encerrada en una casa. Ese fue mi "encane". Creían que no estaba en condiciones como para poder estar en la calle sin correr riesgos.

Desde ese momento todo fue angustia. Con el Gordo igual nos veíamos muy cada tanto. Pero en enero del 76 la Triple A mató a tres compañeros, dos trabajadores navales y una maestra que era la compañera de uno de ellos. En marzo vino el golpe. La cosa se puso muy fea y debimos dejar de vernos por completo. Así que ahí me tenían guardada. Yo día a día iba anotando en un cuadernito los nombres de los compañeros que se llevaban. Y me traían a los hijos de los compañeros desaparecidos para que los cuidara. Así tuve mi guardería...

Mientras tanto me carteaba y me puteaba con muchos compañeros responsables, les decía que quería salir. Era el momento en que estaban de moda los juicios y todas esas boludeces.

Hasta que finalmente decidieron que podía salir, pero bajo determinadas condiciones. Me designaron un compañero para que viviera conmigo. Para que él, mi hija y yo viviéramos como un matrimonio normal con una hija. Ese compañero después terminó siendo mi pareja. Es el padre de mi hijo Sebastián.

Muy loco todo, ¿no? Pero creo que en esa época comencé a tener mis primeras rebeldías. De vez en cuando lograba ver al Gordo y lo puteaba en la cara, pero con eso no me bastaba.

Hoy pienso que yo ya venía sometida por una cuestión de crianza, y había pasado de los brazos de mi madre a los brazos del Gordo. Él fue mi primer novio, mi primera experiencia, mi primer marido. Y es el propio Gordo el que da permiso para que ese compañero que me asignaron viviera conmigo. Era mi compañero, mi marido, el que me autorizaba a que yo tuviera una vida propia. Me daba permiso para empezar a vivir, a disfrutar y a gozar con otro hombre. Todo muy loco, sin embargo a mí me parecía normal.

Algo pude hablar con él de todo esto, pero mal, en una forma mía muy hija de puta. Fui y le dije que tenía ganas de comprometerme con el compañero que me habían elegido, y si él podía ponernos los anillos. Me contestó que le parecía ridículo, pero que si quería tener anillos que me los pusiera. Total, los nuestros ya los habíamos vendido junto con otras alhajas para sacar a un compañero que estaba preso. Y una dice qué cosa loca, ¿no? Qué guachos.

Todo esto pasó en el cumpleaños de nuestra hija Paulita. El último cumpleaños que pasamos todos juntos. Fue en una casa donde se festejó el Día del Padre y el cumple de Paulita, con un grupo grande de compañeros. Y yo había comprado dos anillos de lata... Y él nos puso los anillos. El Gordo, como jefe responsable de todos los que estábamos ahí.

No me quedó remordimiento, con el tiempo lo pienso, y no. Él me había autorizado y yo tenía pareja. Una pareja en libertad. Algo que casi no había podido vivir con él.

Poco tiempo después, el 5 de julio de 1977, se llevaron a una compañera. La gorda Silvia, que se supone que en ese momento era la pareja del Gordo. Yo nunca investigué, pero eso dicen. Mis hijos y los hijos de Silvia lo comentaron entre ellos. Después de que ella cayó se llevaron a muchos compañeros, hasta a dos adolescentes que vivían conmigo. Nosotros alcanzamos a rajarnos, pero nos reventaron la casa. El Ejército. Se llevaron prácticamente a todos los que el Día del Padre habíamos estado juntos en esa casa, festejando.

Ahí empezó la cuenta regresiva. El 26 de agosto lo vi por última vez al Gordo, vino a ver a Paulita a la casa de un tío mío. Ésa fue la última vez que lo vi. Nunca más. Ese día me dijo que pensaba irse al interior, porque no quería dejar el país hasta que no le garantizaran resguardo para los pocos compañeros navales que quedaban. Hicimos una cita para septiembre. Y no vino. En un primer momento pensé que se habría ido al interior. Era mucho mejor pensar eso. Pero no. Nunca más.

Yo traté de averiguar, pero lo único que pude saber es que en esos días hubo dos enfrentamientos grandes, uno en San Andrés, otro en un departamento en la Capital, en el barrio de Devoto.

Siempre fantaseaba con eso. Me decía que había sido en alguno de esos dos lugares, y que si no, se habría ido. Siempre era mucho mejor pensar que se había ido. Pero en el 79, por un compañero que fue liberado, me mandaron a decir que al Gordo lo mataron en un enfrentamiento. Más tarde eso pareció confirmarse a través de otros testimonios. Mucho después, ante la Conadep, hubo quienes dijeron que de ese departamento de Devoto habían logrado escaparse. Pero nunca pude saber nada más preciso. Ni siquiera la fecha exacta. Fue en septiembre, algún día de septiembre. Siempre digo que septiembre en mi vida es un mes muy loco. También era el mes de septiembre cuando el Gordo salió de la cárcel y lo conocí personalmente y me puse de novia con él. Y fue en septiembre, del 77, cuando desapareció.

A partir de allí empezó el dolor más profundo. Con el compañero que vivía conmigo decidimos que Paulita era lo más importante, lo que había que proteger. Ya se estaban llevando a casi todos nuestros compañeros. Entonces se dio la posibilidad de salir del país y viajé a Misiones para después cruzar al Paraguay. Pero en Misiones se me hizo insoportable la idea; ahí me encontré con que la figura del Gordo era un presencia fuertísima en mí. La de él y la de otros compañeros. Dolorosísimo. Esto me dio mucho miedo y pegué la vuelta. Y decidí formalizar la pareja con el compañero que vivía y tapar. Tapar. Tapar toda esa historia. Nunca supe en qué lugar de mí quedó eso. Y nunca supe si empezamos a inventar. No sé, no creo que se inventó una familia, pero sí se armó una... circunstancialmente se armó una familia.

Todo esto en el 78. Con el Mundial de Fútbol incluido. En el 78 quedé embarazada. Y el 13 de noviembre de 1978 perdí a mi bebita. Ésa es mi pérdida. Porque ésa es la pérdida de mis entrañas. Y eso, más allá del Gordo, eso era lo mío, lo que salía de adentro mío. A eso lo llamé mi primera desaparición. Porque no pude verla. Me la sacaron y nunca la vi.

Después fue muy difícil. Muy difícil para esa pareja poder seguir. Fue una pareja que se armó con mucho respeto, yo digo que fue una unión de compromiso hacia el cuidado de Paula, y hacia el cuidado nuestro también. Vivimos juntos hasta el 80, cuando volví a quedar embarazada. Y vimos que no podíamos continuar juntos porque, pobre, él ya no se bancaba otra pérdida más. Ya era mucho dolor. Entonces él creyó que tenía necesidad de vivir lo que merecíamos realmente, ¿no? Y decidimos separarnos y ver cómo cada uno podía sobrellevar el dolor.

Nació mi hijo. Sebastián. Él fue el que me dio todo el impulso y la vida para continuar. A partir de su nacimiento empecé a pensar, a reflexionar, a ver qué hacía de mi vida. Primero me mandaron a vivir a General Sarmiento y fui. Medio masoquista, pero necesitaba vivir cerca del dolor. Algo así como custodiar todo lo que era el entorno de Campo de Mayo, a ver si en algún momento aparecía algo.

Para esa época me llegó la noticia de que el Gordo murió en el enfrentamiento. Y yo pensaba: ¿qué hago con mi vida? Tenía eso ahí, metido. Esa cosa de la que nunca podíamos hablar. Paula tenía ya seis años y se le confundían las cosas, porque sus abuelos, los padres del Gordo, le decían que su papá estaba en Francia. Y ésa no era la verdad, y yo sentía que ya no podía más con todo eso. Finalmente decidí volverme a Tigre, a casa de mi vieja. Al lugar donde habían arrasado con todo. Pero era también el lugar en el que me había criado. El lugar en el que habíamos hecho la mejor parte de la militancia. Donde construimos lo mejor en los astilleros, con los compañeros. Con las compañeras. La experiencia más fuerte y la mejor. Y me dije, si sobrevivo voy a hacer las cosas de otra manera; que sea lo que Dios quiera. Me pasaba como al ave fénix, si se levanta que se levante bien, con todo. Si no, no. Y volví a Tigre.

Hoy mi hija dice que eso fue lo peor que hice, pero bueno, era parte de la historia. Y en Tigre empecé a caminar las calles. Empecé a aparecer por las casas de los compañeros. Algunos no querían verme. Las mujeres. Algunas me reputeaban.

Me reputeaban. Sí. Me cuesta todavía descifrar qué pasa en la mujer. Porque cuando una ha vivido algo muy fuerte, cuando piensa que ha hecho cosas donde cree que ha sido protagonista de algo distinto, cuando una ha trascendido desde la cocina..., por decirlo de alguna manera, desde lavarle la ropa al marido o llevar a los chicos al colegio. Y comienza a ocuparse de lo que le pasa al vecino. Porque ese grupo de mujeres del Rincón de Milberg, fue lo más lindo que me pasó en mi militancia, fue lo que me enseñó realmente a aprender a vivir con las mujeres. Mujeres de trabajadores que juntaban los pesitos que iba ganando su compañero para poder hacer su casa, ampliarla, mejorarla, ponerla linda. Porque hasta ese entonces los trabajadores navales estaban más o menos bien pagos, aunque las condiciones de trabajo eran terribles, riesgosas.

Vivimos cosas muy lindas con ellas, habían desaparecido las diferencias de clases sociales, y eso a las mujeres les parecía que era importante. Por eso digo, yo no sé qué le pasa a la mujer, pero siempre se quiere igualar a la otra, se quiere ver linda como la otra, no sé. Y ahí, en esa etapa, nos juntamos todas, las que venían de las universidades, las que venían de los movimientos cristianos, las que estábamos en la militancia, ellas que estaban en el barrio. Y entre todas nos aportábamos todo.

Creo que nosotras nos enriquecimos mucho más. Ellas brindaban sus casas, todas las comodidades que habían logrado tener, nos ofrecieron todo. Todo.

Cuando ellas hablaban de miedo, nosotras les decíamos que si teníamos miedo nunca íbamos a poder hacer nada. Cuando ellas decían: "Bueno, pero si le pasa algo a mi marido, ¿qué va a ser de mí, de mis hijos?", porque nunca habían trabajado fuera de sus casas. Les respondíamos que había que salir adelante, que las cosas tenían que cambiar.

Y bueno. Para ellas nada cambió para mejor, todo lo contrario. Algunas, cuando cayeron a sus casas a buscar a sus compañeros, se quedaron hasta sin su casa a medio terminar. Las que la tenían terminada vieron como les detrozaban todo. Las que nunca habían trabajado tuvieron que salir a trabajar. Y las que se habían sentido contentas porque eran amigas de las que habían estudiado, de las universitarias, de las que sabían más, tuvieron que ir a limpiar casas de gente de esa clase social. A laburar de sirvientas.

Creo que todo eso las debe haber marcado mucho. Les debe haber dado mucha bronca y mucho dolor. Y como tenemos una cultura de ser sometidas, y el enemigo fue tan poderoso, nunca se animaron a putear al enemigo, que fue el causante de que se hayan llevado a sus compañeros, de destruir sus hogares. Y siempre hay alguien más débil. Nosotras mismas. Por eso cuando volví algunas me putearon.

Otras me recibieron. Pudimos hablar, recordar cosas que habíamos vivido juntas. Hablar de lo que se animaron a hacer. De aquella libertad que ellas creían que no les estaba permitida como mujeres. De pensar como mujer. Actuar como mujer. Decidir como mujer. No con la palabra y la decisión del otro, sino con lo que realmente sentíamos como mujeres. Creo que eso verdaderamente lo habíamos logrado. Por eso algunas pudieron salir adelante.

Otras quedaron igual, con todo su dolor. Algunas pudieron armar pareja. Pero lo que nunca pudieron sobrellevar es el dolor. A los chicos, a los hijos, les negaron la historia. Cuando yo iba a visitarlos quería hablar de sus padres con los más grandes, contarles quiénes habían sido. Pero no estaba permitido. Eso ya estaba tapado. Sin embargo fue y hoy sigue siendo algo muy doloroso para muchas de ellas. Es algo que todavía no podemos romper. Con algunas me sigo viendo, pero es algo que todavía no se puede romper. Eso quedó como algo que… es como la violación. Es tan grande el dolor que le pertenece a uno. Y no quiere que nadie lo sepa, no quiere compartirlo. Esto es un poco así, esa parte de la vida con todo lo lindo y todo lo feo que se vivió, les pertenece a ellas. Es patrimonio de ellas.

Con otras podemos relacionarnos, volver a hacer convivencia de compañeras, no de militancia, pero sí de compartir los hijos, y ahora los nietos.

Yo sigo pensando que esta parte de la historia de los compañeros navales a los que se llevaron porque su única militancia fue defender sus derechos y los de sus compañeros, y donde también las mujeres salieron a pelear esos derechos, apoyando la toma de los astilleros en el barrio entero, organizándose y protagonizando ellas mismas, es parte de una gesta que a lo largo de los años va a quedar marcada. Que no se tiene que perder.

Por eso se lo cuento a los chicos, a pesar de lo poco que les puedo hablar se los digo. Y les hablo tanto del padre que no está como de la madre que se hizo cargo. Ojalá que nuestros hijos puedan entender alguna vez todo esto. Todavía hay reproches... pero que sepan que elegimos esa forma de vida, si se quiere idealista, pero que no fue una cosa de locos. Fue una cosa muy grosa de la que recién ahora se empieza a hablar. No importa el tiempo que pase, pero ahora empiezan a ser los jóvenes los que quieren saber, investigar, rescatar la memoria, saber qué pasó.

De cualquier manera pienso que el de las mujeres de los desaparecidos sigue siendo un tema muy complejo. Yo mantengo contacto con muchas, nos reunimos por cosas puntuales, cuando fue lo del servicio militar, lo de las pensiones, o ahora lo de la reparación a familiares. Pero siempre andamos a la sombra del protagonismo de los demás. Esto es así. O levantamos la figura de nuestros compañeros, o la de las Madres o las Abuelas. La otra vez una compañera me dijo: "Me siento como un convidado de piedra; estoy acá para lo que me necesiten, pero yo no existo". Esto a mí me molesta, me duele, porque si bien yo acompañé a alguien que tenía una militancia de mucho peso, a mí me costó mucho desprenderme y empezar a hacer mi propio camino, porque él también me hizo sombra.

Si nos pudimos bancar el dolor de todo lo que se nos vino encima, y lo sobrellevamos, y sacamos adelante a nuestros hijos y nuestras casas, ¿por qué no protagonizamos?, nos preguntamos con las compañeras. Por qué no podemos empezar a demostrar al resto de la militancia, o a las Madres, o a los compañeros, o a la sociedad que nosotras también tenemos una historia propia, una vida propia.

En un momento nos planteamos sacar una solicitada, pero parece que no teníamos todavía el permiso... Seguimos no teniéndolo, porque nunca pudimos hacerlo. Creo que es una cosa cultural, tanto que no hayamos ocupado un lugar desde el protagonismo y el reconocimiento de los demás, como que sí lo hayamos ocupado –y con creces– desde el sacrificio, el dolor y el decir salgamos adelante, como podamos.

Es más, siempre que hablamos de nuestros compañeros –más allá de que los vemos en forma idílica, diría yo– lo hacemos como si hubieran sido perfectos. Hasta ahora ninguna pudo hablar de los errores de ellos, no nos animamos a hacerlo.

Creo que nos cuesta mucho a las mujeres. La figura del desaparecido era algo desconocido y sigue siendo tan dolorosa que la tenemos siempre encima, por sobre nosotras, y ese tenerlos arriba nos hace olvidar de lo que hicimos. Pero si nos ponemos a pensar, lo que hicimos nosotras es tan importante como lo de ellos, ¿no?

Lo cierto es que no tenemos un reconocimiento, un lugar, tampoco en los organismos de derechos humanos. En un comienzo fuimos a Madres, hasta que después nos dieron el olivo. Algunas nos decían que no teníamos lugar en esa historia porque a nosotras no nos habían llevado a nadie de nuestra familia. Que no era lo mismo que te lleven a un hijo que a un compañero. Ellas parecían sentirse con un derecho que se nos negaba a nosotras. Era una obligación ir a la Plaza todos los jueves, porque ellas dejaban todo para ir a la Plaza. Pero yo, y muchas otras, teníamos que laburar, mantener a nuestros hijos, no podíamos largar todo e irnos a la Plaza, aunque quisiéramos. Esto no se entendía, todo era como ellas decían o no era. Mucha dureza. Obviamente esto no era ni es así con todas las Madres, porque hubo algunas con las que uno se sintió como el propio hijo de ellas. Pero bueno, con las mujeres de los desaparecidos se han dado estas cosas, espero que en algún momento realmente se nos reconozca también como una parte importante de esta historia. Y espero que sea pronto, si no nos va a agarrar viejitas la mayoría de edad.

Hay otro aspecto de este tema que realmente me produce bronca e impotencia. Me refiero a las críticas terribles de algunos sectores de los organismos, o más bien de uno de ellos, a quienes están tramitando la reparación económica que el Estado legisló para los familiares de los desaparecidos. Esto ya sucedió cuando fue el tema de las pensiones. No logro entender por qué pasa esto.

A mí nadie me paga. Yo no le debo ni al presidente ni a la Nación, es el Estado el que tiene que hacerse cargo de lo que hizo. Hace veinte años de la desaparición del Gordo y a mí nunca nadie vino a decirme nada. A mí no solamente me llevaron a mi compañero, me llevaron la mitad de mi vida. Y para eso no hay reparación, una nunca se reconstruye totalmente. Ni el dinero ni nada nos va a devolver todo lo que perdimos. Nos arrebataron a los compañeros y nos despojaron de casa, de todo. Y nunca vinieron a decirnos: "Esto es lo tuyo, te lo vamos a devolver". Y todavía hay algunos que te dicen: "Así que van a hacer mucha plata..." con la reparación. Yo la tramité. Ni sé qué vamos a hacer con la plata. Lo que me importaría es que por lo menos mi hija terminara de tener aquellas cosas por las cuales luchó su padre. Salarios dignos, vivienda y educación, ésas eran las cosas por las que luchaban los trabajadores. Y seguro que esa plata no alcanza para cubrir esas necesidades, pero lo que sí sé, que no va a pasar es que porque nos den la plata nos vamos a olvidar de todo. No.

La reparación es legal y existió en otros países y nadie por eso perdió la memoria de las atrocidades cometidas. No es un invento argentino. Yo me pregunto ¿por qué es malo aliviar en algo, aunque sólo sea en lo económico, a quienes desde hace más de veinte años vienen luchando por salir adelante sin ayuda de nadie?

Me dio mucho dolor escuchar en la Marcha de la Resistencia lo que se dijo, que nos prostituimos aceptando la reparación, más allá de que no me extraña, hace rato que nos vienen bastardeando. Esto de ver como prostitutas a quienes acepten la reparación es algo muy jodido. Sobre todo si se supone que los organismos de derechos humanos deberían ser sectores donde no exista la marginación, y hablar de prostitución es marginar. ¿Por qué esa agresión de parte de alguien que se cree que está por sobre todo y por sobre todos y que los únicos valores aceptables y respetables son los que pretende imponer? ¿De qué valores nos están hablando?

La mayoría de nosotros estos veinte años vivimos de nuestro trabajo, tuvimos que hacer otra vida, seguramente distinta a la que soñamos y planificamos cuando éramos familias completas. Tuvimos que hacer lo que pudimos. No hacíamos festivales para recaudar, ni nos mandaban guita de afuera para vivir. Laburamos. Laburamos y de eso vivimos.

¿Por qué ahora no vamos a tomar una ínfima parte de todo lo que perdimos? ¿Por qué un hijo con esa plata no se puede comprar una vivienda? ¿O una madre, o una mujer, o un hermano? ¿Qué es lo que nos haría prostituirnos en eso?

Yo realmente me pregunto: ¿por qué no se habla de los hijos de compañeros desaparecidos que están enfermos de sida, o en la calle; o de las madres que son hoy viejitas y que no tienen para comer, ni hijos que las ayuden a mantenerse porque a sus hijos se los asesinaron? Nadie hace festivales para recaudar para ellos. Nadie los ayuda. Creo que en lugar de acusar e insultar deberían aceptar el dinero, y ya que no lo necesitan que lo destinen a ayudar a quienes están desprotegidos y sí lo necesitan. Terminemos con el discurso hipócrita.

San Isidro, 8 de diciembre de 1997.

DESAPARECIDO
ALDO RAMÍREZ
SEPTIEMBRE DE 1977

"¿USTED SABE QUÉ LEE SU HIJO..."

"Después del 24 de marzo de 1976, Ud. sintió un alivio: sintió que retornaba el orden. Que todo el cuerpo social enfermo recibía una transfusión de sangre salvadora. Bien, pero ese optimismo –por lo menos en exceso– también es peligroso. Porque un cuerpo gravemente enfermo necesita mucho tiempo para recuperarse, y mientras tanto los bacilos siguen su trabajo de destrucción. Hoy, aun cuando el fin de la guerra parece cercano, aun cuando el enemigo parece en retirada, todavía hay posiciones claves que no han podido ser recuperadas. Porque hay que entender algo, con claridad y para siempre. En esta guerra no sólo las armas son importantes. También los libros, la educación, los profesores. La guerrilla puede perder una o cien batallas pero habrá ganado la guerra si consigue infiltrar su ideología en la escuela primaria, en la secundaria, en la Universidad, en el club, en la Iglesia. Por ejemplo: ¿Ud. sabe qué lee su hijo? En algunos colegios ya no se lee a Cervantes. Ha sido reemplazado por Ernesto Cardenal, por Pablo Neruda, por Jorge Amado, buenos autores para adultos seguros de lo que quieren, pero malos para adolescentes acosados por mil sutiles formas de infiltración que todavía no saben lo que quieren."

Gente, diciembre de 1977.

Sonia Severini

A MI COMPAÑERO, RÓMULO GIUFFRA, fue como si se lo hubiera tragado la tierra. El 22 de febrero de 1977 desapareció y jamás pude saber nada de él. Ese día Rómulo salió del trabajo y nunca llegó a casa.

Estábamos absolutamente preparados para esa posibilidad, porque era un momento en el que ya no se podía circular sin riesgo por donde uno había militado y era conocido. Hacía dos años que nos habíamos casado Rómulo y yo, y tuvimos una hija que cuando se lo llevaron tenía cinco meses, María. Hoy tiene veintidós años.

Ese día, cuando Rómulo no llegó a casa, yo cometí un montón de errores que podrían haberme costado la vida. Como la situación estaba tan jorobada era muy riguroso el tema de los horarios, él tenía que llegar a las cinco y había una hora de tolerancia, al cabo de la cual, si no había regresado, debíamos "levantarnos", abandonar la casa. Muchísimas veces pasó que él o yo nos íbamos porque el otro se atrasaba y después no había pasado nada. Pero la consigna era no esperar más de una hora. Ese día yo no me fui, me quedé tres horas esperando y recién a las ocho de la noche dejé la casa. No sé por qué. Me fui con lo puesto y unas pocas cosas de la nena.

Permanecí en el país un mes y medio más, pero ya no tenía dónde meterme, era tanta la gente que caía que estábamos todos desconectados. La cosa se complicó más y me fui a Brasil, donde ya estaba exiliada mi hermana.

Varios días después de la desaparición de Rómulo mi mamá fue a casa y encontró todo vacío. Dejaron nada más que las paredes, se llevaron absolutamente todo. Los vecinos cuentan que primero se instalaron una semana esperando que cayera alguien, y que después vino un camión del Ejército con dos patrulleros de la policía e hicieron una mudanza. Quedaron las cuatro paredes, literalmente, porque se llevaron las puertas internas, los artefactos, todo. Mi suegro fue después; pobre, encontró una ballenita tirada en el suelo y se la guardó de recuerdo pensando que era del hijo. A lo mejor no era del hijo, sino de los tipos.

Un tiempo después la casa fue ocupada por un tipo de la 7ª Brigada Aérea de Morón, que estuvo viviendo allí siete años. La casa era nuestra, la habíamos comprado con un crédito que sacó mi papá; así que durante años mi viejo siguió pagando el crédito y el tipo vivía allí. En el 83 dejó la casa y le dijo a los vecinos que se tenía que ir porque lo perseguían los Montoneros. Le empecé un juicio y todos los vecinos me salieron de testigos. El tipo vivió todos esos años ahí, con su esposa, mandaba a sus hijos al colegio de enfrente, nunca pagó los impuestos, y cuando se fue dejó de nuevo las cuatro paredes peladas. Se llama Astezano.

Mientras yo estaba en Brasil, mi mamá pasó un día por la casa y vio cortinas en las ventanas, entonces tocó el timbre. Salió un tipo y ella le preguntó por la familia Fulana… el tipo se puso como un loco y la amenazó. La echó y le gritó que no volviera nunca más. Mi vieja se fue pero puso un abogado.

Mi vieja es una mina que odia a los milicos y en pleno 77 se animó a hacer todo eso, mi papá no quería saber nada, decía: "Si se pierden tantas vidas, qué importa una casa", pero para ella el tema no era la casa, lo que la volvía loca era la impunidad. Y consiguió un abogado que tomó el caso como una forma de resistir contra los milicos, un tipo excepcional; se llama Quintana y ahora es juez.

Cuando en el 83 volví al país el tipo ya se había ido. Después de mil trámites logré recuperar la casa y la vendí. Igual le inicié juicio, pero después se amparó en el punto final y la obediencia debida y, por supuesto, no pasó nada más.

Irme a Brasil fue muy complicado porque no tenía cómo sacar a la nena del país, necesitaba la autorización del padre. Finalmente la sacaron mis cuñados con el documento de la hija de ellos. Salieron por Paso de los Libres y cruzaron a la nena como si fuera su hija. María tenía dos meses más que mi sobrina. Mis cuñados y mi hija viajaron en tren, y ese tren fue detenido por una pinza del Ejército, revisaron a todos y chequearon la documentación, para ellos fue una odisea, pero pasaron. Así fue como mi hija quedó indocumentada durante varios años, hasta que después hice una ausencia simple y pasé a tener la patria potestad. Fue bastante complicado.

Y me quedé en Brasil, tuve posibilidad de irme a otro lado pero no quise. Viví siempre de mi laburo, eso fue una cosa bastante importante para mí. No fui del grupo de exiliados que primero vivía de papá y mamá, después de la organización y después de la corona. Estuve con mi hija en Brasil siete años, hasta que volvimos el 25 de diciembre del 83.

Con la nena me pasó un poco lo que a todo el mundo, no sabía qué hacer. Sabía lo que no tenía que hacer. Cuando empezó a preguntar por el padre yo le decía que no sabía, y era la estricta verdad, pero parecía una mentira. María me preguntaba si su papá estaba preso, y yo le decía que no, que si no, hubiéramos podido ir a verlo. Entonces me preguntaba si estaba muerto, y yo le decía que no sabía. Era muy complicado.

Lo que yo no quería hacer con mi hija era decirle, como pasaba en algunos casos: "Lo mataron unos hombres malos". Por una cosa de intuición, me parecía que era demasiado chica como para decirle eso. Yo le decía que estaba desaparecido. Yo usaba esa palabra. Palabra equívoca si las hay.

Recuerdo que siendo chiquita María se disfrazaba de la Mujer Maravilla, tendría cuatro años. La Mujer Maravilla daba una vuelta y desaparecía, ella la imitaba y una vez de pronto va a dar la vuelta, se detiene, me mira y dice: "¡No, no voy a dar la vuelta a ver si desaparezco!". Y yo, ¿qué le contesto? "No María, eso es en la televisión, en la vida real la gente no desaparece", y ella me contesta: "Cómo, si mi papá desapareció", lo entendía literalmente, que se había esfumado. Ahí me di cuenta de que el tema se empezaba a complicar y de a poco le fui diciendo algunas cosas. Le decía que cuando fuera más grande le iba a contar un poco más, que en ese momento era chica para entender todo eso. Hice lo que pude, como todo el mundo.

Ahora María tiene veintiún años y yo digo siempre que si hubiera soñado con una hija habría soñado con ella. Está en un punto medio que me parece interesante, lo reivindica al padre totalmente, dice que su héroe no es Superman sino su papá, y al mismo tiempo es muy crítica. Ella está en Hijos, pero no se le ocurre militar en ningún partido político, no cree en los partidos políticos. Es muy activa en una cantidad de cosas, pero no participa, por ejemplo, en el centro de estudiantes porque tampoco cree en eso, la cosa institucional para ella no va. Sin embargo, desde los doce años, que se formó Hijos y Nietos de Desaparecidos, siempre participa en actividades colectivas. Es su forma de militancia.

La desaparición de Rómulo y las desapariciones en general a mí me han afectado en dos sentidos. En el personal, en lo que significa perder al compañero a los veinticinco años, con una hija de cinco meses. Y por el otro lado están las otras consecuencias, las que tienen que ver con que yo era militante. Es una pérdida doble: la del compañero y la de la posibilidad de un cambio social por el que peleábamos juntos también. La pérdida personal y la pérdida de un proyecto colectivo.

Yo no soy ni una arrepentida ni una reivindicadora, soy sumamente crítica con nuestra práctica. Creo que éste es un debate pendiente.

En aquel momento, hace veinte, veinticinco años atrás, había gente de nuestra edad que hizo un proyecto personal, recibirse, tener hijos, una casa. Para mí eso era imposible, absolutamente imposible, por mis características personales. Yo sentía que me tenía que hacer no sólo responsable de mis actos, sino del mundo y de lo que pasaba en él. Esto es una cosa que sigo manteniendo, no sólo hacerme responsable de mis actos, que está bien, sino hacerme cargo de lo demás, de lo que pasa alrededor mío. Con lo cual me resulta imposible arrepentirme, no puedo decir: ¡qué tarada, lo que hice! Me siguen doliendo las mismas cosas, ahora multiplicado porque todo empeoró. Trato de resistirme en la práctica, no reclamando o yendo a las marchas a gritar, aunque también lo haga. Sigo siendo la misma persona de siempre, vivo de mi trabajo, no soy una consumista, no me engancho con esta cultura.

Es semejante a lo que me pasó en el exilio, yo quería vivir de mi trabajo, no quería vivir del Acnur (Alto Comisionado de Naciones Unidas para Refugiados), no quería vivir de la reina de Suecia, no quería. Pero no como una cuestión de sacrificio, sino como una forma de pensar que yo soy ésta, y ésta es mi forma de resistir. Lo que quiero es mantener una actitud ética ante la vida, y en lo que puedo, hacer algo en relación a los derechos humanos, no una militancia institucional, pero sí una práctica continua sobre estos temas.

Yo tuve varias parejas pero no me volví a casar, creo que eso tiene que ver con características personales de cada uno.

Pero no me puedo definir a mí misma como "esposa de desaparecido", soy eso además de otras cosas. Me siento más identificada con la militante que fui y que compartió un proyecto con ellos, con los desaparecidos, es ahí donde siento la pertenencia. No me convocaría agruparme en un organismo como "mujeres de desaparecidos" porque no me parece que soy eso por definición.

Las Madres salieron a pelear cuando se llevaron a sus hijos. Pero a nosotras, a muchas de nosotras, lo que nos movilizó a luchar no fue que nos llevaran a alguien querido, sino la necesidad de luchar contra la injusticia. En el medio de esa lucha se llevaron a nuestros compañeros, pero nosotras luchábamos desde mucho antes.

Yo nunca tuve un proyecto de poder personal, hice mi carrera universitaria pero no era una intelectual. El mundo estaba en ebullición y pensé que luchar era una posibilidad de terminar con las injusticias. Por eso empecé a militar en aquella época, no porque hubiera leído *El capital*. El hambre y la miseria no son abstracciones, son cosas que veo diariamente, aunque no las padezca personalmente. Soy trabajadora social y es inevitable estar en contacto con la miseria.

Hace poco renovando el pasaporte me preguntaron el estado civil y dije casada, me equivoqué. Después dije viuda, y me pidieron el certificado de defunción, dije que no lo tengo: "Entonces no es viuda", me respondieron. "Es un desaparecido", contesté, y me pusieron "casada". Y más aún: "Para decir que es viuda debería saber cómo y dónde murió", me reprendieron. Es el colmo. Y siempre lo mismo. O me mandan a la cola de los "observados" a retirar el pasaporte. Nosotras no nos olvidamos de nada, pero ellos tampoco.

En el año 80 no sé bien por qué motivo, tal vez por una cosa interna, personal, y por otra de la realidad externa, hice como una especie de… duelo. No sé si se lo puede llamar así, y le dije a mi hija que creía que el papá estaba muerto.

María tenía cuatro años, un día fue al jardín y en un espacio que tienen los chicos en Brasil, que es como una hora de reflexión, anunció que su papá se había muerto. Pero como si hubiera muerto en ese momento, porque antes no hablaba una palabra de eso. Y le preguntaron todos cómo, de qué se había muerto. Claro, yo le decía que yo no sabía, así que ella tuvo que inventar y dijo: "Mi papá se murió envenenado en un departamento"; la maestra me contó todo esto. A partir de ahí todos los días venía a casa un compañerito distinto del jardín que me interrogaba sobre el tema de la muerte del papá de María. Pero cuando volvimos a la Argentina casi no lo hablaba en el colegio, salvo algunas excepciones. Lo mismo pasó durante el secundario.

Ahora para María hablar del tema es más sencillo, sin embargo sigue hablándolo con quien le parece, no con todo el mundo. Yo de alguna manera hago lo mismo. No como una cosa de ocultamiento, para mí es un tema muy importante que lo hablo con quien yo elijo hablarlo, y no tengo nada que discutir, ni de mi pasado ni de nada, y si se trata de discutir, también elijo. Hoy, más de veinte años después, el tema está un poco más instalado, pero fueron muchos años donde esto apenas se hablaba entre unos pocos y parecía que nunca iba a ir más allá. Creo que lo de los veinte años no es casual, es como si los de nuestra generación o todos los que lo vivieron nos hubiéramos quedado sin palabras, atónitos. Veinte años después ya hay otra generación que comienza a tomar el tema. ¿Por qué?, bueno, parece que tienen que pasar veinte años para que uno pueda recuperar las palabras.

Lo que nos pasó a nosotros dejó una huella que perdura por varias generaciones. La historia no es la propia historia, la que vivió uno nada más, es una historia para atrás que podés conocerla o no, pero tu vida hasta que te mueras tiene que ver con eso. Cuando yo militaba y se hablaba de los dieciocho años de lucha y yo escuchaba a los viejos de la Resistencia, para mí era una historia de ellos. Y pensé que con lo nuestro iba a pasar lo mismo, pero no, es distinto, tiene tanta gravedad lo que pasó que las consecuencias perduran, es un tema irresuelto, que vuelve y vuelve siempre.

El tema de los derechos humanos me parece una lucha posible en este momento y en esta sociedad, pero yo quiero lo mismo de antes, cambiar todo. Sigo pensando exactamente lo mismo, no soporto esta sociedad. No puedo soportar el impudor, no puedo soportar haber llegado a esto. Pienso tanta lucha, tanta sangre en el mundo, porque no es que fuimos un grupito de locos, no, esto pasó en todo el mundo. Con todas las críticas posibles, vuelvo a decirlo, lo que a mí me llevó a aquella lucha me sigue convocando de la misma manera ahora. Los problemas que había en aquel momento y por los cuales nosotros salimos a luchar, están a la vista, no hace falta decirlo, son los mismos y más, porque hay más miseria, más injusticia, más desigualdad. Ésta es una sociedad horrorosa. Por eso yo colaboro en lo que puedo con derechos humanos, fundamentalmente creo que desde un lugar de resistencia, porque finalmente me parece que lo más que podemos ofrecer es no tragarnos este orden. No tragarlo con la práctica concreta y cotidiana y darle eso a nuestros hijos. Políticamente no me siento convocada por ningún partido, pero estoy al acecho, esperando algo que valga la pena. Yo ya no voto a nadie, anulo mi voto, todavía no dejé de votar, no sé por qué.

Yo creo que uno no puede cometer los mismos errores que cometimos. Y si tengo que pensar en una sociedad ideal pienso en una sociedad socialista con libertad. ¿No existe?, y bueno, no sé, qué sé yo, quiero eso como deseo. Pero hay que ser muy crítico, de lo contrario hacemos lo mismo que criticamos. Yo trato de ser iconoclasta, no quiero ídolos, y si tengo que criticar al socialismo lo hago, y a Fidel Castro, también. ¿Cómo puede ser que por todas partes (partidos de izquierda, organismos de derechos humanos) se reproduzca el mismo autoritarismo que hizo al fracaso de los mejores intentos? La actitud acrítica o justificadora no se puede aceptar en ningún caso, menos aún en los militantes de derechos humanos. Nadie tiene derecho a apropiarse de mi desaparecido y decirme que no lo exhume, que no le ponga nombre, que no tramite la reparación porque me prostituyo. ¿Con qué derecho? Nadie, ni por izquierda ni por derecha puede decirme a mí lo que tengo que hacer. Todo se puede debatir, todo es discutible, y si no es así es autoritarismo, no me importa bajo qué signo. Lamentablemente hay personas que creen que es posible apropiarse de la lucha, y están convencidas de que la lucha empezó con su persona. Son los que juzgan a todos los que estamos vivos, son los que no dialogan con nadie, excepto con los muertos. En realidad sólo dialogan consigo mismos, o sea monologan. Son los "militantes muertos", jamás producirán nada.

Esto también nos pasó dentro de la militancia, siempre hubo autoritarios y obedientes, y ser obediente a veces es una ventaja. Pero es la pérdida de la libertad.

Yo creo que la desaparición de Rómulo acentuó algunas características de mi personalidad un poco apocalípticas y trágicas. En

Brasil, después de vivir tres o cuatro meses con mi hermana, su marido, su hijo y su cuñada, exiliados también, decidí mudarme sola frente a la casa de ellos. Ahí empezó una sensación de que todo lo peor podía pasarme, la nena se iba a morir, todo, un estado muy acentuado de mucha tragedia. Recuerdo que los viernes pensaba: "Ahora me voy a morir mientras duermo y la nena se va a quedar sola, aquí, encerrada hasta el lunes", y eso me producía una desesperación terrible. Por el otro lado, tenía una sensación de mucha fortaleza, enseguida me puse a trabajar, aunque en realidad lo que hubiera querido era no hacer absolutamente nada. Pero eso de que las mayores tragedias podían sucederme estaba siempre presente. Ahora también me pasa, lo primero que pienso es en lo peor. No sé si estrictamente tiene que ver con la desaparición, pero eso fue algo realmente trágico, algo que nunca pensé que iba a pasar.

En el mes y medio que me quedé aquí, antes de irme a Brasil, encontré la solidaridad de mucha gente de la cual no esperaba nada, y la puerta cerrada de otra de quien esperaba mucho. Eso marcó para mí un antes y un después que hoy sigue vigente y fue absolutamente definitorio para proseguir o no con esas relaciones. Un tío que no compartía para nada nuestras ideas me prestó un departamento para que estuviera con la nena, y después me acompañó a cruzar la frontera. Lo mismo mis viejos, que no estaban en absoluto de acuerdo con nuestra militancia.

Recuerdo que durante ese mes y medio yo dormía, dormía, la angustia era tanta que me dormía en todos lados, y la sensación era que si no hubiera estado la nena que me despertaba porque quería la mamadera, yo me habría dormido para siempre. Me acuerdo que me sentaba en la cama cuando oía el llanto de María y ahí me conectaba, y realmente deseaba que el mundo explotara en mil pedazos. Nunca dormí tanto, adelgacé once kilos en un mes, era un desastre, no podía comer nada.

Es muy difícil ponerse a evaluar hoy, creo, que todos hemos sentido culpas por no habernos ido a tiempo, por tantas cosas. Pero es que los valores, las cosas eran tan distintas. El año pasado en un homenaje que se hizo en Morón a los compañeros desaparecidos, algunos hijos cuestionaban que sus padres priorizaran la militancia antes que a ellos. Pero la pregunta es: ¿importan más los proyectitos personales que un proyecto social, colectivo? En ese momento, para nosotros la respuesta era "no". No es sencillo explicar esto, la escala de valores era distinta, nosotros creíamos que podíamos hacer una revolución, y si sacrificábamos lo individual por lo colectivo no era porque no nos importaban nuestros hijos, al contrario, sacrificábamos lo que más queríamos. En todo caso habría que preguntarse si ése era el momento, tal vez no. Pero los que militábamos honestamente, sin ningún tipo de poder personal, creíamos que eso era legítimo. Después se nos vino todo encima y no era tan sencillo irse de un día para el otro, muchos no tenían la posibilidad material de hacerlo. De hecho de acuerdo al sector social algunos fuimos a Brasil, otros a París y otros a Mercedes, provincia de Buenos Aires. Había que abandonar trabajo, casa, todo. Había gente que no podía dejar de ir a trabajar porque al día siguiente no comía. Hoy es fácil decir debimos haber hecho esto o aquello, pero ubicarse en aquel momento, en aquellos valores, es casi imposible si no lo viviste.

Si por lo menos se hubiera logrado lo que nos proponíamos, los desaparecidos hoy tendrían un reconocimiento, y con ese sacrificio se habría podido conseguir una sociedad mejor. Pero como esto no fue así, uno piensa que los hijos están privados de sus padres y encima tenemos la sociedad que tenemos. La ecuación no es así, pero es inevitable que se lo planteen. Esto me obsesionaba, que María no tuviera recuerdo del padre, cómo hablaba, cómo caminaba, el timbre de la voz, esas cosas que sí uno tiene y que también con los años se nos van... desdibujando.

Ahora pasaron los años y a María por un lado le queda una cosa de mucho dolor, y por el otro de mucho orgullo, ella siempre dice que prefiere esto antes de haber tenido padres que no participaran de la lucha.

También está el tema de la responsabilidad de los dirigentes, de la conducción, ellos tendrían que haberlo previsto. Un dirigente tiene la obligación de poder leer la realidad de una forma menos improvisada e irresponsable que la que ellos tuvieron. Está a la vista la torpeza, la omnipotencia, la falta de discusión, la falta de crítica. Yo tuve que tomar distancia para poder ver todo esto, recién en el exilio pude empezar a pensar en estas cosas. Y venía la culpa, ¿por qué no me di cuenta antes?, ¿por qué no le salvé la vida?

Hasta que te recomponés pasan años, son culpas psicológicas, no reales, pero lo que pasó fue muy grave. Creo, además, que nos quedamos perplejos. Totalmente perplejos. Por eso hoy me alivia que se hable, que se testimonie, que se debata. Es una forma de no sentirse tan solo. Creo que todavía no se da un debate muy productivo. Están los que reivindican todo, los mistificadores, y los renegados, que dicen que todo fue un desastre. Tal vez nosotros no lleguemos a ver la síntesis de ese debate, pero seguramente se va a hacer. Por ahora yo siento que, o nos tienen como héroes, que no lo fuimos, o como demonios, que tampoco lo somos. Quizá pasen años hasta que todo se vea como realmente fue. Tal vez suceda después de que nosotros estemos muertos.

Buenos Aires, 26 de enero de 1998.

Nota de la autora. Varios meses después de que Sonia Severini testimoniara, nos encontramos en una marcha convocada por los organismos de derechos humanos a raíz del encarcelamiento de uno de los genocidas. En esa oportunidad, muy conmocionada, comentó que estaba por llamarme ya que temía que su testimonio no fuera útil para mi investigación, porque: "Apareció mi marido", dijo. Recuerdo que en un primer momento las dos nos quedamos mirándonos, sin palabras, hasta que finalmente Sonia me explicó que el día anterior, el Equipo de Antropología Forense (EAF), le había dado la noticia de que habían ubicado la partida de defunción de Rómulo Giuffra. Un tiempo después volvimos a encontrarnos para que Sonia ampliara su testimonio, que se reproduce a continuación:

La única vez que yo fui a Antropólogos fue hace diez años para hacer la declaración que normalmente hizo todo el mundo. Pero mucho más tarde, por una situación muy azarosa, por un dato que me dieron, me di cuenta de en qué campo de concentración estuvo mi marido. Fue algo muy raro, no sé de qué forma junté una cantidad de datos que tuve dispersos y separados durante veintidós años, y llegué a la convicción de que Rómulo había estado en el campo clandestino conocido como Sheraton. Esa noche no me podía dormir, porque en veintiún años yo nunca, jamás, había tenido ninguna referencia de nadie. Se lo había tragado la tierra, nadie lo vio, nada. Al día siguiente fui a Antropólogos, les conté mis conclusiones y la convicción de que mi marido había estado en el Sheraton. Ellos buscaron en la computadora el caso de Rómulo y no había ningún dato nuevo, estaba todo igual que cuando yo había hecho mi declaración diez años atrás. Me dijeron que lo que yo deducía era coherente, pero que no había nada nuevo con respecto al caso de mi marido.

Quince días más tarde mi cuñada quiso que volviéramos a charlar con los antropólogos y finalmente fuimos. Uno de los antropólogos nos dijo que tenía una noticia sobre Rómulo. A mí me pasó algo que jamás me había pasado antes, y que me parece muy gráfico, él empezó a hablar y como a los diez minutos yo le pedí que por favor comenzara de nuevo, porque fue como si yo entendiera todas las palabras pero no el sentido, como escuchar a alguien hablar en otro idioma, no entendía nada. Lentamente volvió a empezar, diciéndome que se trataba de que yo entendiera una lógica diferente, desconocida, porque por un lado está la lógica de lo "legal", y por el otro está la lógica de lo que fue la patota. Lo que pasó fue más o menos así: los antropólogos fueron esa semana a los archivos de la policía de La Plata, y ubicaron unos microfilmes de documentaciones, no estaban los originales sino esos microfilmes, ellos los fotocopiaron y encontraron una carpeta de gente enterrada como NN. De esa cantidad de gente, que no sé si era toda del cementerio de Villegas, en La Matanza, había un cinco por ciento que estaban identificados, en ese cinco por ciento estaba Rómulo que había sido sepultado en ese cementerio. Además me mostraron un papel, allí estaban las huellas dactilares de Rómulo, decía cadáver NN, cadáver número 48.555 enterrado como NN; y otro papel agregado, que afirma que ese cadáver resultó ser Rómulo Giuffra, hijo de Fulano y Mengana, muerto por infracción a la ley número tanto, que es la ley antisubversiva. Por separado, los antropólogos también encontraron la partida de defunción, donde dice que en la esquina tal y tal –un lugar de González Catán que desconozco absolutamente–, a las 3.20 de la mañana del 25 de febrero de 1977, murió por múltiples heridas de bala; y una descripción que coincide en todo menos en la altura, Rómulo medía 1,82 y en la partida dice 1,70, pero la descripción de la ropa es exacta, todo esto firmado por un médico. También dice que fue enterrado en el cementerio de Villegas como NN. O sea que hicieron un certificado de defunción, mandaron a identificar el cuerpo y supieron que era Rómulo Giuffra, pero lo enterraron como NN.

Rómulo desapareció el 22 de febrero de 1977, entre las cuatro y las cinco de la tarde, y la muerte está registrada el 25 de febrero a las 3.20 de la mañana. Yo jamás había tenido ningún indicio, no podía creer lo que estaba escuchando. Casi todo el mundo logró saber algo, cómo se los llevaron, alguien los vio en algún campo, pero yo nada, nunca pude saber nada. Salí de Antropólogos absolutamente loca, mi hija María estaba en la facultad, la fui a buscar y la hice salir de la clase para contarle, pero la reacción de ella fue absolutamente diferente, como si esto le hubiera dado aún más fuerza y algunas certezas.

Pasaron los días y se presentó la posibilidad de recuperar el cuerpo, los antropólogos me adelantaron que era difícil, pero que iban a ir al cementerio porque tenían el número de fosa. Me pasé diez días con una piedra en el pecho, con una angustia terrible, con la certeza de que lo mataron a los dos días de la desaparición, y yo pasé años buscándolo inútilmente. La sensación es que vuelve a empezar todo de nuevo, como si no hubiera pasado el tiempo. Cuando me llamaron los antropólogos y me dijeron que en esa fosa no estaba Rómulo, sino que había un cuerpo enterrado en 1994, sentí cierto alivio. Antes yo lo había hablado con María, ella lo tenía totalmente claro, me dijo: "Yo no quiero un cuerpo, no me interesa". En mi caso no es que yo no quiero un cuerpo, es que no lo podría soportar. Basta de sufrimiento, tener que enterrar un cuerpo veintidós años después, eso me volvía loca de sólo pensarlo. Pero por otro lado, si aparecía el cuerpo, ¿qué hacía?, obviamente tenía que hacer algo con eso, lo tenía que enterrar. Los antropólogos me decían que no sintiera culpa, yo no sentía culpa, lo único que falta es que sienta culpa, pero si estaba ahí no podía dejarlo. Por eso el hecho de que no estuviera fue un alivio.

Mi viejo murió hace cuatro años, es el único ser querido muy cercano que tengo en una tumba, voy sola al cementerio a llevarle una flor y desde hace cuatro años vivo con la sensación de que les llevo la flor a los dos, a papá y a Rómulo. Entonces, por momentos pensaba que estaba loca, que quizá existía la posibilidad de realmente llevarle una flor a Rómulo y no quería pasar por eso. Pero se solucionó porque no hubo posibilidad real, eso quedó ahí.

Con el correr de los días empecé a pensar qué estaba haciendo yo el 25 de febrero de 1977, y recordé perfectamente todo lo que a mí me fue pasando tras la desaparición. Mucha gente habla del tema de los desaparecidos y se refiere al tema de la espera. La espera en la puerta, o que tocara el timbre, que apareciera. A mí me pasó eso durante muchos meses, tal vez años, creo que recién en el 80 dejé de esperar. Yo sabía perfectamente lo que pasaba, pero mi fantasía no era que a Rómulo lo iban a soltar, era que se iba a escapar. ¿Por qué? Porque era Superman, porque era omnipotente y porque él siempre decía: "Jamás dejarse agarrar, y si te dejás agarrar, hay que estar las veinticuatro horas pensando en cómo fugarse".

Al pasar los días me fui reconciliando con algo de este orden, que pudo escaparse, que los jodió, pero que está muerto. Está muerto pero no pasó por todos los vejámenes, por los horrores que pasaron tantos. Volví a sentir una cosa de coherencia, de admiración, pensaba en que muchos estuvieron años desaparecidos, algunos están vivos y otros están muertos. Los que están muertos padecieron terriblemente antes de morir, y los que están vivos deben sufrir aún hoy.

Lo cierto es que ahora tampoco sé la verdad, está el expediente ése con alguna historia inventada y uno se pregunta lo mismo de siempre: ¿a quién le reclamo yo?, y aparece la misma impotencia. Mi cuñada me decía que iba a buscar al médico que firmó el certificado de defunción, es el único nombre que hay, y a mí me dio casi risa, es ridículo todo. Lo único que queda claro es que fue el Primer Cuerpo de Ejército. Pero hay un punto interesante, ellos querían saber a quiénes habían matado, por eso los mandaban a identificar, lo que no querían es que nosotros lo supiéramos y por eso los enterraban como NN. Es realmente siniestro.

Además de que los mataron, además de que les hicieron y nos hicieron todo lo que ya conocemos, está el tema del ocultamiento de la verdad, y esto nos produjo un gran sufrimiento psíquico, tanto que a veces pienso que nosotras ni nos damos cuenta de la huella que nos dejó. O sí nos damos cuenta. Estuve leyendo el último libro de Primo Levi. Después de escribir ese libro él se suicidó. Y en ese libro habla de gente que empezó a suicidarse veinte años después del Holocausto. A veces, en chiste, yo digo que acá va a pasar lo mismo y que yo voy a ser una de los que se suiciden. Lo hago en chiste y todos se ríen. Todavía no tengo planificado suicidarme, pero fuera de eso, el tiempo en nosotras no tiene nada que ver con el tiempo real, y eso te lleva a una lucha interior psíquica infernal.

A esto hay que sumarle que no hay reparación. En esta sociedad no la hay, si hubiéramos estado en otra sociedad donde estas cosas se pudieran reparar, donde hubiera reconocimiento, justicia, eso sería muy aliviador. Pero así, es terrible.

Sin embargo, también creo que con todas las contradicciones, con todas las amarguras, con todo el dolor, con toda la bronca, tenemos una voluntad... Por eso me gustó el título del libro de Anguita y Caparrós, *La voluntad*, tenemos una voluntad increíble. A veces te preguntás: ¿y de dónde?, pero el hecho es que la tenemos. Sin eso nos habríamos acostado a dormir para siempre. Es como decirle a los represores que siempre vamos a resistir. Ésa es la voluntad que nos salva. A mí me salva. Resistir hasta el último día de mi vida.

Noviembre de 1998.

DESAPARECIDO
RÓMULO GIUFFRA
22 DE FEBRERO DE 1977

HABLÓ CON ESCRITORES EL PRESIDENTE DE LA NACIÓN

"Es imposible sintetizar una conversación de dos horas en pocas palabras –declaró Ernesto Sabato al retirarse de la Casa de Gobierno–, pero puedo decir que con el presidente de la Nación hablamos de la cultura en general, de temas espirituales, históricos y vinculados con los medios masivos de comunicación."

A su lado se hallaba el presidente de la Sociedad Argentina de Escritores, Horacio Ratti, y el escritor padre Leonardo Castellani, quienes junto con Jorge Luis Borges almorzaron ayer con el teniente general Jorge Rafael Videla.

El padre Castellani se abstuvo de formular declaraciones y Borges, quien se retiró en automóvil, ofreció su residencia para mantener en ella un coloquio de los cuatro escritores que participaron en la reunión. En tanto Sabato, al conversar con los periodistas, en la acera del Banco de la Nación, frente a la explanada de la Casa Rosada que da sobre la calle Rivadavia, señaló: "Hubo un altísimo grado de comprensión y respeto mutuo. En ningún momento –puntualizó– el diálogo descendió a la polémica literaria o ideológica".

Después Sabato reflexionó: "Tampoco incurrimos en el pecado de caer en la banalidad. Cada uno de nosotros vertió, sin vacilaciones, su concepción personal de los temas abordados". Se les solicitó posteriormente la impresión que les causó a los escritores el presidente de la Nación. "Excelente. Se trata de un hombre culto, modesto e inteligente", definió Sabato. "Es un general con civismo", agregó Horacio Ratti. Más tarde añadiría Sabato: "Me impresionó la amplitud de criterio y la cultura del Presidente".

Los temas analizados

Al profundizar en torno de los temas abordados, Sabato explicó: "Fue una larga travesía por la problemática cultural del país. Se habló de la transformación de la Argentina, partiendo de una necesaria renovación de su cultura". Mientras, Horacio Ratti deslizó los problemas concretos que se analizaron:

–Se consideraron el proyecto de la ley del libro, la designación de agregados culturales en las embajadas argentinas en el exterior, el nombramiento de asesores culturales en radio y televisión y otros, de contenido gremial, entregados por la Sociedad Argentina de Escritores, incluidos en una carpeta para el presidente de la Nación.

"El Presidente –refirieron– anticipó que probablemente irá el 11 de junio al acto organizado por la SADE para entregar el premio de honor de la entidad."

Además, Horacio Ratti puntualizó: "Nos alegra mucho que los hombres de gobierno y las normas no respondan ya, evidentemente, a demagogia alguna. Apreciamos que el sistema es democrático, pero democrático con la atención y la firmeza que el país reclama con urgencia". Y prosiguió: "Aplaudo sin reservas el criterio de consultas con representativos o especialistas de cada sector. La mejor manera de conocer y de apreciar la magnitud de cada problema –indicó– es ir a las fuentes donde se originan, es decir, el centro de una u otra actividad". (...)

***La Nación*, 20 de mayo de 1976.**

María Inés

MI COMPAÑERO ERA HORACIO RODOLFO SPERATTI y se lo llevaron el 6 de junio de 1976, era periodista, en esa época trabajaba en *Ciencia Nueva*, una revista que se hacía para la Universidad.

Horacio tenía también un hobby, una pasión, los autos antiguos, y había montado un taller donde los restauraba, el operativo donde lo secuestraron fue allí, en ese taller. Teníamos dos chiquitos y yo estaba embarazada del tercero, era domingo, esa noche él se quedó en su taller trabajando y yo, que estaba muy agotada, me quedé dormida en casa. A la mañana siguiente, a las siete, me llamó un chico que trabajaba con él –que también desapareció dos días después– preguntándome qué pasaba, el taller estaba cerrado.

A partir de allí empezó la gran pesadilla. Parece que fue un operativo bestial, de esos operativos en los que participaban varias fuerzas, rodearon toda la manzana, entraron por atrás, les prohibieron a los vecinos que salieran a la calle y que miraran lo que estaban haciendo. Al principio estaban tan aterrorizados que me decían que no habían visto nada, nadie quería hablar ni contarme lo que había pasado, pero finalmente empecé a tomar testimonios y con esa información buscamos contactos para averiguar algo. A un amigo de Horacio que no sé con quién pudo hablar, le dijeron que sí, que se lo habían llevado, que todo había terminado muy rápido… y que no preguntáramos más si no queríamos que nos pasara lo mismo. Eso fue todo lo que supe, nunca más supe otra cosa, nadie lo vio en ninguna parte.

A los dos días yo había hablado por teléfono con el chico que trabajaba con Horacio en el taller y quedamos en encontrarnos esa noche en un bar, para ver qué se podía hacer. Nosotros estábamos todos en la JP (Juventud Peronista). Nunca llegó a ese bar, después me dijeron que antes de verse conmigo fue a otra cita y que se lo llevaron de allí. Esa noche yo lo esperé bastante en el bar, más de lo prudente, porque en aquella época no había que esperar más de cinco minutos en una cita, pero no llegó. Casi todo ese grupo nuestro fue diezmado, exterminado, éramos de Vicente López.

Así que quedé sola con mis hijos, Mariano tenía tres años, Diego uno y medio y yo estaba embarazada de siete meses, de Manuel. Y ahí empezó el calvario. Realmente.

Me fui a casa de mis viejos con los nenes, porque pensé que si me llevaban a mí, que por lo menos los chicos quedaran con sus abuelos. Pero a casa no fueron nunca. Igual me quedé un tiempo en lo de mis viejos para hacer todo lo que había que hacer, hábeas corpus, averiguaciones, me reunía con amigos, cada cual hacía lo que podía. Totalmente inútil. A fin de mes yo ya estaba absolutamente chiflada, mis viejos vivían a una cuadra de la quinta de Olivos, entonces todas las noches se escuchaban sirenas, era infernal.

Una noche iba a la casa de un amigo de Horacio para ver si había alguna novedad, si alguien había podido averiguar algo; era justo el día que habían puesto una bomba en la lancha del comisario Alberto Villar. Yo andaba en mi Renault que lo habían dejado en el lugar que lo secuestraron a Horacio, no sabía si pasaba algo con ese auto, si estaba fichado, nada. Pero con mi panzota y los chicos decidí usarlo igual, inconsciente, y esa noche se me paró justo frente a la quinta presidencial. Ahora me río, pero fue terror lo que sentí en ese momento, iba sola, había dejado a los chicos con mis padres, el asunto es que escuché miles de silbatos y al instante me rodearon miles de canas que me apuntaban. Con un hilo de voz les dije: "Se me paró el auto", y temblando trataba de arrancarlo, me vieron la panza y me gritaban: "Circule, circule". Después de eso quedé tan mal que me di cuenta de que así no podía seguir, terminé con todos los trámites que se podían hacer y me fui a Mar del Plata con los chicos, a un departamento que tenía mi suegra. Además toda la familia me tenía terror, no sabían qué hacer conmigo, me rajaban. Yo me sentía totalmente en el aire, no tenía un peso, nada.

Llegué a Mar del Plata y ahí me quedé con los nenes, viendo qué iba a hacer, faltaba muy poco para que naciera Manuel.

La experiencia de aquel momento es que tenía que ser todo tan inmediato, sin posibilidad de fantaseo o de cosa lejana; creo que eso, esa manera de tener que reaccionar me sirvió después. La cosa concreta para mí era: "Manuel tiene que nacer", y: "Después de que nazca Manuel, veo", esos eran los términos en los que tenía que resolver.

Todo lo que había que mentir era terrible; nosotros teníamos en aquel momento la obra social de la Apba (Asociación de Periodistas de Buenos Aires), y yo no podía decir allí que Horacio era un desaparecido, entonces dije que se había ido a hacer una nota lejos y que yo estaba por tener el bebé, pero que tenía que viajar a Mar del Plata y a lo mejor nacía allí; finalmente me autorizaron todo.

El nacimiento de Manuel en esa situación fue dolorosísimo, de mucha soledad. Como no podía ser de otra manera, Manu nació una madrugada. Cuando me empecé a sentir mal llamé a un vecino que vivía a la vuelta del departamento de mi suegra, y que era amigo, para que se quedara con los chicos. Me dejaron en el sanatorio y él se quedó con los nenes en casa; entonces llamó a mi vieja a Buenos Aires para que viajara, pero ella, en vez de tomarse un avión o venir rápido, se lo tomó con mucha calma, viajó en tren, y llegó como dos días después a Mar del Plata. Horroroso, pero, bueno, nació Manuel y mi vieja se quedó un tiempo con nosotros.

Muchas veces me planteé que tenía que irme del país, pero no podía, sentía que abandonaba, que por ahí podía hacer algo, y si volvía Horacio qué pasaba… Para mí era imposible irme.

Manuel nació el 21 de agosto de 1976, con todas estas historias el parto fue difícil, estaba encajado en el canal y costó mucho sacarlo; nació con una especie de chichón tremendo. Y yo... Yo ya no podía más. Si Manuel nació con algo malo me muero, directamente me muero, pensaba. ¡Diooos!, no lo podía creer. Pero me dijeron que era algo bastante común y que a los veinte días se iba a deshinchar, y así fue. Por lo menos de afuera... la cabeza le quedó normal. Entonces venía lo siguiente: "Manuel nació, bueno, ahora a volver a casa". Yo había hecho una especie de red con amigos, llamaba a Buenos Aires y me decían si habían visto algún movimiento raro en mi casa. Y sí, me dijeron que habían estado en el barrio preguntando por mí. Otra vez a Olivos a casa de mis viejos, ¡horror! Volví en septiembre. Mi hijo mayor, Mariano, seguía inscripto en el jardín al que iba, yo había hablado para que me guardaran el lugar, había dicho que teníamos que viajar urgente por cuestiones de trabajo de mi marido, y conservó la vacante. Quería que este chico al que se le había movido absolutamente todo conservara algo de su vida normal, aunque sea el jardín, los compañeritos.

Debido a toda la crisis que tuvo, a Mariano se le empezó a caer el pelo a mechones, y lo llevé a un especialista de piel para ver qué se podía hacer. El médico me miraba como si yo fuera una maltratadora total y me decía: "Usted lo que tiene que hacer, señora, es darle mucho cariño a su hijo". Yo no le conté nada al tipo; eras boleta, no sabías con quién estabas hablando. Las cosas que pasamos en aquellos días...

Mariano fue un chico que padeció tanto, él era muy unido con su papá, había nacido después de cuatro años de matrimonio nuestro, así que realmente era un chiquito requerido y deseado. Cuando volvió al jardín yo lo llevaba todos los días en bicicleta, después de dejarlo pasaba por la esquina de mi casa y miraba, pero sentía una sensación rarísima, como que no era más mi casa. Estaba, era eso, pero no era más mía, no me pertenecía. Yo iba a volver a un lugar que, no sé cómo explicarlo, era querer volver a tener mi casa pero no era más mi casa, ¿no?

Me quedé en lo de los viejos hasta diciembre del 76, entonces decidí que ya no había más peligro –¡qué loca!– y resolví volver. Próxima estación, volver a casa.

Antes de la desaparición de Horacio en casa trabajaba una chica entrerriana que me ayudaba con los chicos; como a ella la habían desalojado del lugar en que vivía me propuso seguir trabajando conmigo si yo la dejaba venir a casa con su marido por un tiempo. Tenían un chiquito un poco menor que Mariano y una bebita recién nacida. Y yo, que nada me pertenecía, que nada me importaba nada, los hice venir a vivir con nosotros.

En Mar del Plata había tenido unas fantasías bárbaras con suicidarme, mil, no sé, era todo tan angustiante, tan vacío. Pero por suerte venció lo principal, yo pensaba en esos momentos: "Después de tanta muerte, de tanto horror, yo voy a tener un hijo", y eso hizo que zafara un poco. Entonces arreglé con esta chica y volvimos a casa. Pero, ¡horror!, yo no sabía nada, el marido de ella trabajaba en la Prefectura.

No, no, hay tantas cosas que no puedo entender, pero que pasaron... Cuando me enteré, ¿cómo hacer? ¿Cómo hacer para que el tipo no tomara ninguna venganza y sacarlos de mi casa? Todo ese trámite duró tres meses, con el tipo ahí, viviendo con nosotros, sabiendo todo lo que había pasado con Horacio. El tipo gracias a Dios era medio tarado, ahí la que manejaba los piolines era ella, Esther. El nene más grande de ellos era terrible, rompía todo, y a mí no me importaba nada. Todo se rompía, todo era un desastre, y a mí no me importaba nada.

Si una estaba rota... ¿qué te importaba, no? Una ahora dice qué inconsciencia, pero yo no existía, la verdad es que no existía. Y la gente aprovechaba lo que nos pasaba, sí, aprovechaban, se daban cuenta de que así como estábamos no la podíamos ver ni cuadrada.

Hasta que junté un poco de polenta y a los tres meses le dije a la chica que se había acabado, que se fueran, que el arreglo había sido por unos días y ya llevábamos más de tres meses. Fueron como tres siglos. Yo misma los llevé con todas sus cosas a la casa de la madre de ella, les hice la mudanza. Creo que reaccioné cuando el nene de ellos empezó a acostumbrarse a retorcerle los deditos a Manuel. No lo pude resistir. Pero tampoco me daba como para meterles una patada en el orto, por el terror a que me denunciaran.

Yo vendía ropa, nos mantuvimos con eso. Vendía aquí y también en Mar del Plata, cada tanto viajaba, a veces iba y volvía en el mismo día para dejarle lo menos posible los chicos a mis viejos. La cosa venía mal con ellos desde antes, Horacio no era el príncipe que ellos habían soñado para mí, pésimo. Ahora, después de tantos años y un poco más benevolente, pienso que para los viejos también debe haber sido todo muy terrible, los superaba totalmente la cosa. Arreglátelas, decían. Y en aquel momento eso también era parte del abandono.

A los chicos no sabía qué decirles. Yo no tenía certeza de que Horacio no iba a volver, entonces inventaba que el papá siempre estaba lejos, de viaje, trabajando. Cuando tenía casi cuatro años le dije al mayor, a Mariano, que el papá se había muerto lejos, en otro país, los otros dos eran todavía muy chiquitos. Pero antes de eso, un día que lo llevaba al jardín en bicicleta, pasamos por la quinta presidencial y había soldados, y Mariano me dijo: "¿Éstos son los soldados que mataron a papá?". No sé de dónde sacó eso, habrá escuchado algo, no sé. Pero después se quedaron con lo de que el papá se había muerto lejos. Bueno, recién pude decirles lo que realmente había pasado en el 83, con Alfonsín. Qué espanto, pobres chicos.

Pero es que antes yo iba a las reuniones de los organismos de derechos humanos en las iglesias, y allí veía las caras de los chiquitos que iban con sus mamás, veía el horror en esas caritas, y a veces también el odio que ya se les iba metiendo adentro. Y yo pensaba, no puedo, no quiero eso para mis hijos. Era como resguardarlos, esto fue todo tan terrible que me parece que hubiera sido peor fomentarles el odio, no podía. Era demasiado. Pero iba a las reuniones, eran en San Fernando, después se los llevaron a los curas también.

En esos años seguí en contacto con gente de la APDH y con un vecino amigo, demócrata cristiano. Pero no podía participar mucho, había que ganarse el puchero, estaban los niños, una terminaba aislándose en la inmediatez de la cosa cotidiana. Lo que sí funcionaba en mi barrio era la solidaridad entre los vecinos, se habían llevado a tantos, a los Lizaso y a tantos otros. Así que había como una cosa solidaria entre los pocos que quedábamos, nos avisábamos entre nosotros cuando percibíamos algo raro. Eso era una maravilla, mucha solidaridad, era lo único que yo tenía, la protección del barrio cuando volví. Incluso una maestra del jardín me avisó que andaban por las escuelas preguntando si había chicos que pudieran ser hijos de "subversivos", esa chica me conocía bastante y yo le había contado, pero por suerte no pasó nada con mis hijos.

El tema complicado fue con la anotación de Manuel en el Registro Civil, allí sí expliqué lo que pasaba porque quería anotarlo con el apellido de Horacio, pero me dijeron que no, que era imposible. Y Manu llevó durante muchos años mi apellido, hasta que hice el juicio de filiación y pude ponerle el apellido que le corresponde, el de su padre. Eso era terrible, porque los hermanos llevaban el apellido del papá y él no, recién cuando ingresó en primer grado pudo empezar a usar el apellido del papá, ya tenía seis años. Para mí fue eterno, porque yo tenía como una desesperación por que Manuel recuperara su identidad.

Y en el medio de todo esto estaba una como mujer. Éramos lindas y jóvenes, con niños chiquitos, solitas. Éramos las candidatas ideales, porque no íbamos a pedir nada... Y rondaban los moscardones. Entonces apareció un amigo que hacía años que no veía, un psiquiatra.

Además era todo tan, tan de miseria, mishiadura, ¿no? Hay una anécdota que siempre me acuerdo porque grafica muy bien lo de aquellos días; la de la bolsa de papas. Yo sacrificaba todo, no me compraba nada, pero quería conservar el auto. El auto para mí era algo muy especial, por toda la historia de Horacio con los autos; yo me subía al auto y era como que Horacio me abrazaba, era mi protección. Me sentía segura adentro del auto, andando, con los chicos ahí; eran los únicos momentos de seguridad que sentía. Era eso, como si me pusiera un sobretodo de Horacio. Cargaba a los chicos en el auto y era fantástico.

Y un día íbamos así, los cuatro juntos en el auto, y a un camión se le habían caído bolsas de papas, bolsas como de cincuenta kilos de papas, estaban ahí tiradas en la calle, abandonadas. Cargamos una bolsa y nos fuimos contentos a casa, contentos como si nos hubiéramos encontrado una bolsa de oro, comimos papas como un mes.

Eso era tremendo también, había días en los que si yo no vendía bien casi no teníamos para comer. El hambre. Vivías con lo que podías. Y el orgullo, no aceptar nada de nadie, bancársela porque si uno había elegido eso había que bancar; la familia, si te ayudaba, después te lo echaba en cara.

Bueno, en medio de todo esto apareció el psiquiatra y empezó a festejarme. Me acuerdo que la primera salida fue al cine, a ver una película hermosa pero terrible, de campos de concentración, creo que se llamaba *Pascualino siete bellezas*, o algo así, y yo me puse a llorar y no paré en toda la película, un papelón, el tipo no sabía qué hacer. Pero eso no lo amedrentó, era un gran seductor, venía a casa, seducía a los chicos con regalos, me traía flores. Y empecé a sentirme, qué se yo, como protegida, venía de un par de años largos muy terribles, de pelearla mucho. Entonces parecía todo maravilloso, comencé a sentirme un poco más protegida. No mejor, más protegida. Era eso, y no estaba mal.

Mis viejos estaban encantados, al fin era la oportunidad de sacarse el clavo de encima… Así que después de un año y pico de festejos el psiquiatra se instaló en casa. Pero era... no sé cómo explicarlo, una estaba ahí, abría la puerta, no sé, como regalarse con el enemigo. Te mostraban la patita enharinada y… ¡maravilloso! Lo pienso ahora y me quiero morir, pero me parecía lo más normal del mundo.

Y el psiquiatra se fue instalando, tenía dos matrimonios anteriores, del primero tenía dos hijas y del segundo un hijo de la misma edad que el mío más chico. Con un mínimo atisbo de claridad pude plantearle que yo estaba medio destruida y que él venía de dos fracasos anteriores, que tomáramos la cosa como de mutuo apoyo. Pero él no lo aceptó, era un pope de la psiquiatría y se creía un *winner,* no podía aceptar ese planteo mío. A partir de ahí se empezó a armar una historia del tipo de la famosa teoría del torturador y la víctima, ¿no?;

el síndrome de Estambul. Y la teoría se cumplió, porque ese señor que mostraba la patita enharinada y traía regalos y chocolates y flores, que de alguna manera podía parecer un apoyo, y que además me recomendó analistas para mí y para los chicos en el Clínicas, resultó ser bastante autoritario. Se instaló en casa porque de sus anteriores matrimonios había perdido todo, y los fines de semana venían todos sus hijos, que tenían distintas historias que los míos, no tenían idea de lo que era un desaparecido. Así que empezó una guerra con los chicos y el padre, y los míos. Y yo empecé a tener que contener todas las historias de este señor, aparte de las mías y las de mis hijos. Bueno, para sintetizar, eso duró ocho años. ¡Sí!, ocho años.

Para Mariano, mi hijo mayor, esta historia fue terrible, porque era un tipo bastante jodido, muy autoritario, agresivo. El corderito comenzó a convertirse en lobo, pero yo no sé si una también no provocaba estas historias donde el otro se convertía en lobo. Seguramente hoy no pasaría esto, porque lo mato. Pero en ese momento. Si yo era un guiñapo pateable... Así me sentía en esa época. A veces pensaba en que podía convertir hasta al más bueno en malísimo, o qué sé yo, te ponías al alcance del peor, un mecanismo bien perverso.

Mariano no lo podía ver al psiquiatra, Diego se adaptaba más, y para Manuel era la imagen masculina. Además, como en el medio estaba el juicio del apellido de Manu, este hombre quería que le pusiéramos su apellido, quería adoptarlo. Por un instante dudé, porque era todo muy difícil, pero inmediatamente decidí que no, que el apellido del padre o ninguno. O el mío, que era el que llevaba.

Transcurrieron casi ocho años de cierta tranquilidad económica, eso sí, con menos sobresaltos, en ese aspecto había como una cosa más homogénea. Pero claro, a un precio altísimo, demasiado costoso. Mientras tanto yo me iba rearmando, la terapia fue buena, y empecé a juntar fuerzas, a poder ser otra mina y a sentir que aunque me quedara de nuevo en pelotas, eso era mejor que seguir esa relación. Y se lo hice saber, que yo quería terminar, separarnos.

Y se fue el doctor. Ese día no voy a olvidarlo nunca, festejamos con los chicos, abrimos una botella de sidra y brindamos. Los chicos y yo, como locos, Mariano puso un disco de Los Beatles que se llama "Estaremos juntos" y bailamos y bailamos. Era como que había desaparecido el lobo feroz.

De ahí a laburar, laburar y laburar. Pero no importaba, los chicos todavía eran chicos, el mayor tenía catorce, creo, pero no me importaba nada. Al lado del oprobio que fue esa relación, laburar veinte horas por día era un placer.

De todos modos esto me jode siempre con Mariano, yo vengo de una familia burguesa, de clase media con guita, y dentro de todo el espanto yo quería que los chicos tuvieran algo de lo que yo había tenido. No podía ser todo tan distinto, me sentía como muy turra yo, que los había metido en una historia tan grosa, sin padre, pasando miseria. Creo que también por eso me banqué esa relación, por ahí fue una boludez mía, quizás hubiera sido mejor, sobre todo para Mariano, tener menos estabilidad económica que soportarlo a este tipo. Y sí, creo que fue un matrimonio de interés. Salvo Manuel, el más chico, que estaba un poco confuso al principio, mis otros dos hijos estaban esperando que yo terminara con eso desde hacía rato.

Durante todos esos años yo no podía hablar con los chicos de su papá, cada vez que lo intentaba lloraba. Yo lloraba y lloraba, en los actos de la escuela, cuando se cantaba el himno, la parte que dice: "y los libres del mundo responden...", era imparable. No sé qué me angustiaba tanto en eso. Cuando me llamaban las maestras por la conducta de los chicos intentaba explicarles algunas cosas y también me ahogaban las lágrimas.

Creo que el momento en que realmente me enfrenté con la situación de la desaparición, conmigo misma y con los chicos, fue cuando apareció aquella solicitada en *Página/12:* "Hijos de desaparecidos buscan a hijos de desaparecidos". Me encontré con otras mujeres en mi misma situación y con chicos que pasaban cosas semejantes a los míos, fue un gran alivio para todos. Antes de eso yo sentía que no pertenecía a ninguna parte. Había probado ser "la señora del doctor", ocuparme de la casa, cocinar para la familia, coleccionaba recetas de Mendicrim, de los suplementos culinarios de los diarios, hacía mil boludeces; intenté trabar amistad con otras madres del colegio de los chicos. Nada. En ninguna parte me sentía del lugar.

Yo lo pienso ahora y fue todo muy duro. Los chicos no tenían una figura masculina con quien identificarse, mi cuñado Alberto en el 78 se fue a vivir a España y murió cuando mi hijo mayor tenía diecisiete años. Mi hermano murió más o menos para la misma época; el abuelo un poco antes. Todo esto fue gravísimo, la familia no tenía varones, y las fuertes, las que siempre quedamos, somos las mujeres. Sin embargo lo nuestro es el silencio, me acuerdo de un día que estábamos en Plaza de Mayo, yo había ido con una amiga, y allí estaban las Madres, y de pronto irrumpieron los Hijos en una de sus primeras apariciones públicas, y mi amiga me dijo: "¿Y ustedes qué pasó, las saltearon, la polenta de las Madres, ahora la polenta de los Hijos, y ustedes no existieron?". Bueno, ya se sabe que teníamos que sobrevivir, que no teníamos tiempo.

Sin embargo pienso que en esto hay toda una historia con las culpas de volver a vivir, que te gustara un tipo, qué sé yo. Todo eso era muy, muy jodido, porque yo no sé si aún hoy no le sigo pidiendo permiso a Horacio cada vez que me gusta alguien. Creo que en parte el silencio viene de ahí, vos tenías que ser la madre heroica, la mina que se las arreglaba sola, no te daban ayuda ni en la familia, una se iba arrinconando. La propia familia te juzgaba si armabas o intentabas armar otra pareja; para los primos de Horacio yo era una especie de atorranta. Jamás dieron apoyo, nunca ayudaron en nada, pero para juzgarte eran los primeros defensores de Horacio. Entonces, ¿qué íbamos a hacer? Siempre que pienso en esto me acuerdo de la viuda de *Zorba, el griego,* ¿no? Habría que indagar más sobre este tema, a mí me parece que lo que pasó es algo así como si las Madres no hubieran tenido sexo y entonces se dedicaron totalmente a sus hijos, y nosotras teníamos sexo y eso nos descalificó, y apareció eso de la idolatría hacia las Madres.

Pero si lo pensás, lo de nosotras era espantoso, éramos madres pero a la vez cometíamos el espanto de engañar a aquellos hijos que no estaban. Y no éramos bien vistas. Claro, eso no impedía, o más bien favorecía, que te desprotegieran, que te quisieran sacar lo que te correspondía por ser la mujer del desaparecido. Guita, cosas, lo que sea, a muchas chicas las dejaron en la calle, solas con sus hijitos porque hacía poco tiempo que estaban con el compañero que desapareció. Esto es así, nada te pertenecía.

Por eso es que yo destaco tanto aquel momento cuando nos juntamos con otras mujeres de desaparecidos para que los chicos no tuvieran que hacer el servicio militar. Encontrarnos, hablar, descubrir que no era una sola la que estaba totalmente loca y le pasaban todas esas cosas, éramos muchísimas. Descubrir que no éramos bichos, que realmente lo que había pasado era grave, que estuvimos muy solas y que cada una hizo lo mejor que pudo. Para mí esa etapa fue algo muy fuerte y muy lindo, nos apoyamos mucho unas a otras. En mi caso fue un renacimiento.

En todo este tema creo que hay algo muy injusto, porque en última instancia si hoy Hijos está presente y defendiendo la memoria, es porque nosotras los criamos, quizá no todo lo bien que hubiéramos querido, pero sí poniendo nuestro mayor esfuerzo en eso.

Lo cierto es que nunca pude volver a armar pareja hasta ahora. Con Horacio yo tenía una conexión tan impresionante. Nunca más se me dio algo así, esa sensibilidad común, nunca más pude volver a tenerla con nadie. No idealizo, ojo, Horacio tuvo mil cagadas y lo he reputeado en momentos de bronca o muy difíciles. Porque una también se ha sentido abandonada. Pero yo sé que esa conexión que tuve con él nunca se va a repetir con nadie. Creo. A pesar de todo lo que pasó, Horacio fue y sigue siendo una cosa tan rica que no se va a acabar nunca. Entonces no puedo ni reprocharme ni arrepentirme de nada por haber sido su mujer. No podría haber sido de otra manera, fue fantástico y no puedo imaginarme no haber vivido eso. La verdad es que no.

No sé, a veces pienso que somos algo así como locas de la guerra, porque estas cosas sólo parecen entenderlas quienes han pasado por la misma experiencia, aunque no nos conozcamos, nos encontramos entre nosotras y rápidamente nos enganchamos, quizá sea esa cosa tan límite por la que pasamos y esa ética que hay ante todo y que hace que te reconozcas en las que vivieron lo mismo que vos. Con los chicos pasa lo mismo, Mariano, el mayor, está en Hijos y para él fue muy importante ese fenómeno de identificación con otros chicos que pasaron lo mismo. Creo que en esto es fundamental romper el aislamiento.

Pero hay mujeres que no han podido superar lo que les sucedió; yo siempre recuerdo a la mamá de Emiliano, un chiquito amigo de Mariano, el papá del chico era poeta, Bustos se llamaba, fue una historia tan trágica como cualquiera de las nuestras, pero la mamá nunca pudo recuperarse. Llegó a un punto en que vivía con sus hijos encerrada, sin luz, sin agua, lo único que podía hacer era abrazarse a sus hijos y estar ahí, a oscuras, sin luz, encerrados. Terrible, finalmente murió hace tres años. Nunca pudo salir de esa depresión horrorosa en la que quedó sumida después de la desaparición de su compañero. La internaron y murió.

Lo que quiero decir es que en muchas de nosotras hubo locura, pero, con polenta, logramos salir, sobrevivir. Pero hubo mujeres que no lo pudieron resistir.

Buenos Aires, 5 de febrero de 1998.

DESAPARECIDO
HORACIO RODOLFO SPERATTI
6 DE JUNIO DE 1976

COMENTARIOS EUROPEOS ANTE EL MUNDIAL DE FÚTBOL DE 1978 EN ARGENTINA

El Sindicato Nacional de Periodistas acaba de publicar un pequeño diccionario inglés-castellano de frases hechas supuestamente para ayudar a los colegas y a los aficionados que acompañan al equipo de Escocia a la Argentina a hacerse entender por los nativos (...) Incluye frases como "por favor, no me torturen más y envíen mi cuerpo a mi familia". Semejante exceso de ingenio es contagioso en vísperas del Mundial. En la revista *Time Out* (...) aparecía la caricatura de un militar con las infaltables gafas negras, bajo un cartel que da la bienvenida a la Argentina, País de la Libertad, indicando a un par de escoceses el camino al estadio: "Primera a la izquierda después del campo de concentración; derecha después del centro de interrogación; enfrente al cementerio de presos políticos". Peor mal gusto demostraba el diario *Le Monde* (...) al publicar un pequeño comentario (en el cual) se imaginaba a los equipos internacionales disputándose el campeonato con un cráneo por pelota de fútbol.

Máximo Gainza (h), en *La Prensa,* 1° de junio de 1978.

Mirta Clara

A NÉSTOR LO CONOCÍ el 14 de septiembre de 1969 en La Plata, en una fiesta que habíamos organizado con una barra de amigos, compañeros y militantes para recaudar fondos para que el Negrito pudiera viajar a Misiones, donde había fallecido su padre. Éramos todos estudiantes en La Plata, vivíamos modestamente y no se nos ocurrió nada mejor que juntar el dinero de esa manera. Hicimos la peña a la usanza de aquellos años, con empanadas y vino, baile y música de Los Beatles, o "La Balsa", de Los Gatos, que en ese momento empezaba a ponerse de moda.

A mí me había tocado la venta de vino y estaba en mi puesto, la ventana de una pieza de la Casa de la Provincia de Misiones, que daba al hall central que utilizábamos como pista. A las doce de la noche vi entrar a Néstor Carlos Sala y a Víctor Hugo Kein, a quien ya conocía. Ellos constituían la agrupación del peronismo en la Facultad de Arquitectura platense, sólo ellos dos... En aquellos días Arquitectura era hegemónicamente izquierdista. Resultaba muy cómico porque uno era el jefe y el otro la base, y como se aburrían rotaban esos puestos de tiempo en tiempo. Pero lo concreto es que daban mucho que hablar, peleaban en todas las asambleas, eran muy bravos, contestatarios y líderes, y a pesar de estar en minoría se los respetaba y estimaba mucho. Tenían por esa razón cierta cosa medio legendaria. Ni bien entraron, Néstor se acercó para comprar un vaso de vino y me dijo que quería bailar conmigo. Yo estaba impactadísima, por su fama y por su pinta, medía casi un metro noventa, delgado, seguro para levantar una mina. Salí a bailar como si hubiera sido elegida por el amor de mi vida. Al rato empezó a besarme en la oreja y a apretar, y yo le dije que tenía que volver a la venta de vino porque estábamos juntando fondos para el compañero. Él se sonrió muy irónicamente y me dijo: "Te cagaste... Quiero bailar la última pieza con vos". Como a las cinco de la mañana, cuando el salón estaba casi vacío, Néstor seguía parado, con sus piernas abiertas y los brazos cruzados, muy enfurruñado mirándome fijo. Y yo ya sabía que él había ganado la partida, me le acerqué y bailamos de nuevo. Nos pasamos la noche caminando, tomando café, viendo el amanecer y charlando, contándonos nuestras historias. Él tenía veinticinco años y yo veintiuno.

Néstor nació en una familia peronista, trabajadora, su mamá había muerto y entre todos los hermanos se ocupaban de ayudar a su padre. Eran de Berazategui. El 17 de octubre de 1945, Néstor había estado en brazos de su madre, junto a la tía Ema, en las movilizaciones peronistas; lo contaba lleno de orgullo. Su mamá fue muy combativa y, luego del 55, más radicalizada a partir de la persecución del peronismo. Néstor me contaba lo que fue para las familias de los trabajadores el gobierno peronista, había trabajo, podían construir sus casas, educar a sus hijos, tener acceso a la salud. El porvenir dejaba atrás la Década Infame durante la cual fueron privados de casi todo, excepto de esperar.

Su padre, italiano de origen y trabajador de Ducilo, nunca llegó a identificarse con el movimiento pujante que modificaba sus vidas. Pero en 1955 la familia escondió los libros peronistas en sus jardines y se radicalizó aún más. Un cáncer mató a su mamá, y los tres hermanos cerraron filas alrededor del padre que era –y es– la muralla que sostuvo ese hogar con hondura de bien familiar, donde todos se ayudaban entre sí.

Néstor me contaba una historia que yo no conocía porque provenía de un sector medio, profesional, de origen socialista, embanderados como antiperonistas desde su ingreso a la facultad. Mi tío Alejandro, hermano de papá, nos contaba que enfrentaban a la policía con carteles que decían: "Evita esputa", para poder insultarla y no ser detenidos. Mi padre era médico y hemoterapista, y junto a mi tío confabulaban para oponerse al "dictador".

Escuchaba muy atentamente a Néstor porque yo quería saber y saber. Se nos hizo el amanecer charlando de estas cosas y él me dejó en la casa donde yo vivía con otras compañeras, con la promesa de que vendría a verme dos días después. Quedé fuertemente impactada por él, por su historia, por su grandeza en todo sentido. Lo esperé ansiosamente, a pesar de que mis compañeras, Graciela y Cristina Mura, querían desalentarme y me decían que esa relación iba a hacerme sufrir porque él tenía fama de picaflor. Un tiempo después lo adoraban. Me puse todo lo linda que las pilchas de mis convivientes me permitieron y esperé la hora señalada. Néstor llegó puntual, con un pañuelo cortito al cuello, canyengue, como los personajes del lunfardo. Salimos a cenar y seguimos charlando; y así empezó nuestra pareja que se mantuvo hasta que a él lo mataron en diciembre de 1976, en el Chaco, en la masacre de Margarita Belén.

Yo me había incorporado a la vida política en 1966, con mi ingreso a la Universidad de La Plata, en medio de la intervención de la dictadura de Onganía. La zona nuestra, que era La Plata, Berisso, Ensenada, vivió muy intensamente toda la política de la dictadura, la economía de Krieger Vassena, el cierre de frigoríficos y fábricas, los despidos masivos, las huelgas de hambre y la radicalización de la resistencia peronista que provocó que el estudiantado, que siempre había sido antagónico, comenzara a movilizarse, a acercarse a los trabajadores, y a retejer algo que nunca tendría que haberse roto y que era la unión de amplios sectores afectados por la misma política y por reivindicaciones afines. Fue la época del nacimiento de la CGT de los Argentinos como una expresión parcial de la representatividad de los trabajadores y sectores medios, intelectuales y otros. Entre tanto estaba la izquierda, que miraba con cierta desconfianza todo este proceso de articulación que provenía de las filas de un sector con envergadura en el peronismo. Y sumaba adeptos.

Éste es el contexto histórico social donde nació nuestro noviazgo, con mucha pasión, con mucha alegría, con mucha diversión y mucho intercambio de ideas políticas. Néstor no me presionaba porque sabía que yo no era peronista, y que estaba haciendo un gran esfuerzo por lograr entender todo ese fenómeno. Los dos participábamos en las movilizaciones, las huelgas, las reivindicaciones. Antes de conocernos ambos habíamos estado detenidos el 4 de julio de 1968, cuando se tomó el rectorado de la Universidad de La Plata en repudio al rector, que era un personero de la dictadura, y se exigió su renuncia. Fuimos detenidos más de cuatrocientos estudiantes en esa oportunidad, Néstor y yo entre ellos. Pero él había estado en contra de la toma y yo había militado fervorosamente a favor, después eso se convirtió en un tema de disputa y juego habitual entre nosotros.

En 1970 me recibí de psicóloga, y alrededor de 1971 me integré al peronismo en la Universidad. Al mismo tiempo me contactó un compañero que me hablaba muy seriamente de ingresar a la lucha armada. Siempre le temí a la violencia, pero me parecía que, ante la persistencia de la proscripción del peronismo a pesar de las largas luchas de los trabajadores y de la resistencia, si esto no era suficiente, se podía llegar a pensar en esa alternativa, tal como estaba sucediendo en otros países latinoamericanos.

Decidí el ingreso en el mayor de los secretos. Ni siquiera lo comenté con el Flaco. Pero era insostenible, o tenía un amante, o me había vuelto muy extraña... El compañero que me contactó venía del peronismo e integraba las FAR (Fuerzas Armadas Revolucionarias), una organización pequeña y especial que se había formado con la intención de participar en lo que se suponía iba a ser el gran desarrollo revolucionario a partir de la presencia del Che Guevara en Bolivia. Yo sentí en ese momento que la propuesta era superadora y fui quien ingresó a las FAR y quien peleó después para la incorporación de Néstor, el Flaco, como lo llamábamos. Él era mucho más peronista que yo y al principio se dudó, pero finalmente se lo incorporó, y Néstor estaba muy feliz con eso. Leíamos no sólo lo que provenía del peronismo, sino a Marx, Lenin, Trotsky, Mao.

Paralelamente se iba desarrollando Montoneros, que había secuestrado, enjuiciado y ejecutado a Aramburu. Para Néstor y para mí, visto desde afuera, lo de Aramburu fue muy impactante, y creo que fue así para miles de personas. Por toda la historia nefasta de Aramburu, por su ataque primero solapado y luego directo a todos aquellos sectores partícipes del peronismo. El responsable del fusilamiento de Valle y de tantos otros militares de La Plata que eran democráticos y que lo único que querían era seguir desarrollando los planes del gobierno peronista. Este enjuiciamiento de Aramburu para nosotros representaba el sentir de millones de trabajadores, porque era quien había mutilado todos los derechos laborales y gremiales. Aramburu representaba la muerte. Me detengo en esto porque recuerdo muy vivamente aquel momento, lo que la gente decía y sentía, lo que representó este hecho para miles y miles de argentinos.

Siempre pensé que no hay crimen perfecto, que las cosas se pagan y que el costo de lo que hizo Aramburu fue muy alto. No por la violencia en sí misma, insisto, sino porque acá había todo un contenido político en el sufrimiento de miles de seres humanos que habían sido perseguidos, denostados, encarcelados, torturados, desaparecidos, como Felipe Vallese y tantos más. Ellos habían sido los luchadores de nuestra etapa histórica, y aun sin haberlos conocido mano a mano, para nosotros eran nuestros compañeros.

Sucedieron el Cordobazo y el Rosariazo en mayo del 69; la masacre de Trelew en agosto del 72, y el fuerte repudio que esto generó en todo el país, especialmente en los sectores estudiantiles. Para Lanusse esto empezó a significar la proximidad del fin de la dictadura. Y finalmente se produjo el retorno de Perón, con todo lo bueno y lo malo, con la gran alegría popular y con el desastre de Ezeiza.

Montoneros creció arrolladoramente en toda esa época hasta el 25 de mayo de 1973. En octubre de 1973 se produjo la fusión de las FAR con Montoneros, junto a Descamisados, que ya se había fusionado antes, y sectores de las FAP (Fuerzas Armadas Peronistas). Hubo discusión interna tupida, no queríamos saber nada, pero los argumentos de los que nos oponíamos no prevalecieron. En última instancia había compañeras y compañeros con muchas afinidades que compartíamos en distintos lugares.

Desde el conjunto no nos dimos cuenta de todo el valor del espacio y de las fuerzas sociales, económicas y políticas que habíamos conseguido conquistar junto a tantos ciudadanos. En vez de dedicarnos a ampliar y ensanchar la representatividad entre los sectores populares, y de discutir a fondo la finitud de la concepción de guerra revolucionaria en procesos de construcción democrática, hicimos lo contrario. Nos dedicamos a antagonizar ideológicamente con Perón, que significaba tensar aún más uno de los centros de decisiones y representatividades democráticas. Frente a lo que estaba incumpliendo, no podíamos actuar en espejo.

El Flaco y yo vivimos muy emocionadamente 1973, creo que este grado de participación tan voraz también nos llevó a replantearnos como pareja la necesidad de tener hijos. Desde 1972 vivíamos juntos. En el 73 quedé embarazada, como miles de nosotras en aquella época en que estaba el tema de la participación femenina a la par de la masculina en todos los ámbitos, el trabajo, el estudio, la militancia, los amigos. El Flaco trabajaba en el Ministerio de Obras Públicas, yo en la Universidad, y a la vez militábamos en los barrios de la zona. Y nos decidimos, nos casamos el primer día de marzo del 74, yo con un embarazo de tres meses. Una compañera me prestó un vestido blanco de verano, con barquitos azules. El día del civil no podía despertarlo al Flaco, le decía: "Despertáte que te tenés que casar conmigo", y él refunfuñaba, hasta que se despertó y nos fuimos al Registro Civil muy enamorados y con la barra de compañeros. De la familia sólo estuvieron dos hermanos, uno del Flaco y uno mío. El testigo fue Horacio Machi, mi querido "Oicaro", con su esposa, Nora Patrich. Vinieron amigos entrañables, Susú Machi y José Augusto Albizu, y Delia García, mi amiga de la infancia. Cuando nos estaban casando y la jueza dijo que eso sería para toda la vida, el Flaco me chicaneó: "¿Escuchaste que es para toda la vida?".

A la tarde de ese día había una marcha muy importante contra el jefe de la Policía Federal designado por la Triple A, el comisario Villar, así que nos cambiamos la ropa y nos fuimos a la marcha. En la semana siguiente nos tomamos unos días de luna de miel en San Bernardo, con unos amigos, comimos almejas con arroz y mucho vino.

La medianoche del 11 de agosto de 1974 nació Mariana. Junto con nuestra relación era lo más lindo que nos podía pasar. El Flaco perdió todas las apuestas que había hecho a favor de que fuera un varón. Cuando la vio nacer la seguía con su cuerpo de padre por todos lados y me decía que era la nena más linda que existía. Me compró violetas –las flores que me regalaba en momentos especialísimos– y Coca-Cola. Mariana y su pediatra, Mario Gershanik, nos cambiaron la vida.

Nuestra persecución empezó en La Plata, por parte de la CNU (Concentración Nacional Universitaria) comandada por Patricio Fernández Rivero, que en el 70 había conocido al Flaco. Sé que a veces se reunían en los cafés a discutir de política, lo respetaba a Néstor por su valentía. En el 73 y 74 la CNU de La Plata comenzó a diseñar listas de peronistas y marxistas de las facultades que iban a fusilar para sembrar el terror en la ciudad. Fernández Rivero decía que no lo podía hacer porque Perón no lo avalaba. Yo sentía que el piso se me movía cuando me llegaban esas amenazas. El 1º de julio de 1974 murió el General (Perón), el sentimiento de pérdida del *factotum* nos llenó de una gran amenaza vital. El 30 de julio la Triple A fusiló a Rodolfo Ortega Peña, en Capital. La CNU, con gente de La Plata, Mar del Plata y Bahía Blanca, desató la cacería. En una sola noche secuestran y matan a Leonidas Chávez, un héroe sobreviviente del 9 de junio de 1956, y a su hijo. Luego siguieron el viejo Pierini, Luis Macor, Rodolfo Achem, Carlos Miguel y tantos otros compañeros.

A partir de allí la Triple A de La Plata desató una persecución contra nosotros. Primero en diciembre de 1974 lo fueron a buscar al Flaco a su trabajo, ese día él llegó tarde porque se había quedado dormido, los compañeros le avisaron que nos rajáramos. Levantamos nuestra casa y a mí se me ocurrió la idea de irnos a Mar del Plata, a la casa de mi padre; yo nací allí. En abril de 1975 Mariana, nuestra hija mayor que ya tenía casi un año, estaba conmigo en lo de mi papá, tomando su mamadera, y violentamente entraron unos muchachos muy jóvenes que se identificaron con carnets del Ministerio de Defensa fraguados y me preguntaron por Ricardo Sala y Víctor Hugo Kein. Les contesté que ahí no había ningún Ricardo Sala, aprovechando el error de ellos con el nombre de Néstor. También me preguntaron si yo nunca había estado en La Plata, y les contesté que no y me creyeron, porque se fueron. A los segundos llegó Néstor, y a partir de ahí empezó un tiempo de miedos, no sólo para nosotros sino para la familia. Poco después fueron a la casa del papá de Néstor, en Berazategui, y cuando se estaban llevando al hermano del Flaco que es muy parecido, él les dijo que nosotros no estábamos allí. Y el jefe del operativo gritó: "Entonces es esa hija de puta que nos mintió". Volvieron a Mar del Plata y encontraron a un hermano mío, lo golpearon mucho con las culatas de sus Fal y le exigían que dijera en qué lugar estábamos Néstor y yo, y una chica que ayudaba a mi papá en el consultorio les mostró una libreta vieja. Se fueron.

A esa altura tomamos la decisión de irnos de Mar del Plata, y además estábamos bastante mal, con los cambios de lugar habíamos perdido la inserción política, todo el contexto de desarrollo era que se venía la guerra y nosotros nos sentíamos como islotes en medio del océano. A través de la organización nos dieron dos posibilidades: una, irnos a Tucumán, y otra, al Chaco. En el Chaco teníamos a Andrés, aquel viejo compañero de La Plata que me había contactado con las FAR a quien yo quería muchísimo, era un tipo sumamente amplio, simpático, libre de pensamiento, y todo eso hacía la vida más fácil. Decidimos entonces irnos al Chaco, Néstor, Mariana y yo. Nos instalamos en Resistencia, donde se produjo un fenómeno realmente contrastante, porque si bien estábamos desinsertados, yo no conocía nada y todo parecía sumamente extraño, también existió la posibilidad de tener una casa que el Flaco se dedicó a arreglar, cambió los pisos, pintó todo. Era una casa en una villa, cerca del club Chaco For Ever, muy modesta pero muy linda, con un terreno atrás lleno de árboles, un jacarandá, mangos y bananos. Néstor se insertó mucho más rápido que yo. Comenzó a militar en el Partido Peronista Auténtico, se dedicó a revisar el tema de nuestra inserción en el peronismo y por dónde tenía que pasar, pensando en una nueva vuelta de la historia, en una nueva oportunidad. En esa etapa el Flaco fue muy feliz, muy feliz. Eso a mí me alivia a lo largo de los años, en el sentido de que él pudo estar con la gente del peronismo de Resistencia, de Corrientes, de Misiones. Pudo volver a armar grupos, a afiliar gente. Pero poco después por la radio nos enteramos de que nuestro pediatra había sido cercado y masacrado en su casa de La Plata; el flaco Kein, fusilado en Mar del Plata; Julio Troxler, Adriana Zaldúa, Nora Lía Marquardt, todos muertos; Horacio Pietragalla y Eduardo Jensen, secuestrados en Córdoba por la Triple A, sus familias comenzaban a preguntar a través de los diarios: "¿Dónde están nuestros hijos?".

Se había realizado una elección en Misiones donde por primera vez se ponía a prueba una confrontación con el justicialismo en elecciones limpias. Hubo mucho trabajo de base, asambleas populares, pensamos que se podía ganar. Pero no fue así, se impuso ampliamente la fórmula justicialista con Isabel Perón a la cabeza. La gente no avalaba la representación histórica que nosotros creíamos tener.

En esa época la evaluación política de la conducción nacional de Montoneros indicaba que teníamos que producir un hecho que fuera suficientemente gravitatorio para las Fuerzas Armadas y para el gobierno de Isabel, y que nos colocara en una situación de ofensiva estratégica. Para eso decidieron la toma del Regimiento 29 de Monte, de Formosa. Fue una operación muy compleja en la que participó gente del norte, de Santa Fe y de Capital Federal.

Yo sabía que algo iba a pasar pero no sabía qué era. Esa tarde estaba en la casa, sola con Mariana, y a las cinco de la tarde prendí la radio; cuando escuché la noticia del copamiento del Regimiento 29, inmediatamente pensé que había sido el PRT-ERP. No imaginé otra cosa. Fue un día trágico, de catástrofe, en el que fallecieron muchísimos compañeros peleando con soldados formoseños que defendieron a muerte esa unidad de frontera. Las evaluaciones por parte de la conducción nacional de Montoneros fueron altamente negadoras, responsabilizaron a un compañero conscripto. La concepción de guerra revolucionaria estaba definitivamente agotada.

Lo supe después, porque en los días posteriores en las cuatro provincias del Norte hicieron detenciones masivas de gente. Fui detenida en casa cuando estaba a punto de salir a buscar a Mariana a la guardería. El Flaco no estaba, pero llegó instantes después. Cinco tipos de civil vinieron a detenernos. Así como yo cuento que estábamos viviendo lo más plácidamente posible, no tuvimos conciencia de que éramos el objeto de visualización de varios policías vecinos; les llamaba muchísimo la atención que una pareja joven con una criatura hubiera ido a buscar trabajo al Chaco. Yo estaba por ingresar al Hospital Perrando de la zona, el Flaco quería terminar de estudiar Arquitectura. Era un imposible. Había tenido una intuición, le había dicho antes de viajar: "Flaco, nos vamos al Chaco y nos van a detener...".

Nos detuvo la Brigada de Investigaciones del Chaco, el 9 de octubre de 1975, durante el gobierno de Deolindo Bittel. Él fue el único dirigente del peronismo que al llegar el triunfo de 1973 no modificó el aparato policial siniestro, aliado a la dictadura militar anterior. Permanecimos detenidos-desaparecidos hasta noviembre de ese año, siendo permanentemente interrogados por distintos sujetos, entre ellos los militares de Corrientes.

Estaba embarazada de un mes y medio. El Flaco se los recordaba continuamente para que no me torturaran. Para ellos no era un obstáculo. Nos atormentaron diciendo que la tenían a Mariana, era uno de sus mayores interrogantes, dónde estaba la nena. Hicieron simulacros de fusilamiento, pretendían que yo optara entre que me siguieran torturando o me violaran. Estaba en un camastro, desnuda, y por debajo de la venda alcanzaba a ver a uno que se desplazaba por el lugar cebándole mate a los torturadores. El Flaco me comentó más tarde que cuando se dio cuenta de que se bancaba la tortura, no le importó más. Lo único que quería era beber agua y comer, llevaba muchos días sin que le permitieran probar bocado y ni dormir.

Los tipos quedaron fascinados con la forma en que Néstor resistió la tortura prolongada y sofisticada. Después supe que el ex general Cristino Nicolaides entrevistó a una ex detenida política, Nora Giménez, y le dijo: "Nosotros tenemos dos cuadros políticos que no han cantado en la tortura. Una es usted y el otro Néstor Sala".

Mi interpretación es que el Flaco se comportó como tantos, como correspondía, como era nuestro grado de coherencia, y ellos lo hicieron "jefe". Armaron una conferencia de prensa a nivel nacional para anunciar que había sido detenido el responsable del copamiento del Regimiento 29 de Monte de Formosa, adjudicándome a mí el secuestro de un avión. No pudieron sostener esa versión por mucho tiempo, pero después ya fue tarde. En noviembre nos trasladaron a la cárcel.

La última vez que vi a Néstor fue en el locutorio de visita de la alcaidía de Resistencia, el 31 de diciembre de 1975, a las seis de la tarde. Nuestra insistencia hizo ceder al jefe del penal. El Flaco apareció empilchado por los compañeros, con los zapatos lustrados, querían que pareciera presentable, éramos la parejita embarazada del penal. Cristina García me había dado un vestidito floreado que yo lucía orgullosa con mi panza de tres meses, el Flaco no se cansó de acariciarme. Nos besábamos, y él abrazaba a su hijo en esa dimensión de piel inconmensurable.

Entre tanto, el "Pato" Tierno decidió llevar a Mariana desde Resistencia a La Plata –la nena había estado amorosamente cuidada por la familia de una compañera, Elsa "Tata" Quirós– y tras riesgosas maniobras pudo llevársela a mis padres.

En mayo de 1976 nos trasladaron a Formosa, por separado, no supe que el Flaco fue trasladado a la par mía. Ya estaba muy embarazada cuando esa mañana del 7 de mayo del 76 me vinieron a preguntar los militares cuánto tiempo de embarazo tenía, les dije que ocho meses y medio. Yo tenía un gran temor por la cercanía del parto, no sabía adónde, cómo iba a ser. Me dijeron que me iban a trasladar al Hospital Perrando, y yo quería creerles que era así, pero de pronto vinieron a buscarme tres sujetos, me sacaron del penal y en auto de civil me llevaron a los carromatos de la policía que, por orden del Ejército, me trasladaron a Formosa.

Ese mismo día nació Juan. Siempre dije que el parto lo induje por el terror que sentí cuando dos presos comunes que iban conmigo en el carromato me dijeron que nos llevaban al Regimiento 29 de Monte de Formosa. Pensé que ahí me iban a volver a torturar, que me iban a matar. El camino fue fatal, iba sentada en un banco de madera y me empezaron las contracciones. Los dos presos fueron muy solidarios conmigo, trataban de tranquilizarme. Primero nos llevaron a una alcaidía muy chiquita en Formosa y empezaron a preguntar a la Policía Federal, a la provincial, a la Brigada de Formosa, querían saber en qué lugar tenían que depositarme, todos les respondieron que no sabían, hasta que, efectivamente, en el Regimiento 29 les dicen que sí, que ellos dieron la orden de mi traslado. A esa altura estaba tan cansada y tan agotada que sólo tomé agua y me dormí, hacía un calor espantoso, 38 grados, me desperté porque había perdido el tapón y eso me asustó mucho, empecé a gritar. Vinieron las celadoras y la directora de la alcaidía, a quien identifiqué por el relato de otras ex detenidas que perdieron a sus bebés, y después de toda clase de interrogatorios, incluido el de una monja que me preguntó si era comunista o de las Ligas Agrarias, me dejaron ahí. A las ocho y media de la noche se desató el parto, la partera llegó chancleteando, y yo pujaba y pujaba hasta que nació Juan, totalmente blanco, con un doble cordón en el cuello, sin llorar, sin gritar, hasta que le pegaron un sopapo y ahí reaccionó. Sentí una inmensa felicidad de ver –dentro de lo que yo podía conocer– que estaba totalmente sano, precioso, lindo. Bueno, lo que es tener un hijo.

Al regresar al Chaco, un mes y medio después, me enteré en la cárcel de Resistencia que Néstor estaba también en Formosa cuando nació Juan. Es más, nos llevaron separados al juzgado de Formosa y el secretario del juez le dijo al Flaco que había sido papá. Después, en junio de 1976, cuando estaban por trasladarlo nuevamente a Resistencia, Néstor logró vernos de lejos a través de las mirillas de los carromatos policiales. Me vio salir a mí con Juan en brazos y eso lo alegró muchísimo, lo contentó tanto que cuando llegó a la Unidad 7 de Resistencia le contó a todos sus compañeros que me había visto con Juan, que ése era su hijo, y les decía que ya habíamos pensado el nombre y que seguro yo le había puesto Juan Andrés. Esa fue la única vez que el Flaco vio a su hijo, que imaginó que estaba bien. Las condiciones se endurecieron cada vez más para Néstor, lo amenazaban reiteradamente con matarlo. Sabía que tenía sus días contados. Comenzó a decir entre los compañeros que moriría como Evita y como el Che, a los 33 años.

En noviembre de 1976 un grupo de militares vinieron a buscarnos a Resistencia a otras detenidas políticas y a mí, nos dijeron que nos iban a trasladar pero no adónde, éramos como cincuenta mujeres presas en esa alcaidía. Cuando me llevaban encapuchada y esposada, yo solamente veía a Juan por debajo de la capucha; unos hombres que después me enteré que eran del Servicio Penitenciario Federal me preguntaron qué edad tenía Juan, les dije que seis meses y medio, y me lo arrancaron de los brazos. Fue uno de los peores momentos de mi vida. Yo empecé a gritar que Juan era Juan Andrés Sala, porque ni siquiera tenía papeles, no estaba identificado en un Registro Civil, no existía registro de él en ninguna parte, les grité que mi familia estaba en Buenos Aires, que se lo entregaran a ellos. En la cárcel de Formosa las detenidas comunes, especialmente las contrabandistas que eran muy solidarias y generosas, me habían hecho llegar un lápiz y un papel donde anoté la dirección de mi familia, y ellas les mandaron una carta avisándoles que había nacido Juan Andrés.

Me sacaron a Juan y nos trasladaron a todas a la cárcel de Devoto, en Buenos Aires. Allí, con muchas detenidas y con los familiares, empezamos a hacer el reclamo de Juan Andrés; buscaron a mi familia, le avisaron que yo estaba ahí y finalmente lograron recuperar a mi hijo. Juan fue buscado y encontrado por mi mamá y después lo llevaron a casa de mi suegro.

El domigo 12 de diciembre de 1976, a la hora de la siesta, un miembro del Servicio Penitenciario Federal, Casco, que era quien continuamente lo amenazaba con fusilarlo, fue a buscar a Néstor a

Resistencia, le dijo que preparara sus cosas para un traslado. Nunca había traslados los días domingo. El Flaco le contestó que lo único que pedía era que lo dejara hablar. Volvió al pabellón y les comunicó a los compañeros que lo iban a sacar; ellos se negaron a que saliera porque sabían que iban a fusilarlo. El Flaco discutió con ellos, les dijo que si él no salía los iban a masacrar a todos, que los militares se iban a meter en la cárcel e iban a provocar un genocidio. Mientras ellos discutían, los penitenciarios iban llamando a más detenidos que estaban en otros pabellones, Patricio "Pato" Tierno, Carlos Duarte, José Luis Barco, Omar Franzen, Mario Cuevas, Manuel Parodi y Julio Pereira.

Cuando se fueron despidiendo no solamente se dieron un abrazo y un beso con todos los compañeros, sino que Néstor se paró en un banquito y les habló a todos. Era una estructura con un hall central y con balcones enrejados desde donde se podía ver de piso a piso. El Flaco les dijo que sabía que muchos de ellos iban a morir, pero que muchos otros iban a vivir, y les pidió que les transmitieran a los hijos de los que iban a morir por qué habían luchado y por qué murieron. Les recordó por qué luchábamos y por qué queríamos la liberación nacional y social, gritó: "Patria o muerte"; y comenzó a retirarse del mundo, silbando entre todos la marcha peronista.

De allí los llevaron a la alcaidía de Resistencia donde los reunieron con otro grupo de detenidos –muchos de los cuales estaban desaparecidos–; los traían de los regimientos de las provincias que componen el Segundo Cuerpo de Ejército. Esa noche fue una noche de terror en la alcaidía, porque los bailaron, les pegaron, los ensangrentaron. A Néstor lo metieron en un calabozo, y lo que contó Mario Mendoza, otro detenido que estaba cerca, es que cuando lo sacaron a la madrugada estaba ensangrentado, casi desvanecido, ya no hablaba, ya no se podía comunicar. Los metieron en una larga patrulla de camiones militares y los llevaron a Margarita Belén, a 40 kilómetros de Resistencia, el convoy estuvo comandado por el ex mayor Athos Reneé. En primer lugar lo metieron al Flaco en un auto, atado, esposado, y a menos de cien metros el ex teniente primero Luis Pateta le apuntó a la cabeza y lo ejecutó con un disparo de Itaka que le destrozó el cráneo, para que no quedaran dudas de que él moriría sí o sí. El 22 de noviembre Néstor había cumplido 33 años. Luego los otros milicos dispararon sesenta balazos de Fal al resto de los compañeros maniatados en distintos autos. Fue un rito iniciático, un pacto de sangre, donde todos estaban obligados a disparar para evitar futuros arrepentimientos.

Años después, a fines del 82 o principios del 83, un militar de poca monta, Eduardo Piu Ruiz Villasuz, se quebró y quiso contar la verdad, sacó comunicados clandestinos a las fuerzas políticas de Resistencia en los que decía que la masacre de Margarita Belén fue un rito iniciático en el que participaron militares y funcionarios del régimen que tenían que hacer su experiencia de honor, que era un compromiso de por vida, y que tenían que disparar para que todo el mundo quedara bajo el conjuro del silencio. Contó, además, que participaron miembros del Poder Judicial, el juez del que dependíamos, Ángel Córdoba, y los doctores Flores Leyes y Massoni, secretario y fiscal del juzgado, respectivamente; y que después de la masacre hicieron un asado para festejar el triunfo sobre la subversión.

Lo cierto es que para ocultar la masacre montaron todo un aparato en la zona y dijeron que durante un traslado se había producido una fuga de detenidos, que habían emboscado a los militares y que los subversivos habían muerto en el tiroteo. Eso salió en todos los diarios. Cuando nos enteramos de esto en Devoto yo comencé a pensar que lo habían matado al Flaco, aunque su nombre no aparecía en los diarios y yo ignoraba el hostigamiento que había sufrido en todo ese tiempo. Los militares lo hicieron jefe al Flaco, si bien él no era jefe. Lo que buscaban era producir, como los nazis, una noche sangrienta como la "Noche y niebla", fundamentalmente para acabar con el tremendo desarrollo de las Ligas Agrarias en El Impenetrable, donde había gran cantidad de militantes unidos a los pequeños y medianos campesinos. Todo esto fue responsabilidad de Cristino Nicolaides, que era jefe de regimiento, jefe de zona, jefe del Segundo Cuerpo de Ejército. Él fue el que días antes mandó a preparar los ataúdes en las funerarias. Hizo una larga lista de todos los que pensaba fusilar entre los cuales había muchos compañeros que estaban desaparecidos, y esos papeles fueron dados a conocer por el arrepentido Villasuz, a quien además se le tomó luego un testimonio que se utilizó durante el juicio a las juntas militares, en el 85.

Durante el juicio yo aporté el certificado de defunción del Flaco, donde dice que el día 13 de diciembre de 1976 se produjo un traslado de detenidos y que el 13 a las siete de la tarde murió, y también presenté una carta posterior de los militares en la que dicen que el día 14 de diciembre, a las cuatro o cinco de la madrugada, el Flaco falleció. Estas fueron pruebas concluyentes, estaban firmadas por los militares, y no podía ser que el Flaco, Néstor Sala, hubiera muerto el 13, resucitara y volviera a morir el 14 de diciembre. Por esta causa entre otras, se condenó a Videla como jefe del Ejército, pero quedaron sin condena una veintena de corresponsables de los asesinatos, como los miembros del Servicio Penitenciario Nacional, del Poder Judicial y los demás militares.

Cuando, detenida en Devoto, me enteré de la masacre de Margarita Belén, me bloqueé mucho desde el punto de vista afectivo, en el sentido de que tenía un alto grado de racionalidad, porque a la vez era un momento donde todas las detenidas políticas veníamos de meses y meses de estar incomunicadas, de no conocer la realidad. Cuando alguien nos decía que iban cayendo compañeros, nosotras lo negábamos. Llegar a Devoto en noviembre de 1976 fue una situación sumamente contradictoria, por un lado la alegría de dejar de estar incomunicadas y encontrarnos con las compañeras, poder salir a los patios, poder hablar, poder comer; y por otro, enterarnos brutalmente de la realidad de la derrota. No había tiempo para el dolor. Muchas de las compañeras con las que yo viajé desde Resistencia empezaron a recibir visitas de sus familiares que les traían, acongojados, la noticia de las muertes de sus esposos. Ni bien lo de Margarita Belén apareció en la prensa le escribí a mi familia, a pesar de que no figuraba el nombre de Néstor, le escribí a mi mamá, a mi papá, a mi suegro, pidiéndoles que vinieran y me dijeran que yo sabía que el Flaco estaba entre los que habían asesinado. En febrero del 77 vino a visitarme mi hermana y ahí me dijo que el Flaco estaba entre los fusilados. Salí de esa visita como si fuera una pared. Recién en un tiempo posterior comencé a tener indicios de sufrimiento, síntomas, problemas menstruales. Perdía calostro de los pechos como si fuera a dar de mamar a un niño que no había parido. Lentamente caían las estrategias defensivas, y esto se agudizó cuando un médico me dijo que lo que padecía era neurosis de guerra. Transité un duelo cada vez más doloroso hasta que hice una profunda crisis de llanto y autorreferencia familiar muy penosa. No podría decir qué era lo que más me jodía: si los chicos, si la pérdida del Flaco, si los padres de ambos, si mi situación. Las compañeras me sostuvieron férreamente, María Rosa Genevois, Estela Gariboto, Estela Ferrón, Alicia Casabonne y tantas más.

Luego llegaron las noticias de más pérdidas, más compañeros queridos muertos, desaparecidos. No había tregua. Acuñé la frase: "Hay que aprender a saber perder". Es un modo de enfrentar la vida con viejos y nuevos recursos de los cuales aún no puedo desprenderme, y no sé si quiero, pues se van reciclando en circunstancias límite de otro tipo.

A lo largo de esos años fui entendiendo que yo había quedado como jefa del hogar y de los chicos. Pero en 1983, cuando trasladaron a Devoto a varios de los compañeros que habían estado con el Flaco en la Unidad 7 de Resistencia, uno que estaba con mucha bronca me contó la historia al revés, me dijo que Néstor no había querido salir del penal y que los compañeros lo obligaron. Eso me produjo un dolor espantoso, me quedé horas pensando en el sufrimiento de alguien que no quería salir y que tuvo que salir bajo las órdenes de los compañeros. Era como una segunda muerte. Pero cuando salí en libertad me encontré con Jorge Giles, con Miguel Bampini y con Mario Mendoza, compañeros que habían presenciado la despedida del Flaco. Me llevaron a comer, a pasear, y me contaron los hechos históricos tal como fueron. A la vez, muchísima gente que se iba enterando de que yo era la compañera del Flaco Sala, muchos ex detenidos, cumplían con el mensaje del Flaco, nos decían a los chicos y a mí lo último que Néstor les había dicho para nosotros y para los familiares de todos los compañeros que iban a morir.

Cuando se cumplieron veinte años de la Masacre fuimos en barra de compañeros a Margarita Belén. Miguel Bampini, Elsa "Tata" Quirós, Jorge Giles, Alicia Casabonne, y nos encontramos con otros frente a la cruz de quebracho: es tan imponente que corta el aliento y le dio nueva vida al paraje.

Después de salir en libertad, en el 83, empecé a reconstruir mi vida con los chicos y a contarles quién había sido su padre, y fundamentalmente a insertarme como mujer, laboralmente, a comenzar a vivir. Mientras estaba presa yo me preguntaba si iba a ser una mamá capaz con chicos de ocho y diez años con los cuales me iba a reencontrar, si iba a poder sostenerlos. Los años fueron demostrando que sí, que podía llegar a ser una mamá con toda esa historia tan difícil para mí, para ellos y para el conjunto de mujeres que pasamos por esto. Quedaron muchísimas mujeres viudas y muchísimas mujeres con compañeros desaparecidos, que no es lo mismo. Nosotros pudimos..., mi suegro recuperó el cuerpo del Flaco, lo enterró en el cementerio de Berazategui, pudimos ir. Yo fui una sola vez, fue una situación de muchísima angustia, de verlo a mi hijo Juan Andrés caminar y jugar por ese cementerio al que iba siempre con el abuelo mientras yo estaba detenida. Mariana fue años después y también fue un golpe muy duro.

En la cárcel de Devoto nosotras poníamos el acento prioritario en los compañeros desaparecidos, casi diría que, siendo nosotras también víctimas de la dictadura, nos postergábamos. Hay un recuerdo que yo tengo muy presente, fue en una mesa de Devoto llena de mujeres, la mayoría éramos viudas y estaba la compañera de un desaparecido, y cuando ella contaba que no sabía dónde estaba su compañero, que ella pensaba que estaba muerto pero no se sabía, hubo otra que le contestó: "¿Al final voy a tener que consolarme porque yo sí sé dónde está enterrado mi compañero?". Una reflexión cruel, irónica, pero realista al fin, dicha en el contexto de mujeres que estábamos tratando de elaborar la situación de las pérdidas de los seres queridos, abruptamente, traumáticamente.

Lo que hicimos fue prepararnos mucho en la reinserción como mamás, como mujeres, nos ubicamos y nos concientizamos en que íbamos a ser una más de la historia. Y en ese una más de la historia, yo lo que creo es que pesó el hecho de ser mujeres-madres. El hecho de tener que ir a trabajar porque si no el hogar no se mantenía, y había que llevar a los chicos a la escuela, y al médico, y a jugar... Entonces le dimos, también afuera, una prioridad mayor a los organismos de derechos humanos y a toda la lucha por los desaparecidos en su conjunto, más que a nuestra propia situación y posición de haber sido víctimas. Como si nos hubiéramos postergado. No nos nucleamos durante años, no nos juntamos salvo encuentros en las marchas, y siempre acompañando lo que pasaba en el plano de los derechos humanos y en el plano más social, más reivindicativo. Lo que alguien llamó –o yo llamé, no sé cómo fue– la militancia de la vida, donde lo cotidiano era mucho más imperativo que lo que había pasado. A raíz de ser psicóloga y de haber estado en un programa para afectados por la represión (Donac), pude estar en contacto con mujeres que habían tenido a sus compañeros desaparecidos. Quien participa en una marcha, quien puede ir a un psicólogo a pedir ayuda, evidentemente está en una lucha por la vida mucho mayor, se está reinsertando pero sin olvidar, entera, íntegra, con toda una sangría interna que se va limando en la medida que va consensuándose más la necesidad de hacer justicia.

A veces digo que a la par de rendir homenaje a los compañeros, a nuestros amigos del alma y hasta a quienes ni conocimos, deberíamos rendirnos homenaje entre nosotros y nosotras, los familiares, amigos, compañeros que seguimos en la trinchera día a día. Creo que lo más difícil en la vida es ser coherente jornada a jornada. Lo que ha pasado tiene que ser escrito, tiene que ser hablado en voz alta entre muchas y muchos, tiene que reinscribirse en la historia de este país. Me parece que el hecho de que nosotras hayamos tardado más de veinte años en tener listas más precisas sobre el número de desaparecidos que ha habido da cuenta de que muchas mujeres, esposas, o novias, o madres silenciaron, muchas quisieron hacer borrón y cuenta nueva de algo siniestro que vuelve como un terremoto en algún otro momento. Muchas deben haber mascullado, me las imagino con bronca e impotencia, sus pérdidas, sus preguntas. Es una herida abierta, si no se habla hoy, habrá que hablarlo algún día. Es imposible que esto no deje marcas, que no haga huellas, que no haga síntoma, que no haga obstáculo en algún momento.

A lo largo de estos años mis hijos han ido redescubriendo qué pasó. Vivieron procesos también muy bruscos, traumáticos, de separación de los abuelos, de re-conocer a una mamá que dejaron casi al año de vida, aunque en Devoto a Juan Andrés lo veía una vez por mes, a Mariana menos aún. Los dos primeros años fueron muy duros, dos años de terapia familiar que a nosotros nos ayudó muchísimo. Matilde Ruderman y Javier Mignone, nuestros terapeutas, nos ayudaron a reconstruir el lazo familiar como hijos con su mamá y a la vez entre ellos, porque vivieron uno con el abuelo paterno y la otra con la abuela materna. A entender lo que sucedió con su papá. Recuerdo que íbamos todos los viernes a terapia y que ellos no querían ir. Pero como mi decisión al salir en libertad fue trabajar, en cuanto pude alquilé una casa y a los tres meses me los llevé a vivir conmigo, bajo el llanto y el pataleo de ellos y de los abuelos. Los fines de semana podían ver a sus abuelos, y siempre que quisieran, pero la decisión era que iban a vivir conmigo y que no se iba a producir ningún tipo de abandono más, y en ese momento yo sentí que mis necesidades y mis deseos estaban por encima de los de ellos. Los primeros años fueron duros, muy duros. Pero el tiempo fue demostrando que podemos convivir, aun con las críticas que todavía formulan y las problemáticas no resueltas de cada uno.

Tuvimos que llegar casi a los 20 años de la dictadura para que en 1994, en la Facultad de Arquitectura de La Plata, se hiciera el primer acto en conmemoración de cien desaparecidos y militantes, organizado por La Red de Memoria y Compromiso, donde estaba el nombre de Néstor, donde por primera vez se encontraron los hijos de compañeros de distintas militancias políticas, hijos con padres desaparecidos o muertos, e hijos con sus padres vivos. Eso dio lugar a que se les diera una tribuna y a que ellos hablaran, muy emocionadamente; lloramos muy profundamente, y eso dio lugar a la creación de Hijos. Después se fue desarrollando toda una red de Hijos en Capital Federal, Córdoba y otras provincias. Un lugar donde ellos pudieron empezar a juntarse y nosotros pudimos empezar a transmitirles cosas pequeñas que les gustaban mucho, anécdotas, recuerdos de los padres, cosas graciosas. Era no vincular permanentemente el tema a la pérdida, sino más bien a lo vital que es lo que más queda en uno de todos ellos.

En lo más pequeño e importante de nuestras vidas íntimas de mujeres, en la cárcel nos preguntábamos por nuestra femineidad al estar "asujetadas" a un uniforme sin forma, sin *swing,* obligadas por los milicos a llevarlos para homogeneizarnos. Hasta que en febrero del 83 trajeron a Devoto a compañeros presos en La Plata. La posibilidad del contacto visual, y auditivo a través del sistema "biorsi" (a través de las cañerías de los baños), reacomodó nuestras ganas de gustar, de mostrarnos aun con los cincuenta kilos que sosteníamos. Como a otras y a otros, a mí me gustó un sujeto en especial, muy buen mozo y que cantaba canciones dulces y seductoras con la guitarra. Fue una semana en la que todos y todas estuvimos cerca, cemento mediante, pero nadie nos quitaba lo bailado. Los milicos nos sacaron con "los monos" porque temieron que quedáramos embarazadas por los suspiros y los piropos a la distancia. ¡Son unos amargos!

Cuando salí en libertad el sujeto de marras quedó un tiempo más adentro, y me dijo que no lo esperara, que me dedicara a rehacer mi vida. Mi primer choque con la realidad. Después he vivido historias afectivas, más livianas, más profundas. Sigo apostando a que alguien se cruce en el camino y a que sea un par. Es difícil construir una relación cuando uno ha tenido un compañerazo, alguien con el que éramos pares, con diferencias, discusiones... nada maravilloso, pero era una linda y divertida relación. Ahora los vínculos afectivos son más complicados, se incrementa un individualismo embozado que limita el poder estar y compartir con un hombre. Y uno trae lo suyo, que no es mejor o peor. Es distinto. Pero hay muchos hombres con hombría que acompañan amorosamente a sus mujeres, así que no todo está perdido.

Sigo queriendo enamorarme y validando la generosidad, el compromiso y el deseo. Hay lugar… Hay que construirlo.

Buenos Aires, 6 de febrero de 1998.

NÉSTOR CARLOS SALA
Fusilado el 13 de diciembre de 1976 en Margarita Belén, Chaco

DECLARACIONES DEL INGENIERO ALSOGARAY

Regresó de Chile, adonde concurrió invitado por la Universidad Técnica del Estado para pronunciar una clase magistral en la iniciación de cursos y visitar diversas instituciones, el ingeniero Álvaro Alsogaray, quien resumió al periodismo las impresiones recogidas en su visita.

"Creo –dijo el ingeniero Alsogaray– que el peor momento de Chile ha pasado. Después de más de un año de vacilaciones, la aplicación de políticas económicas firmes y decididas ha sentado bases seguras para el progreso del país. Si se persevera en esas políticas –y no tengo dudas de que se está decidido a hacerlo–, el éxito es seguro a corto plazo."

"Chile –expresó– ha hecho ese esfuerzo solo, soportando una verdadera confabulación internacional en su contra, que no proviene únicamente de los comunistas –lo cual hubiera sido lógico– sino muy especialmente de algunos dirigentes socialdemócratas de diversos países, que en nombre de la pseudodemocracia que practican no vacilaron en atacar a quienes en el último momento habían logrado contener al comunismo."

"Particularmente negativa –agregó– ha sido en ese sentido la acción de senadores y congresales de los Estados Unidos, el senador Edward Kennedy a la cabeza; el señor Palme, jefe del gobierno sueco, y los líderes socialistas de Inglaterra y otras naciones. Pero ahora esos señores se están quedando sin tema: Chile está resurgiendo a pesar de ellos, y pronto el país hermano no necesitará ya de nadie."

La Nación, 18 de mayo de 1976.

Zulema Riccardi[*]

MI COMPAÑERO ES JUAN CESÁREO ARANO. Ya han pasado casi veintiún años de su secuestro el 20 de mayo de 1977, a la salida del local del PC (Partido Comunista) de Callao 274, en Capital. Ese día a medida que iban saliendo de una reunión secuestraron a siete compañeros; pocos días después dejaron en libertad a Miguel Lamotta, Juan Carlos Comínguez, que era ex diputado nacional, y a otro compañero de quien no recuerdo ahora el nombre. Quizás inconscientemente no lo quiera recordar porque no tuvo una actitud muy valiente.

Yo nunca quise saber qué fue lo que les habían hecho, sabía que habían sido brutalmente torturados, pero a los dos que salieron, Lamotta y Comínguez, yo casi no los podía mirar, no quería verlos, porque no quería que me dijeran nada de lo que había pasado. Después, con el tiempo, me fui enterando de cosas horribles, por ejemplo, que a la mesa de torturas donde lo torturaban a mi compañero le habían puesto pesas para que la picana le hiciera más daño. También me contaron que cuando los detuvieron, mi compañero dijo: "Yo soy Juan Cesáreo Arano y no voy a hablar", esto me lo contaron los que salieron. Nunca supe adónde los llevaron, en qué lugar los tuvieron. Pedí al Partido que me dijeran cuál era el lugar en que habían estado, y

* De Familiares de Detenidos y Desaparecidos por Razones Políticas.

ellos me explicaron que Comínguez, al principio, había hecho un relato de lo vivido pero que eso se había perdido.

Hace como un año y medio atrás quise recuperar los restos de mi compañero a través del Equipo Argentino de Antropología Forense, pero no pude hacer nada porque nadie me dio ningún dato. Hice la denuncia en Antropólogos, di los datos que yo sabía, que César, mi marido, había recorrido comisarías, que yo creo que él estuvo en lo que era Coordinación Federal, tengo idea, nada más que una idea de que estuvo en Coordinación. Y si yo hoy lo busco… busco sus huesos, es porque siempre tuve esa corazonada de que no lo tiraron al mar, de que no fue a la Esma (Escuela de Mecánica de la Armada), es una impresión, nada más. Ahora está tratando de colaborar conmigo un compañero de Ex Detenidos Desaparecidos, que según tengo entendido tienen una buena base de datos. Entonces quiero que me ayuden a ver si pueden… a ver si yo puedo encontrarme con sus huesos.

Siempre pensé, con él lo habíamos hablado, que nos íbamos a hacer cremar juntos, esas fantasías que tenían las parejas que militaban, que nos íbamos a cremar y demás. Pero ahora si encontrara los huesos no los cremaría, porque me daría la impresión de que estoy volviendo a… ¿matarlo?

El día que se lo llevaron yo estaba trabajando, de los siete que secuestraron cuatro quedaron desaparecidos, y los familiares de los cuatro luego nos hemos constituido en una especie de entidad para buscarlos en conjunto, en todas las presentaciones, en todas las visitas, creíamos que así iba a ser más fácil ubicarlos.

Personalmente, los busqué hasta el 83. Hasta el 83 tuve esperanzas de encontrarlos. Pero cuando Alfonsín empezó a tirar los cadáveres arriba de la mesa de cada uno de nuestros hogares, bueno, yo ahí terminé en la psicóloga. No me quedó otra alternativa, porque yo tenía esperanzas de encontrarlos. Sí, sí.

Recuerdo que para esa época habíamos tenido una reunión aquí, en esta misma sede de Familiares, y que se decía que había gente viva, pero que no iban a salir todos juntos, que iban a aparecer en embajadas, o en la calle. Ese día salí de acá de lo más contenta, y era en el 83. Salí contenta porque desde el 77 hasta el 83 yo pensaba que todavía lo podía recuperar.

De los otros tres tampoco se supo nada. Una era una compañera de treinta y cinco años, tenía dos hijos que actualmente se reúnen aquí, en Familiares, ella era Carmen Candelaria Román; otro de los compañeros era Ricardo Isidro Gómez, de treinta y cinco años; y el otro era Luis Justo Agustín Cervera Novo, de algo más de cuarenta, un poco menos que mi marido, que tenía cuarenta y nueve años. Después supe que Carmen un mes y medio antes de que la secuestraran había sido operada de prolapso, y Lamotta me contó que él una vez alcanzó a verla sangrando, pobrecita, de abajo, sangraba por la picana, recién operada, claro. ¿Qué puedo decir del horror que significa la tortura?

Hoy todavía lo sueño a mi compañero, y curiosamente sueño que no me quiere más, es un dolor tremendo. Yo era un poco mayor que él, tenía cincuenta y dos años, hace poco cumplí setenta y tres. Los dos militábamos, compartíamos los mismos ideales, la música, un buen libro, una obra de teatro, una buena película, disfrutábamos de la vida. Estábamos juntos desde el 64, en esos años realmente fuimos muy felices. Yo fui muy feliz hasta el 77; fue como un mazazo en la cabeza cuando me vinieron a decir que se lo habían llevado. Ese día llegué de trabajar y en casa estaban esperándome dos compañeros que me dijeron que César no había llegado a una cita. Me decían que no me preocupara, que no me asustara, pero poco después supimos que se lo habían llevado a la salida del local del Partido. Me puse como loca, y eso que él había estado muchas veces preso, militaba desde joven, siendo estudiante; pero yo tuve la impresión de que esto era distinto. Además, quince días antes nosotros dos habíamos estado en la casa de Jorge Lucio Rébori, un abogado que tenía una cátedra sobre marxismo en la facultad y que se iba a ir a París con su esposa: cuando estaban por salir del país desaparecieron los dos. Y a su hermano se lo llevaron también, ellos eran todos ideólogos, mi marido también, hombres que nunca deben de haber tocado un revólver.

Hay algo que quiero decir: yo lo busqué a César bajo la línea que tenía el Partido Comunista en ese momento. El PC en aquel entonces hacía una diferencia entre los militares más democráticos y los pinochetistas. Pensaba que mi marido y los demás compañeros eran rehenes de los militares… y que yo tenía que cuidar el léxico, tenía que cuidar mis palabras, lo que les decía, porque tenía el temor de que si decía algo inconveniente los castigaran más. ¡Qué inocencia! De aquella línea ahora pocas veces releo algo, porque me lastima mucho, pienso que fue tremenda, que pudieron haber salvado a más gente. Una línea equivocada. Hoy releo algo de eso que en aquel momento me parecía buenísimo; esas notas que yo escribía para pedir por ellos, y en las que resaltaba el valor de los militares que se habían formado con el ejemplo de las enseñanzas de San Martín... increíble, ¿no?

Siempre consideré a la muerte como parte de la vida porque pienso que si la que siempre triunfa es la vida, es porque la muerte es una parte de la vida, entonces pienso que la muerte es demasiado digna en algunos casos. Por eso no les deseo la muerte a los represores. Quiero que vivan mil años. Como almas en pena. Recordando toda la vida lo que hicieron. Eso es lo que siempre he pensado. Y lo quiero decir en todas partes: no me interesa que se mueran. Lamenté cuando murió Chamorro en tan poco tiempo.

Mi compañero no tenía límites para la entrega al Partido, él no sabía de límites, era muy luchador, muy buen compañero; claro, lo digo yo, la esposa, pero así era, como un cristal. César había trabajado en seguros y había sido uno de los dirigentes de la famosa huelga del 59, cuando los bancarios hicieron aquella huelga tan grande, cuando José Baez, al que llamaban "el zar del seguro", tiraba volantes por la calle Florida con el nombre de mi compañero denunciándolo porque alborotaba al gremio. Su vida fue muy intensa, de mucha entrega. Y él no estaba de acuerdo con quienes se iban del país, al exilio; él decidió quedarse, no se hubiera ido nunca, así hubieran venido a matarlo. En cambio… si yo hubiera tenido que firmar que César era católico, apostólico, romano con tal de salvarle la vida, lo habría hecho, yo lo habría hecho. Lo quería muchísimo, muchísimo. Nunca pude volver a armar nada, ninguna pareja.

Vivo con mi cuñada, con la hermana de César, sí, las dos juntas con las jubilaciones más o menos nos arreglamos. Y siempre aquí en Familiares. Vengo acá y me siento bien haciendo alguna cosa, no hago nada brillante, porque acá las que hacen algo brillante son las personas muy capaces; pero con lo poco que hago realmente me siento bien, tengo que estar acá.

Hace un tiempo atrás no podía hablar de todo esto, estas cosas que hoy estoy relatando con una cierta tranquilidad antes eran imposibles de decir, tenía la garganta completamente cerrada, los sentimientos me tapaban todo razonamiento político. En aquellos momentos les decía a mis compañeros que yo nunca iba a poder anteponer lo político a mis sentimientos. Seguí militando en el PC un largo tiempo más después de la desaparición de César; hoy no estoy en la estructura partidaria, y mi única participación es en Familiares, pero me sigo sintiendo comunista, y me alegro cuando por ejemplo dicen que en Ucrania ganaron los comunistas. En el PC al principio de las desapariciones a los familiares nos atendieron muy bien. Siempre nombraban a algún compañero que nos atendiera y teníamos reuniones periódicas y cada uno de nosotros, como familiar, íbamos a esas reuniones con tanta alegría que parecía que nuestros desaparecidos estaban vivos. Pero claro, después se fueron haciendo monótonas porque veíamos que no pasaba nada, todos sentimos lo mismo. Así que yo me quedé con las reuniones de Familiares a las que asistía desde un principio, porque me había vinculado a través de la Liga; después Familiares se mudó aquí, a Riobamba, y yo con ellos. Acá no sé quién es quién, es decir, conozco a las personas, pero qué es lo que hicieron sus hijos, sus hermanos, sus desaparecidos, no lo sé ni pregunto, yo me siento totalmente consustanciada con el dolor de todos ellos.

Yo no estuve en la lucha armada, más vale que siguiendo la línea del Partido Comunista condenaba la lucha armada, pero siempre me sentí al lado de esos chicos; ese tema político a mí hace mucho que no me interesa para nada, lo único que me importa es que todos son desaparecidos. Y antes, en plena dictadura, cuando en algunos sitios se comentaba que habían matado a éste o a aquél, yo sentía un dolor inmenso, sabía que eran de la ultra, pero pensaba que eran jóvenes y que estaban luchando por un ideal. Eso era lo que me pasaba y me sigue pasando hoy. Jamás pregunté qué hicieron los desaparecidos, si eran Montoneros o del ERP, o de donde sea, yo estoy consustanciada realmente con ellos, lo demás no me interesa. En cuanto a mis compañeros del PC, es justo decir que de algunos de ellos sigo recibiendo cariño y solidaridad porque no se han olvidado de nosotros.

Después de que se lo llevaron a César no veía la hora de jubilarme, tenía cincuenta y tres años y me faltaban dos para poder hacerlo. Por un lado ya estaba cansada de trabajar, trabajé desde los quince años, pero por otro lado, lo que quería era tener todo el tiempo disponible para buscar a mi compañero. Al principio estuve viviendo un año con mi mamá, pero tuve problemas familiares, porque mi madre vivía con mi hermana más chica, que era casada y tenía dos hijos. Mi madre tenía terror de que a su otro yerno le pasara lo mismo que a mi marido. Y uno de mis sobrinos, que en ese momento tenía ocho años, me hizo sufrir mucho porque tenía miedo de que estando yo ahí le pasara algo al padre. Uno de los momentos más tristes de mi vida fue el día que me fui de la casa de mi madre, tuve que volver a mi casa, a la casa en la que habíamos vivido con César. Ahí me quedé sola un año, hasta que combiné con mi cuñada. Ella también tenía dificultades económicas y vivía con mi suegra que nunca supo, nunca le habíamos dicho lo que había pasado con César. Nos fuimos a vivir todas juntas y un día le dije a mi suegra: “No sabemos adónde está César”. Se lo tenía que decir, ella lo tenía que saber, no quería que pensara que yo lo sabía y se lo ocultaba. Ella era muy fuerte, vivió hasta los noventa y siete años, y sabía de la vida de lucha de su hijo, aunque siempre le decía que dejara, que no militara más. Mi cuñada también, me costó mucho hacerle entender que su hermano no era el único que luchaba y que se arriesgaba, que había mucha gente que lo hacía. Hay cosas que recién ahora ella ha comprendido, ya somos las dos bastante viejitas; ella es muy religiosa, se crió en colegios de monjas y creyó que la vida era la que le decían los curas, que el culpable es ese ser humano que se anima a cuestionar a una sociedad. Tuve una dura tarea con este tema, pero ahora afortunadamente ella me acompaña, a veces, a actos que hacemos con Familiares. Y nos llevamos bien, somos tolerantes y civilizadas las dos.

Así fue la vida sin César. Volví a ir a la psicóloga, voy porque la depresión mata, mata. Y es acá en Familiares donde yo me siento mejor; antes venía todos los días, pero desde que me enfermé del corazón vengo día por medio, es que siempre puse el corazón en todo, ésa fue mi gran desgracia. A los Hijos los quiero mucho, me conmueven los chicos de los desaparecidos.

En Familiares somos muy pocas las esposas de desaparecidos que participamos, hay muchas madres, hermanos, hijos, pero esposas muy poquitas. No sé realmente por qué es así. Me parece que se nos da menor importancia, como si el dolor que una siente por el marido fuera menos importante que el de una madre u otro familiar. Y para mí, César era todo, todo. Yo con él bromeaba y le decía: "Vos sos mi marido, mi novio, mi amante, sos todo para mí...". La única vez que lamenté no tener hijos fue cuando en una oportunidad le pregunté si le hubiera gustado tenerlos y me dijo que sí; realmente en ese momento lamenté que no los tuviéramos. Pero claro, cada uno de nosotros tuvo una historia antes de todo esto, nosotros formamos pareja siendo grandes.

Si yo hoy estoy más o menos aliviada es porque voy a la psicóloga, porque yo estuve muy mal, muy mal. Además, tuve una infancia y una adolescencia muy difíciles, conocí la miseria, soy la mayor de cinco hermanos y siempre tuve eso de que soy la responsable de ellos. Mi papá siempre se levantaba a las cinco de la mañana para conseguir changas, y a uno de mis hermanos más chicos muchas noches lo despertaban cuando él llegaba para darle de comer unas galletitas, pobrecito. Nosotros sabemos lo que es la miseria, el hambre, hemos vivido en un barrio obrero. Mi papá fue obrero toda la vida, mi hermana una obrera textil, zurcidora. A mí, curiosamente, me mandaron a aprender a escribir a máquina y pude entrar en una compañía de seguros, pero antes trabajé en otros lados, desde los quince años. Lo que yo quiero decir es que toda esa historia que cada uno de nosotros tiene se junta con este drama de la desaparición, porque yo hubiera vivido de otra manera. Era feliz con César. Yo era feliz.

Al principio yo esperaba, buscaba, si caminaba por algún bosque miraba el suelo porque a mí me parecía que podía haber tierra removida, no sé qué, pero siempre buscaba.

Es terrible. Porque esto escapa a toda lógica, ahora sabemos que en este país hay vivos, muertos… y desaparecidos. Hay una tercera categoría de personas que se ha inventado en la Argentina.

Buenos Aires, 15 de abril de 1998.

DESAPARECIDO
JUAN CESÁREO ARANO
20 DE MAYO DE 1977

LAS MUJERES ESCOGIDAS POR *PARA TI*

Ante la visita de la Comisión Interamericana por los Derechos Humanos, creímos que la mujer que hoy trabaja, estudia y educa a sus hijos en la Argentina también tenía que dar su opinión. Decir qué siente, qué piensa y qué quiere para su país. Por eso instalamos nuestros puestos en lugares clave de la Capital Federal, Córdoba y Mendoza. Éstas son sólo algunas de las respuestas. La totalidad será enviada a la Comisión. Testimonios claros, precisos, que merecen ser leídos.

"La paz es un precioso bien humano, gracias a Dios, la hemos conseguido. Déjennos ustedes también en paz." *María del Carmen de Benzo, C.I. 3.896.585.*

"Celebro que estén en este país y vean que gozamos de la más absoluta libertad para actuar u opinar. Desgraciadamente tuvimos una guerra provocada por la guerrilla marxista-leninista, que costó muchas vidas inocentes. Espero que compartan la libertad de que gozamos con la de sus propios países de origen y comparen dónde hay más tolerancia, libertad y tranquilidad..." *Juana Marcel Padilla, D.N.I. 0.239.166.*

"Agradecemos la visita de ustedes, pero ya no necesitamos la intervención de nadie. Las Fuerzas Armadas argentinas se ocuparon de liberarnos del flagelo del terrorismo que nos azotó. El tiempo que pierden aquí pueden utilizarlo investigando los derechos humanos del pueblo soviético, cubano, iraní, etc." *Dora Lyois Tur de Perrota, L.C. 0.196.774.*

"... En pocos países del mundo se vive como en éste: no preocupados por la suerte que corren nuestros familiares, nuestros propios hijos, tenemos paz, trabajo y felicidad, y la hay para todo aquel que respete las reglas del juego, los principios de toda sociedad y la soberanía de este país. ¡Derechos Humanos para delincuentes! ¿Por quién nos toman? Esto no podemos permitirlo..." *Eugenia Falaberi, C.I. 8.053.455.*

Para Ti, 24 de setiembre de 1979.

Marta Berra

NOSOTROS ÉRAMOS DE EXTRACCIÓN PERONISTA, toda mi familia, de toda la vida. Yo era dirigente del gremio de la Carne, trabajaba en un policlínico del gremio, y mi papá era delegado de una industria química de la zona de Zárate.

En el 74 o 75 yo entré a la Universidad Tecnológica y me incorporé a la JUP (Juventud Universitaria Peronista). En esa época lo conocí a Orlando Oviedo, el que fue mi compañero, él militaba en la JP (Juventud Peronista) y trabajaba en Rosario; al poco tiempo formamos pareja.

Cuando llegó el 76 la cosa se empezó a poner muy fea aquí, en Zárate, mi sindicato fue intervenido y la inseguridad empezó a ser algo de todos los días, el pueblo fue muy vapuleado y nosotros decidimos irnos a Santa Fe.

Nos instalamos en la ciudad y Orlando trabajaba en el Inta (Instituto Nacional de Tecnología Agropecuaria); poco después se produjo el famoso "tractorazo" y la represión inició una serie de allanamientos en los cuales cayó mucha gente, una represión brutal. Así llegaron a nuestra casa en septiembre del 76, yo estaba embarazada de más de seis meses, y en otra casa contigua vivía una pareja de compañeros; nos detuvieron a todos. No hubo ni disparos ni enfrentamiento, sencillamente nos llevaron, eran tipos de civil, pero afuera había camiones del Ejército. A mí me llevaron a la seccional

1ª de la Policía de Santa Fe y a la otra pareja la llevaron a un lugar que se conocía como "La casita del campo", no supe por qué nos distribuyeron en distintos sitios. Desde el momento de la detención no supe más nada de mi compañero, no volví a verlo.

En esa comisaría me torturaron, no sé decir las fechas porque en ese momento uno está medio perdido, no hay un registro, encapuchada no distinguía el día de la noche, y embarazada y sin comer estaba muy debilitada y había perdido la noción del tiempo. La tortura fue continua, me tenían en un colchón absolutamente ensangrentado, con sangre que no era mía, cuando me tiraron ahí ya estaba lleno de sangre. Las torturas... ya sabemos, ¿para qué vamos a detallarlas?

En un momento tuve una descompostura, parecía que mi hijo iba a nacer y no estaba el responsable del lugar, entonces los que estaban allí me cargaron en una camioneta y me llevaron a un hospital de Santa Fe. Al llegar empecé a gritar mi nombre y una enfermera me anotó en el libro de entradas del hospital, siempre pensé que eso fue lo que me salvó la vida, porque hasta ese momento yo estaba desaparecida. Me dejaron en una sala de detenidos, llena de gente con problemas físicos provocados por la tortura. Al mes me sacaron de allí y me trasladaron a una guardia de infantería reforzada que había en la misma ciudad, en ese lugar había detenidos legalizados y gente que estaba como desaparecida, pero poco después nos legalizaron a todos y en noviembre del 76 nos llevaron a la Capital Federal, a la cárcel de Devoto.

Estuve poco tiempo como desaparecida, mientras tanto mi papá y mi mamá nos buscaban por todas partes, en algún momento les reconocieron que me tenían, pero no oficialmente, por supuesto.

Cuando llegué a Devoto faltaba muy poco para que naciera mi hijo, Sebastián. Unos días antes que él nació otro chiquito, el hijo de una compañera de Tucumán a la que le habían roto la bolsa a los cinco meses de embarazo, el bebé nació con las piernitas completamente dobladas y con otras dificultades. Mi angustia por mi hijo era enorme, después de haber sido torturada no sabés con qué problemas puede nacer tu niño. En ese momento todavía nos sacaban de la cárcel para el parto porque allí no había hospital, nos llevaban a la Maternidad Sardá con custodia del Ejército, esposadas y todo lo demás. Los médicos de la Sardá fueron una bendición, se opusieron terminantemente a que nos hicieran estar esposadas durante el parto como pretendían los milicos, nos dieron una atención muy buena y muy humana, pelearon mucho por nosotras. Pero fuimos las últimas que tuvimos familia allí, porque, justamente a raíz de la actitud de los médicos, a las embarazadas detenidas que nos siguieron las hicieron tener a sus hijos en la cárcel. Hubo hasta agresiones físicas de los militares a los médicos que nos defendían y trataban de protegernos. Mi hijo nació en noviembre del 76, y a partir de allí montaron un hospital en la cárcel para los partos.

Esos días en la Sardá fueron como un poco de aire, hasta ese momento yo no había tenido contacto con nadie excepto los milicos y los del Servicio Penitenciario. Además, los médicos eran como la garantía de que no nos iban a sacar a nuestros hijos. Fueron solidarios, muy solidarios en una situación de mucho riesgo para ellos mismos.

En todo ese tiempo yo me lo hacía a mi compañero torturado, detenido, no sabía nada de él, pero pensaba que estaría en una situación parecida a la mía antes de que me legalizaran. Por momentos pensaba que podía estar en Santa Fe, en la cárcel de Coronda, fantaseaba distintas cosas con respecto a él, siempre vivo.

Después de tener a Sebastián y volver a la cárcel, comenzaron a visitarme mis padres. Tuvimos una sola visita con rejas, después hicieron los locutorios con vidrios y micrófonos controlados.

En una de esas visitas fue cuando mi papá se animó a contarme que a Orlando lo habían matado y que lo llevaron a él para que lo reconociera. Mi papá lo reconoció, pero a mi mamá no la dejaron entrar a verlo. Orlando tenía las manos cortadas. Se las cortaban y las mandaban a La Plata para identificarlos.

Para mí fue un golpe muy grande. Yo me hacía la idea de que Orlando la estaba pasando mal, pero el hecho de que yo había aparecido me daba la esperanza de que por ahí él también. Pero fue muy duro, porque yo estaba en la cárcel, mi hijo recién nacido, y que me dijeran eso... Fue un momento bastante jodido. Pero no me dijo todo mi papá ese día, no pudo, vio que me puse tan mal que no se animó a decirme que el cuerpo de Orlando desapareció después de que se lo hicieron reconocer. Nunca se pudo recuperar. Nunca. Lo hicieron desaparecer. Eso lo supe mucho después.

Lo que me ayudó fue que en la cárcel encontré buenas personas, buenas compañeras, todas habíamos sufrido más o menos lo mismo y nos fuimos haciendo como una contención. Al principio me costaba mucho hablar de Orlando porque yo lloraba y lloraba, no había otra, hasta que después tanto escuchar y tanto hablar... Es el día de hoy que todavía por ahí lloro, pero me parece que me fui acostumbrando. Y también es como ese dicho: "Mal de muchos consuelo de tontos". Hay como microclimas, se hizo un microclima donde más o menos todas estábamos pasando por lo mismo.

Después vino otro golpe cuando me lo sacaron a mi hijo. Hasta que yo lo tuve a Sebastián, las mujeres detenidas podían tener a sus hijos en la cárcel hasta los dos años, pero después te lo dejaban tener sólo seis meses. Así que a los seis meses se lo llevaron a Sebastián y... otro golpe más. Lo retiraron mis padres, en mayo, y a los cuatro días de que lo habían traído aquí, a Zárate, lo secuestraron a mi papá y nunca más apareció. Quedaron mi mamá y mi hermano solos, con mi hijo.

Se me fue mi hijo y desapareció mi papá. Y ya en ese momento sabíamos que las desapariciones eran... nosotras sabíamos que no aparecían.

A mi papá se lo llevaron de la calle, con auto y todo. Y nadie nunca supo nada, por más averiguaciones que se hicieron jamás hubo un solo dato. Nada, ni siquiera apareció el auto abandonado, nada.

Cuando salí me encontré tan perdida... Porque allá vivíamos en ese microclima; al salir sentí que me habían cambiado mi lugar, que me habían cambiado la gente, era todo tan distinto. Yo adentro no había vivido todos los cambios que se produjeron afuera. Y salí a un lugar desconocido. Todo lo que a mí me parecía que podía ser, no era. Perdida. Estuve perdida, era otro universo que el que yo había dejado. Pero en ese momento tenía problemas acuciantes, de subsistencia, yo tenía un hijo al que desde los seis meses sólo había podido ver a través de un vidrio, jamás tocarlo en todos esos años. Y me di cuenta de que me habían sacado tanto... Cuando salí y volví a verlo era como que era mi hijo, pero no era mi hijo. Una cosa... Era mi hijo, pero era un desconocido, lo había criado otra persona, que era mi mamá, que me dio tantas pero tantas manos, pero era otra cosa. Y poder entender todo eso, ese dolor. Me llevó mucho tiempo con mi hijo. Volver a conocernos. Volver a ser otra vez la mamá y el hijo.

Me costó conseguir trabajo, hasta que encontré quien me diera una mano y trabajé en una verdulería un tiempo largo. Después volví a lo que había sido mi trabajo antes de que me detuvieran, volví a un laboratorio como técnica, unos gremialistas me dieron el trabajo. Y ahí por primera vez pensé que no todo estaba perdido.

Con eso más o menos se solucionó una parte que era lo económico y que era muy jodido. Pero estaba la otra parte, qué hacía yo respecto a lo que había sido y cómo seguirlo. De alguna forma yo me decía que mi papá estaba desaparecido, mi compañero no estaba, ¿y cómo hacer para tratar de hacer algo para encontrarlos?

Con esa pregunta me fui encaminando, encontré un grupo de gente, un grupo político y trabajamos juntos. Cuando llegó la democracia, mucho después, éramos de los cuatro o cinco, porque Zárate es chico, que teníamos el pañuelito blanco en la cabeza representando a las mamás de Plaza de Mayo, porque ellas estaban allá en la Capital, y en cada localidad; durante el acto de asunción de las autoridades democráticas, se hizo una ronda, un acto de presencia. Y seguí trabajando con ese grupo, un grupo de derechos humanos que todavía continúa funcionando. A la Capital no iba más que para hacer denuncias ante los organismos, la Conadep, y otras que hice ante el juzgado de San Nicolás. Pero no hubo nunca una respuesta, ni de mi papá, ni de Orlando, yo sabía que estaba muerto, pero de parte del Poder Judicial nunca hubo respuesta.

Seguí militando por los derechos humanos y en los conflictos gremiales que había en la zona, con la gente, acompañando. Zárate no es la gran movilización, ni la gran concentración de cosas. Además fue una zona muy castigada, los gremialistas fueron muy perseguidos. Le quedó mucho miedo a la gente.

Sebastián fue conociendo a su papá a través de lo que yo le fui contando, no había otra forma, no hay una vivencia. Yo no sé qué problemas le puede traer todo esto. Una trata de estar con él, de poder contarle, que lo palpe, pero realmente es muy difícil. Yo trato de transmitirle, pero él es una persona retraída, no es de hablar mucho, supongo que son todas las situaciones que ha vivido. Por ahí le hablo un montón, y él... es muy retraído, vive mucho para adentro. No era de preguntar cosas, yo le tenía que ir diciendo, no era que venía a buscar respuestas. Yo pienso que es la desesperación de una de que lo quiera al padre, ¿no?, que lo conozca. A veces yo sentía que había que esperar a que preguntara, y el tiempo pasaba y pasaba, y él no preguntaba nada, entonces yo de nuevo, volvía a la carga.

Con los años formé una nueva pareja y tengo dos hijos más. Rolo, mi compañero, lo conoce a Sebastián casi desde que nació, porque era amigo de mi familia, iba a lo de mis padres. Y desde muy chiquito, antes de que Rolo me conociera a mí, mientras yo estaba presa, se lo llevaba a su casa y pasaba mucho tiempo con el nene. Así que cuando nosotros nos casamos para Sebastián fue como una continuidad en su vida, porque compartió con él desde chico, desde antes de volver a estar conmigo. Cuando nosotros nos enamoramos para él fue como una continuidad, no fue un salto, un tener que aceptar a alguien nuevo.

Durante los años que mi mamá lo crió a Sebastián, ella no le hablaba del padre, le parecía que era muy chiquito y que eso lo iba a hacer sufrir más, conmigo presa y sin papá, a ella se le hacía que hablarle de todo eso era provocarle más dolor. Yo le insistía a mi mamá cuando venía a verme a la cárcel, le pedía que le hablara de Orlando, y ella me decía que no, que era muy chico; son esas cosas de protección de las abuelas.

Además mi mamá tenía su propio dolor: mi papá desaparecido, qué más se le podía pedir. Cuando salí me encontré con que a Sebastián se le hacía un lío entre su papá y su abuelo, los dos desaparecidos; y me di cuenta de que aunque no había estado yo, su mamá, transmitiéndole la angustia de la pérdida de mi pareja, había estado la abuela transmitiendo la pérdida del abuelo. Fue una doble carga para él. No sé qué problemas le podrá traer. Yo espero que esta otra etapa de cariño con Rolo lo compense. Rolo es un gran compañero, no fue fácil al principio lo nuestro, pero el amor fue siempre más fuerte que las dificultades.

Cuando terminó el secundario, Sebastián se fue a estudiar a la Capital, a la Universidad de Buenos Aires, pero no se halló, estuvo un año y se volvió, acá es todo distinto, aunque el Primer Mundo ya nos está llegando a Zárate. Yo siempre busqué alejarme de las ciudades, y acá hay como un microclima todavía, los chicos juegan en la calle, pueden salir de noche sin riesgos, es tranquilo. Claro, pero después fue a estudiar a la Capital y no se adaptó.

Siempre pienso que Sebastián carga con esa inmensa angustia de aquellos años, y eso no se va, se alivia con el tiempo pero no se va, si nosotras al día de hoy hablamos y nos angustiamos.

Cuando fueron los veinte años del golpe me fui a la Capital, quise ir allá a la marcha. Aquello es tan grande que me sentí perdida, no sabía dónde encolumnarme, y en un momento vi los carteles de Hijos y fui tras ellos. Después me fui encontrando con otras compañeras que estaban en la Plaza, pero todas desperdigadas. Las mujeres de nuestros desaparecidos y de nuestros muertos no estábamos juntas. Ese día me pregunté por qué. Y no lo sé bien. Pienso que cada una vivió una experiencia distinta, algunas estuvimos presas, otras no; todas tuvimos que seguir viviendo solas con nuestros hijos.

Cuando yo salí en el 81 todavía estaban los militares, había mucho miedo. Yo me sentí muy sola, tan sola... y demasiado ocupada en poder sobrevivir, ¿no? Me imagino que a la mayoría nos pasó lo mismo. Siempre pienso que organismos como las Madres han hecho y hacen un trabajo excelente, que no lo reemplaza nada ni nadie, pero queda la carencia nuestra, ¿no? Por qué será que nosotras no nos encontramos bajo una bandera. No sé.

Sin embargo creo que el dolor está, y que las expresiones de ese dolor van saliendo a medida que nos vamos aflojando, como este libro, como lo que estarán haciendo otras mujeres. Creo que cuando una sale de situaciones como éstas queda con muchos problemas, no hay que engañarse, no se sale de esto así nomás. Tal vez nos está llevando muchos años a nosotras poder expresarnos. Yo he hecho hasta donde pude, hasta donde me dio, y creo que a todas nos debe haber pasado más o menos parecido. Lo que rescato es haber seguido como pudimos, militando, en derechos humanos, donde fuera, pero dándole continuidad a aquella vida que tuvimos antes.

Además me parece que todo esto tiene que ver con las etapas que fueron pasando a lo largo de los años, primero decíamos: "¿Qué va a pasar con esta democracia?", porque nos sentíamos inseguros, inestables, con muchos miedos todavía. Pero ahora ya se ve todo más consolidado y creo que eso hace que los miedos vayan aflojando.

Yo realmente me considero una privilegiada, porque cuando salí de la cárcel y volví a Zárate, aunque me llevó un tiempo, encontré a un grupo de compañeros que me contuvieron y dejé de sentirme tan perdida. Claro que no eran más que grupos, grupitos, que a su vez estaban vistos como distintos a la mayoría de la gente que no se expresaba, no había expresiones abiertas. Por eso digo que en ese momento encontrar a alguien que te dijera: "Ésta es tu casa, tenés la puerta abierta", o que te facilitara un trabajo, era invalorable, y yo sé que muchos otros no tuvieron esa facilidad que yo sí tuve.

Eso me ayudó mucho porque yo salí con miedo y muchas incertidumbres, la gente de Zárate que salió antes que yo había muerto o desaparecido cuando salía de la cárcel. En ese momento hubo dos personas, un abogado que de Devoto lo llevaron a Coordinación Federal y al salir de ahí lo mataron en la calle, y otra compañera que desapareció a la salida de la cárcel, de ahí salió, pero nunca se supo más de ella. Los dos eran de Zárate y salieron unos días antes que yo. Así que yo no sabía cuál era mi futuro al cruzar el umbral de Devoto, y eso marca mucho e influye en lo que uno hace a continuación.

Yo empecé a pensar en mi hijo y en que tenía una responsabilidad distinta, ya no era yo sola, ni éramos mi compañero y yo. Un hijo tira, te necesita, tenés que estar ahí para él. Creo que estas cosas hicieron que las mujeres hayamos buscado canales, no de aparición directa, pero sí de estar empujando de alguna forma, insistiendo para que apareciera la verdad, para conservar la memoria. Y el otro tema fue cómo éramos vistas en la sociedad, creo que en aquel momento no se daban las condiciones para que nosotras, las mujeres de desaparecidos o compañeros muertos, apareciéramos en un primer plano, como las Madres, por ejemplo.

Si no me hubiera pasado todo lo que me pasó no tendría ahora esta visión de lo que es la vida. No sé, creo que la hubiera disfrutado menos. Yo cada vez que sale el sol... para mí es un festival nuevo todos los días, salgo temprano, a las seis, a mirar como sale. Y eso es porque me faltó el sol mucho tiempo; y pasa una mariposa y para mí es una vida hermosa. Hay otros que lo tienen todo y sin embargo no ven nada.

Sigo conservando la idea de que lo material va y viene y quiero conservar esa forma de pensar, es una lucha cotidiana, todos los días estás confrontando hasta con tus hijos, la televisión te los bombardea, el consumismo. Es una resistencia cotidiana, y eso que vivimos así, en este barrio son todos hijos de trabajadores, es un barrio pobre. Pero creo que mis hijos van a tener más o menos el mismo pensamiento que tengo yo, para desgracia de muchos...

Hay un tema que a mí me duele mucho y que es encontrar un lugar que realmente me exprese políticamente, intenté cosas, militancias partidarias, pero sufrí desilusiones y hasta ahora no he podido llenar ese lugar. De todas maneras a nivel del barrio, de la comunidad, sigo haciendo cosas. Es un deber con la vida. Es un deber con todos los que han quedado en el camino.

Zárate, 25 de abril de 1998.

DETENIDO-DESAPARECIDO
ORLANDO OVIEDO
7 DE SEPTIEMBRE DE 1976*

* Asesinado un tiempo después por miembros del Ejército, se desconoce la fecha.

LOS ACTOS POR EL DÍA DEL EJÉRCITO

Monseñor Bonamín

"... dentro y a través de esta noble vocación que nos has dado, mediante la cual podremos servirte en los requerimientos de nuestra profesión, socorrerte en el pueblo azotado por el infortunio, ayudarte en los pobres que no piden parte de nuestro rancho o en las comunidades que solicitan nuestro trabajo, descubrirte en el recluta que llega al servicio militar desnutrido o enfermo, instruirte en el conscripto analfabeto, realizarte en el argentino que nos viene sin saber que es argentino y qué es ser argentino, hijo de tu amor de Padre y conquista de tu sangre redentora; vocación en la que –como Tú– podemos y debemos "dar la vida por nuestros hermanos" (que es darla por Ti, Señor); en la que, aun sin dar la vida en la muerte, la vivimos en continuo peligro amparando lo demás, sacrificando hasta aquello que nadie sacrificaría jamás, aun al precio de su existencia; la paz del propio hogar, la tranquilidad de la familia, la seguridad ingenuamente despreocupada de los propios hijos, que todo eso peligra, Dios, porque peligramos nosotros cuando los que Te odian nos acechan".

Finalizó monseñor Bonamín con estas palabras: "Así te amamos, Señor, aceptando, agradecidos, esta vocación con todas sus consecuencias, incluidas las consecuencias que no imaginábamos, que no deseábamos, porque nos vienen impuestas, no por nuestra vocación, sino por la mala voluntad de sus enemigos, o por la imperiosa necesidad de contribuir, decisivamente, a la reconstrucción de nuestra Patria. Así como somos, bendícenos Señor, para que seamos mejores, por la intercesión de nuestra celestial patrona, la Santísima Virgen de las Mercedes. Así sea".

La Nación, 30 de mayo de 1976.

Ada Miozzi

MI MARIDO ERA OSCAR ISIDRO BORZI y pertenecía a la JTP (Juventud Trabajadora Peronista), era delegado de la fábrica en la que trabajaba y se lo llevaron de mi casa.

Vinieron a eso de las dos de la mañana y rodearon toda la manzana, nosotros estábamos durmiendo, golpearon muy fuerte y mi esposo se levantó y preguntó quién era. "Ejército Argentino", le contestaron. Yo me asusté tanto que ni me vestí y me escondí detrás de una puerta, pero entró uno con unas armas largas y me dijo: "Vístase señora".

Lo agarraron al nene más chico, tres varones tenemos nosotros, y buscaban cosas, armas. Yo les dije que no había armas. A mi marido le gustaba ir a cazar, se llevaba a los dos más grandes y yo me quedaba con el Juancito que es el menor. Les dije que lo único que había era para cazar y que estaba registrado en la policía, era un rifle de esos de caza, nada más. De la vestimenta que tenían no me acuerdo, lo único que me quedó en la memoria son las botas; eran como diez, se sentaron, se posesionaron de la casa, se comieron todo, se instalaron como para quedarse.

Mis dos hijos más grandes estaban dormidos, pero el más chiquito no, y lo agarraron y lo tiraron contra la pared, tres años tenía el Juancito, el corazoncito le hacía pum, pum, del miedo que tenía. Y se lo querían llevar, después se lo querían llevar. Pero yo les mentí, les dije que no se lo podían llevar porque estaba enfermo del corazón, como le latía tan fuerte en mi desesperación se me ocurrió decirles eso. Le ponían la mano en el corazoncito y como de verdad estaba muy agitado me creyeron, les dije que se les iba a morir si se lo llevaban, y me lo dejaron. Mis otros hijos no se despertaron en toda la noche, pero el problema fue a la mañana, cuando se levantaron. Me tenían encerrada con las tres criaturas en el cuarto y no sabía cómo explicarles lo que estaba pasando, al final les mentí, les dije: "Acá hay unos señores que están esperando al papi", pero los chicos se dieron cuenta de que algo raro pasaba y el del medio me dijo: "Si viene mi papá los va a cagar a palos".

Al más grande uno de los milicos le preguntó qué quería ser cuando fuera grande, y mi hijo le contestó: "Tornero como mi papá". Nos tuvieron ahí encerrados, se quedaron el día entero; después se empezó a poner todo más feo, manoseos, un desastre. Y toda la noche siguiente también. Uno me dijo: "Tu marido es peronista, ¿qué hace, quiénes andan con él?", y yo le contesté: "Señor, acá, en la cuadra, en el barrio, todos iban a la Plaza y gritaban: 'Viva Perón', todos". Y el tipo me preguntaba quiénes, los nombres: "Todos señor, todo el mundo", le contestaba yo y le preguntaba: "¿Se los van a llevar a todos por eso?".

Al mediodía quisieron que les cocinara, entonces yo haciéndome la tonta les dije si podía ir a comprar el pan, y me miraban incrédulos, se convencieron de que era una boba.

A mi marido lo tenían en la cocina, detrás de la heladera todo el tiempo, yo apenas lo vi y me pareció que lo habían lastimado. Pasó toda la noche siguiente y antes de la madrugada me vinieron a decir que se iban, que no contara ni una palabra de lo que había pasado, que nos iban a dejar a oscuras y que no prendiera las luces antes de los diez minutos, y me recomendaron que me fuera de mi casa. Se fueron y se lo llevaron a mi marido. Fue el 1° de mayo de 1977.

Después de mucho, mucho tiempo, apareció un policía que dijo que lo había visto, le dijo a mi suegra que lo había visto en una dependencia militar, en Monte Chingolo, que a los nueve meses estàba allí. Oscar era delegado del gremio del vidrio y era peronista, de la JTP (Juventud Trabajadora Peronista). Aquí en Lanús todos eran peronistas.

Pero nunca pudimos saber nada más, yo soy italiana y junto con mi papá hicimos la denuncia en la embajada de Italia, pero no pasó nada, la embajada pidió informes y no le dieron bolilla. Después, en el 83, cuando vino la democracia, me citaron a mí, a mi suegra y a ese policía que le dijo a ella que lo había visto a mi esposo nueve meses después del secuestro. Pero él se presentó y dijo que no, que no lo había visto, que era todo mentira, eso le dijo al juez. Entonces el juez quería un careo, pero el tipo desapareció, no se presentó más en la Justicia. Y la causa quedó así, todo quedó en la nada, creo que el juez se declaró incompetente.

A los quince días de que se lo llevaran a mi esposo entré a trabajar a la escuela a la que iban los chicos, la cooperadora supo de mi situación y me dieron el trabajo. Yo a pesar de todo lo que nos pasó tengo un carácter muy alegre, soy muy chiquilina, me gustan mucho los pibes, y eso me permitió salir adelante. Iba a la escuela con los chicos desde la mañana y me quedaba todo el día, le hacía de "oreja" a la directora, les preparaba la comida. Esa temporada la pasaba bien dentro de la escuela, con las maestras, las madres y los chicos; los pibes me querían, me decían "hada madrina".

Pero por dentro yo tenía miedo, el miedo no lo perdí. La persona que no conoce el miedo hace lo que le da la gana, pero cuando una conoce el miedo se quiebra un poco. Por eso hace poquito que yo empecé a hacer cosas. Por ese miedo que tenía me la pasaba más en la escuela que en mi casa, porque durante un tiempo había gente esperando en la esquina, vigilándonos. Y en la escuela agarraba la escoba y salía y barría toda la vereda, para que me vieran los que espiaban, yo ahí me sentía protegida. En la escuela fueron muy solidarios conmigo, los de la cooperadora fueron a la comisaría a certificar que yo trabajaba en el colegio para que me dieran el nombramiento. En ese tiempo tuve que hacer la carta de ciudadanía, y la policía me traía citaciones para hacer los trámites y yo me moría de miedo cuando tenía que ir, les avisaba a todos los vecinos por cualquier cosa que pasara.

La que tenía un coraje a toda prueba era mi suegra, ella iba a los organismos de derechos humanos y hacía todos los trámites, las denuncias. Después me citaban a mí porque era testigo de cómo había pasado todo y yo iba a todos lados con mis tres hijos, siempre los llevaba.

Lo que hice siempre fue tratar de que mis hijos estuvieran lo mejor posible, trabajaba y estaba con ellos en la escuela, después nos dieron vivienda en el mismo colegio; pero a pesar de todos mis esfuerzos ellos se daban cuenta de muchas cosas. El más chico, que fue el que vio todo esa noche, cuando tenía nueve años cada tanto me decía: "Mami, cuando yo sea grande voy a ir a buscar a los milicos que se llevaron a mi papá". Y ése es el que menos se mete ahora, creo que es porque fue el que más sufrió. Cada uno de los tres lo tomó de distinta manera, el más grande estudió y estudió, conseguí una beca de los rotarios para que pudiera seguir sus estudios en la escuela Piedrabuena, nunca se llevó una materia y fue abanderado. Ahora estudia ciencias políticas. Pero no tiene novia, tuvo una novia pero no sé qué pasó. El segundo se casó y se separó, yo no quería que se casara tan joven y ella le llevaba ocho años, pero una tampoco puede frenar esas cosas, así que tuvieron un hijo y después se separaron. Él es medio artista plástico, pinta, dibuja, le gusta mucho el arte. Y el más chico yo creo que se aguantó todo lo que pudo, hacía como que estaba bien, pero hace poco tuvo una depresión y recién ahora está empezando a salir de ese estado. Es un genio en electrónica, además trabajaba como portero en una escuela, pero cuando le vino la depresión no podía ni ir a trabajar. Es que él vio todo lo que no tenía que ver, las cosas que me hicieron a mí, que me ponían un arma en la cabeza como si me fueran a matar, todo. Vio cómo nos robaban todo, hasta las valijitas y los útiles del colegio, unas pulseritas de oro que me había regalado mi marido, las cámaras de fotos de él, porque mi esposo hacía fotografía. En la fábrica él era capataz, técnico matricero, pero además se había puesto a hacer fotos con mi hermano. Después mi hermano se fue a Canadá y le dejó sus cámaras también. Todo se llevaron los milicos.

Yo no me volví a casar, oportunidades no me faltaron, pero yo no le doy bola a esas cosas. No, no me casaría de nuevo, si yo no sé adónde está mi esposo. Sé de muchas mujeres que rehicieron su vida con otros compañeros, pero mí no me da, no sé cómo decirlo, pero a mí, mi condición de la moral no me da.

Yo soy así, alegre, me río de todo, pero una pasó muchas cosas, sufrió y tuvo que criar a los hijos sola; tal vez por eso creo yo que las mujeres, las esposas nos quedamos un poquito, no nos agrupamos como las Madres y las Abuelas. Recién ahora que los hijos están grandes algunas empezamos a hacer cosas. Este año para el Día de la Mujer, mi hijo Ernesto, el mayor, fue a buscar a Estela Carlotto, de Abuelas, y en el banco Credicop le hicieron un homenaje a ella y a otras mujeres. Ese mismo día Estela Carlotto le contó a mi hijo que tenía otro acto pero que no podían ir porque son poquitas y no pueden estar en todas partes. Esto nos hizo pensar mucho, porque las Abuelas ya están muy mayores y las personas que se van muriendo no se reponen. Estela contaba que ellas piensan que su camino lo van a continuar los Hijos. Aquí se formó Hijos Zona Sur, pero también pensamos que tenemos que hacer algo nosotras y formamos un grupito de esposas de desaparecidos con el fin de apoyar a nuestros hijos. Los chicos ven bien lo que estamos armando y yo estuve en Familiares y les pareció adecuado. La idea nuestra es sumarnos a las Abuelas y a la Línea Fundadora, que nos parece una cosa seria, y ser un apoyo para continuar con la lucha de ellas y de los Hijos. Tenemos mucho trabajo por delante, los chicos querían ir a España a declarar con el juez Garzón, pero no hay medios, para esto nadie ayuda. La plata que hay se la dan a los partidos políticos para que vayan, yo no estoy en contra de los partidos. Pero bueno, queremos trabajar en estas cosas, participar. Fuimos a la marcha que se hizo cuando lo pusieron preso a Videla, estuvimos con Familiares. Ahora te das cuenta de que hay un poquito más de conciencia en la calle, en la gente; pero lo de Videla no me parece gran cosa tampoco. Primero creí que lo ponían preso para que Menem hiciera un buen papel en Francia, pero quién sabe, por ahí lo dejan preso nomás. Vamos a ver, no sabemos. No es tan fácil creer para nosotros, son tantos años de mentiras y de injusticia.

Yo hice los trámites por la reparación económica, aunque mis hijos y la familia de mi esposo no estaban de acuerdo. Pero les dije a todos: "¿Entonces por qué no nos dan ustedes la plata?", la plata al Estado no se la voy a dejar. Y a mí nadie me dio nada, tenía todo el núcleo familiar pero a mi hijos me los banqué yo, yo sola con mi trabajo. Llegué a trabajar en tres lugares al mismo tiempo y eso lo conseguí porque la gente me tenía confianza.

Lo que hicieron mis hijos fue ir a Antropólogos. Pero yo no quería. Yo no quiero un cadáver. Tampoco quiero saber qué le pasó. No, porque si no me voy a volver loca.

Antes leía y leía el *Nunca más* y me parecía imposible que hubieran hecho las cosas que hicieron, peor que Hitler. Pero prefiero no saber; mi suegra sí lo buscaba, quería saber, encontrar lo que fuera. Pero yo no, le decía a ella: "Ya no quiero buscar más nada, yo lo que tengo que hacer es cuidar a mis hijos, que son los hijos de su hijo".

Yo sabía que Cacho –así le decíamos a mi marido– militaba en la JTP, sabía que era delegado, y él me contaba cuando le ganaban algo a la empresa: "Le gané al trompa...", contaba contento, y yo le decía que dejara, que no hiciera lío, pero él me contestaba que no estaba haciendo nada malo. Se lo llevaron a él solo de los de la fábrica, a nadie más. Yo quería que nos fuéramos, en el último tiempo la cosa estaba muy fea. A Canadá podríamos habernos ido, mi hermano está allá, si hace poco vino mi hermano de visita y volvió a decirme que si aquí se ponen las cosas feas me vaya para allá con los chicos. Pero Cacho no quería saber nada de irnos a Canadá: "Yo no tengo por qué escaparme", me decía siempre. Cuando ahora me acuerdo de eso me da un poco de bronca, mi hermano le habló también, pero no hubo caso. Nos podíamos haber ido lo más bien. Pero bueno, ya pasó lo que pasó y no hay remedio.

Lo que a mí me salvó fue mi carácter alegre y trabajar. Siete años trabajé en la escuela y todavía vivo ahí, aunque ahora trabajo en el Consejo Escolar. Yo jugaba con todos los chicos en los recreos, saltaba, corría como una chiquilina. Y a fin de año cuando los más grandes se iban de viaje de egresados ¿a quién llevaban?, a mí. Después vino una directora medio reventada y me mandó a jardín de infantes, yo me puse triste porque estaba muy acostumbrada a la primaria. Pero enseguida agarré la onda en jardín y empezamos a hacer teatro con las madres de los nenes y las maestras. Hice de Papá Noel, representamos todas las canciones de María Elena Walsh, hice de brujo, de nubarrón. Me encantaba, me hacía los trajes yo misma. Y así fue como me consagré como artista, qué le vas a hacer, mejor reírse, ¿no?, es bueno para la salud.

Cuando nos casamos, Cacho tenía veintiséis años y yo veintidós. Cuando se lo llevaron él tenía treinta y cuatro años. Y me quedaron mis hijos. Nunca se apartaron de mí mis hijos, a todas partes conmigo, yo los llevaba a todos lados.

A los pocos meses de que se lo habían llevado a Cacho yo empecé a soñar que él volvía. Lo veía volver todo mojado. Sería que me enteré de que tiraban a la gente al mar. En el sueño yo me despertaba porque escuchaba la puerta de calle y era Cacho que llegaba, empapado, todo mojado. Antes de que él desapareciera, por donde nosotros vivíamos de noche ya se escuchaban pasar los aviones Hércules. Cacho me decía: "Escuchá, escuchá bien, esos son los Hércules del Ejército"; y después de que se lo llevaron yo los seguía escuchando casi todas las noches. ¿Por qué no habrá querido que nos fuéramos? Yo le había propuesto irnos a Salta, si él con su oficio enseguida iba a conseguir trabajo, y yo no me quedaba atrás, yo hacía peluquería. Me dijo que íbamos a probar en las vacaciones, ese año, el 77, pensábamos irnos a probar a Salta en el verano, ésa era la idea. Pero yo me acuerdo de que estaba intranquila, esa intuición que tenemos las mujeres, y se lo decía, le pedía que nos fuéramos, que no esperáramos hasta el verano. "Yo no estoy haciendo nada malo, ¿de qué me van a acusar a mí?", me contestaba y se enojaba. De qué lo iban a acusar. Como si hubiera hecho falta una acusación para llevárselo. ¡Qué locura!

Con el tiempo, cuando los chicos fueron más grandes, me metí en mi sindicato y ahí me hice famosa como bruja. Nosotros hacíamos marchas al Palacio Pizzurno para hacer reclamos, y se me ocurrió disfrazarme de bruja, con escoba y todo, porque yo soy auxiliar, ando con la escoba todo el día. Cuando los compañeros me vieron me dijeron que tenía que ir adelante de todo, la primera de la marcha, me moría de chucho, pero pensaba que si pasaba algo agarraba a escobazos a cualquiera. Fue un éxito lo de la bruja, salimos por televisión y todo, y en cada marcha hacíamos lo mismo, me divertía de lo lindo. Siempre fui así alegre, de piba me gustaba bailar, divertirme, escribía poemas. Claro que cuando se llevaron a Cacho perdí un poco la alegría, no es moco de pavo que te lleven así a tu compañero.

Pero ese carácter me ayudó a llegar hasta el día de hoy, siempre se lo digo a mis hijos. Ellos no son así como yo, ellos tienen tristeza. Un maestro del más chico me decía: "Este nene tiene tristeza en los ojos". Pero son muy inteligentes, los tres, en eso se parecen al padre. Cacho hablaba de una manera. Decía cada cosa impresionante. Yo a veces no le entendía, ahora me pasa lo mismo con los chicos, es que tienen otra preparación.

En el sindicato fui perdiendo el miedo que me había quedado, yo antes no abría la boca, no podía hablar de esto como estoy hablando ahora, me quedaba callada. Si había una reunión, no abría la boca; pero ahora me rebelé, hablo hasta por los codos y si no puedo meter un bocado me voy. No señor, ya no me callo más.

Lanús, 20 de junio de 1998.

DESAPARECIDO
OSCAR ISIDRO BORZI
1º DE MAYO DE 1977

EL PROCESO SEGÚN *GENTE*

"Ni el más optimista de los observadores podía haber supuesto que el pronunciamiento militar se iba a registrar sin ningún tipo de incidentes. Sin embargo, así ocurrió. Los únicos que debían temer eran los delincuentes. A nadie lo iban a perseguir por sus ideas. No se actuaba 'contra' nadie, sino en beneficio de todos. Un pueblo que comprendía que estaba al borde de la desintegración nacional y confiaba en sus Fuerzas Armadas como última reserva ante el caos político, económico y social. Todos estamos de acuerdo, o por lo menos una gran mayoría. Así debe entender Ud. Señor Presidente, la respetuosa aceptación de los hechos que vivimos y la serena confianza que se respira. La pesadilla se cortó. Al despertarnos, la realidad no fue nada agradable. Sabemos que tenemos menos peligro, que el salario será insuficiente para lo que aspiramos, pero no se irá fundiendo diariamente por la inflación descontrolada, que estamos en guerra contra la delincuencia ideológica, contra la decepción, la falta de fe. Por eso al cerrar esta carta abierta que por momentos se hizo larga porque a los argentinos nos gusta hacernos oír, queremos sumarnos a su plegaria y rogar que tenga suerte en el camino que tomó y donde le aseguramos que no estará solo."

"CARTA A UN ARGENTINO QUE VIVE AFUERA"

"(te pedimos que) a tus amigos, a tus compañeros de trabajo, a todos los que puedas, les transmitas esta verdad que sólo conocemos a fondo los 26 millones de sobrevivientes de una guerra sucia que justamente cuando comienza a agonizar revive en el exterior manejada por una propaganda que responde a intereses muy precisos.

Algunos caen en el error por ingenuidad. Otros porque sin ingenuidad toman al pie de la letra los slogans y las mentiras con que la subversión en fuga pretende sabotear el Proceso. Ahora que estamos en la puerta de un Mundial de Fútbol, en la preparación de un Congreso Internacional de Cáncer, ahora que nuestro país en todos los medios económicos y financieros del mundo está siendo elogiado por su recuperación. Sí, ahora comienza la batalla por la mala imagen.

El miedo ya se ha ido.

He leído que algunos periodistas dicen que Buenos Aires es una ciudad en guerra. ¿Vos creés seriamente que ellos han estado allí?, eso es imaginación."

Gente, abril de 1976 y 18 de marzo de 1978.

*Dora de Jaramillo**

MI MARIDO, LUIS ADOLFO JARAMILLO, trabajaba desde octubre de 1959 en la fábrica metalúrgica Saiar, aquí cerca, en Quilmes. Diecisiete años estuvo trabajando allí. Nosotros somos de nacionalidad chilena y nos vinimos a la Argentina con dos hijos y una de cinco meses en mi panza, poco después Luis entró en la fábrica.

El vino de Chile con ganas de seguir estudiando aquí, en la Argentina. Antes de conocerme a mí, de soltero, ya tenía pensado radicarse en este país. Cuando me conoció se quedó un año más en Chile, pero siempre con la idea de venir para poder estudiar. Mientras trabajaba en la fábrica hizo su secundario en un colegio de Avellaneda. Cuando lo terminó siguió estudiando en la Universidad Católica, en la Facultad de Artes y Ciencias Musicales, él era compositor de música clásica. Siempre dedicado a su música, a su trabajo y a su hogar. Era un hombre que no tenía vicios de nada, se pasó toda su vida estudiando, terminaba con una cosa y seguía con otra. Aquí están todavía sus diplomas de corte y confección, de sastrería, siempre aprendiendo algo; el último curso que estaba haciendo era de relojería y le

* En la entrevista con Dora participaron también cuatro de sus hijas: Mónica, Verónica, María Angélica y Ana María.

faltaban dos meses para terminarlo y recibirse, pero ya tenía trabajos de taller, arreglaba toda clase de relojes.

Pasaron los años y en 1976 ya teníamos seis chicos, la mayor, Mónica, que es discapacitada, y los otros cinco normales. Cuando mi marido desapareció, la más chiquita, Ana María, tenía dos meses. De la noche a la mañana mi marido desapareció.

Unos días antes de desaparecer se enfermó y se quedó en casa. Pedimos el médico de la empresa pero no vino, y le dieron parte de enfermo un viernes; el lunes siguiente volvimos a llamar pidiendo que mandaran al médico pero nos dijeron que tenía que presentarse en la fábrica porque ya habían preparado su indemnización. Hacía un tiempo que Luis se quería retirar de Saiar, pensábamos arreglarnos con sus trabajos de relojería y yo estaba estudiando peluquería, íbamos a hacer un localcito acá mismo, en casa. Así que él estaba tramitando su retiro de la fábrica, ellos le habían hecho una propuesta de dinero, pero él quería que le dieran lo que le correspondía. Y ese lunes cuando llamamos dijeron que se presentara, que estaba todo arreglado.

El 29 de noviembre de 1976 se fue a trabajar como de costumbre a las seis de la mañana, pero a las diez volvió a casa y, textuales palabras, me dijo: "Vieja, ya no pertenezco más a la fábrica Saiar". Yo me sorprendí un poco, pero me dijo que le iban a pagar a las tres de la tarde. Se quedó en casa, almorzó con nosotros, escuchó música y a eso de las tres menos diez, cambiado y afeitado, se fue a cobrar. Antes de salir de casa me dijo: "Yo no sé cómo me van a pagar, creo que van a ir a la Capital a retirar el dinero para pagarme, o me darán un cheque"; él tenía libreta del Banco Rural aquí, en la avenida Calchaquí, así que iba a depositarlo ahí, o en Varela, donde teníamos ahorros los dos. Recuerdo que también dijo que a más tardar a las cinco y media de la tarde regresaría. Cuando se fue los chicos ni se dieron cuenta porque estaban jugando, yo lo miraba desde la ventana, hizo dos o tres pasos y empezó a volver, como si me quisiera decir algo, pero después dio media vuelta y se fue.

Cuando pasó la tarde y no llegó, yo no me preocupé, pensé que se habría demorado con lo del banco y que tal vez llegó hasta la Capital a comprar unos repuestos de relojería que necesitaba. Pero pasaron las ocho, las nueve, las diez de la noche. A las doce yo ya estaba muy nerviosa, no sabía qué podía haber pasado. Ya me había acostado, pero me levanté y les dije a los chicos: "Papá no vino".

Empecé a ir y venir de la esquina, después llegaba hasta la casa de un compañero de la fábrica para preguntarle si sabía algo, pero antes de golpear la puerta me arrepentía porque era muy tarde y me volvía para acá pensando que seguro Luis había llegado, que lo iba a encontrar en casa. Finalmente me decidí y desperté al compañero, él me dijo que lo había visto en la fábrica a eso de las cuatro de la tarde, en la oficina de personal, y que le había dado la impresión de que estaba firmando algo, agachado sobre el escritorio, pero no sabía nada más. A las cinco de la mañana me fui a la fábrica pero allí no me recibió nadie, no había llegado el jefe de personal y el portero me dijo: "Sí, Jaramillo estuvo acá y se fue con bastantes palos...". Por el dinero, me lo dijo. A las nueve de la mañana volví y me recibió el jefe de personal, me aseguró que Jaramillo se había retirado de ahí a las cuatro y que le habían pagado en efectivo porque mi marido lo había pedido así. Que se había ido con su plata y que ya no sabían nada más de él.

Después pude saber, preguntando a la gente de por ahí, que ese día desde temprano habían visto andando por la zona una camioneta blanca con cuatro personas adentro; y que más tarde, a pocos metros de la fábrica, vieron cómo se bajaban tres y forzaban a un hombre vestido como mi marido y con anteojos ahumados como los de él a subir al vehículo. Me dijeron que lo llevaron rumbo al camino General Belgrano, hacia Lanús. Casi nadie quería hablar, pero preguntando e insistiendo me contaron que un sacerdote vio cómo se lo llevaban; nunca pudimos ubicarlo al padre ése, ni siquiera supimos su nombre. Así fuimos perdiendo pistas.

Lo único que hacíamos nosotras era salir en la mañana con mi hija, todos mis otros chicos quedaban solos en la casa; íbamos a preguntar a las cárceles, a Magdalena, a La Plata, adonde nos decían que podíamos averiguar algo íbamos. Había otra señora a la que también le habían llevado al hijo, Héctor Pérez, de la fábrica el mismo día que a mi marido, un poco más tarde. Recorrimos cielo y tierra con esa señora, pero nada. A Jaramillo y a Pérez se los había tragado la tierra.

Y bueno, había quedado con la más chiquita de dos meses de edad, desamparada totalmente porque Luis cobraba por quincena y aquí en casa no teníamos ni monedas, tanto fue así que la gente del barrio hacía partidos de fútbol y juntaba un poco de plata para darnos para comer y para que yo viajara a buscarlo a él. Los vecinos nos traían alimentos, cosas, porque habíamos quedado totalmente desamparados; Lucho, nuestro hijo mayor, tenía dieciocho años. Después, gracias a Dios, yo empecé a trabajar, aunque tenía que dejar solos a los más chiquitos.

El caso de mi marido lo llevé al Movimiento Ecuménico por los Derechos Humanos (Medh) y ahí también me dieron trabajo, estuve casi catorce años trabajando en la sede de ellos. Siempre hacíamos hábeas corpus, denuncias, averiguaciones, pero pasaron años y años sin saber nada de nada. Un día uno de los chicos del Equipo Argentino de Antropología Forense que trabajaba en el Medh, en el mismo lugar que yo, me dijo que les llevara todo lo que tuviera de mi esposo.

Yo siempre me resistí porque nunca quería saber lo peor. La idea mía era siempre que Luis llegara a casa y que encontrara a sus hijos como él quería y todo en orden como él lo había dejado. Tanto me había entrado esto en la cabeza que yo no quería que ninguna de mis hijas se me casara. La idea mía era que Luis iba a llegar a casa, y me parecía mal cuando yo sabía que una de mis hijas tenía novio: "Eso no es lo que nosotros queríamos", les decía yo. Me había aferrado tanto a mis hijos.

Hasta que un día, después de mucho pensarlo, me dije que bueno, que de alguna manera tenía que encontrarlo, ya sea para bien o para mal. Ese día, cuando bajó una de las chicas del Medh al piso donde yo estaba, le pregunté qué tenía que hacer para saber la verdad. Ella,

Noemí se llama, me dijo que llevara todo lo que tenía, documentación, radiografías, ficha dental. Y yo tenía de todo, hasta una prótesis con un diente que le faltaba a mi esposo y que ese día olvidó ponerse cuando salió para la fábrica.

Ya no recuerdo cuánto tiempo pasó desde que yo le entregué todo a los antropólogos hasta que supe la noticia de que lo habían encontrado. Dos, tres años, o más. Las fechas se me van de la cabeza.

Nosotros mucho antes ya habíamos tenido noticias de que a mi esposo lo habían tenido en Avellaneda, en la Brigada de Investigaciones de Lanús, que está en el centro de Avellaneda. Los detenidos escuchaban los gritos que les llegaban desde la cancha que estaba allí cerca. Esto lo supimos por otra persona que dejaron en libertad y ella fue la que avisó que Pérez, Jaramillo y Carrizo, los tres obreros de Saiar, habían estado en ese lugar. Pasaron la primera Navidad allí, no les daban ni agua para tomar; uno de los detenidos cuando podía les acercaba agua que juntaba en un zapato para que no murieran de sed.

Sí, noticias tuvimos muchas. También nos dijeron que a mi marido lo habían llevado a interrogarlo y que se le había caído la venda de los ojos y había reconocido entre los que lo interrogaban a alguien de la empresa, de la jefatura de personal de la fábrica. Eso fue lo que pasó, que reconoció a uno, porque a él no le encontraban nada de nada, él no era ni delegado, ni político, ni nada de nada, siempre le habían hablado los compañeros para que fuera el delegado y él nunca quiso. Él armaba los calentadores de los calefones, era un obrero metalúrgico que hacía muy bien su trabajo. Pero ya tenía ganas de irse de la fábrica y seguir en casa con el taller de relojería. Era un hombre que a las seis de la mañana entraba a la fábrica y a las tres y media de la tarde ya estaba en casa. Ni comía en la empresa, comía cuando llegaba aquí. Si hubiera andado en macanas no hubiera sido así, él no salía ni sábados ni domingos, no era tipo de ir a la cancha, nada. Por eso a mí no me cabe en la cabeza.

Cuando yo les entregué las cosas de mi esposo, los antropólogos estaban trabajando en el cementerio de Avellaneda, allí lo ubicaron a Jaramillo. En una fosa común donde había como trescientos cadáveres NN. Claro, con todo lo que yo les había dado, con las radiografías, con la prótesis dental, se pudo comprobar que era él. Pero yo no pensaba que iban a encontrarlo así. Así no. Siempre tuve la esperanza de volver a verlo con vida.

Además habían hecho circular muchos rumores de que él había aparecido, y algunos compañeros de la fábrica venían a casa a preguntar si eso era cierto. Después supimos que era la empresa la que hacía correr los rumores. También decían que se había ido a Chile. Viajé a Chile con mi hija y, claro, no lo encontramos. Me dijeron en la fábrica que no lo esperara más porque él se había ido con otra mujer. Inventaban de todo para despistar.

Y bueno, así fue la vida, yo nunca había trabajado, con tanto chico qué iba a trabajar si apenas tenía tiempo para cuidarlos a ellos. Por suerte, al tiempo de la desaparición conseguí trabajo.

MARÍA ANGÉLICA: No, pero después de la desaparición de papá, mamá estuvo muy mal, estuvo internada.

DORA: Sí, a mí me pasó que yo fui perdiendo la noción del tiempo. Mi esposo desapareció y yo empecé a no comer y a no dormir. Salía con mi hija Verónica desde la mañana temprano a buscarlo, a preguntar. También con la mamá del otro chico desaparecido; salíamos así, sin rumbo, recorrimos tanto que casi ya no recuerdo; comisarías, brigadas, la Armada, la cárcel de Caseros, todas las cárceles. Me acuerdo cuando nos abrían esas semejantes puertas y nos hacían pasar y cerraban los candados, ¡pum!, esos ruidos. Eran filas y filas de personas preguntando, y como tenían ficheros empezaban a hojear y se detenían en una ficha, y me miraban, y volvían a mirar la ficha, y otra vez a mí. Era una desesperación de uno, un dolor tan grande, porque parecía que esa ficha que iban a levantar era para decir "acá está". Lo hacían a propósito, se divertían con nuestro sufrimiento. Y las revisaciones que nos hacían para dejarnos pasar. La humillación que soportábamos para que al final la respuesta fuera siempre la misma, nadie sabía nada.

Así fui cayendo en un pozo de depresión y perdí la noción del tiempo. Me acuerdo que habían pasado meses y yo recién les pregunté a los chicos: "¿Cuánto tiempo hace que desapareció papá?". Tres meses mamá, me dijeron.

Yo caía y caía, hasta que me internaron en el Melchor Romero para hacerme la cura de sueño, porque no dormía y no comía. A veces me levantaba y empezaba a correr de punta a punta acá adentro, como saltando, como volando en el aire. Además me quisieron sacar a las chicas, a mis hijas, porque, como yo no las podía atender, una de las vecinas de la cuadra llamó a una asistente social; ese día me querían llevar a internar y no me podían sacar de la casa, yo echaba a los médicos, a las vecinas, con tal de no separarme de mis hijos, me aferraba a cualquier cosa. Pero tenían que internarme, yo estaba muy mal, a Ana María que tenía meses la agarraba, me la ponían así en los brazos, y sentía como si fuera un animalito, me pesaba y la apretaba contra mi cuerpo pero no le podía ni dar el pecho de lo mal que yo estaba. Me tenían que abrir los brazos y sacármela a la fuerza porque no la quería soltar. Pero para mí no era una bebé, era un animalito que me ponían en los brazos. No sé, no recuerdo cómo hicieron para sacarme de acá, para internarme. Sólo recuerdo que en el Melchor Romero me dieron una pastilla que yo no quería tomar por nada del mundo, para mí era algo enorme que me querían hacer tragar. Cuando me pusieron el suero yo sentí que era un animal, un perro que me estaba mordiendo y salí corriendo, arrastré todo, me llevé a todos por delante. No sé, sentía que me estaban crucificando, sentía que me clavaban las manos y los pies y que por los poros lo que me salía era sangre. Estaba mal yo. No pasaba nada de eso, pero mi cabeza sentía así. De noche en casa me acostaba y escuchaba miles de pollitos que piaban y piaban. Y pájaros que me atacaban. Sí. Pájaros grandes que me arrancaban todo, me arañaban. Tantas cosas más podría decir que pasaban por mi cabeza. Después de que me hicieron la cura de sueño pude dormir y mejoré. No sé cuánto estuve ahí internada, unos días, no sé.

MARÍA ANGÉLICA: La cura de sueño fue efectiva, ella salió más tranquila, con medicación, y empezó a reponerse.

DORA: Sí, Trapax me daban, las pastillas enteras, y me pasaba todo el día tirada. Pero cuando me quedaban poquitas pastillas yo me volvía loca, decía: "¿Qué tomo ahora?". Sin eso no podía dormir, no podía nada. Un día dije basta, esto no puede ser, y empecé a partir las pastillas en pedazos y cada vez tomaba menos, hoy la mitad, mañana un cuarto y así. Hasta que las tiré todas. Y nunca más. Nunca más tomé nada.

Lo único que yo le pedía a Dios era que me diera vida y fuerzas para criar a mis hijos, porque eran seis que estaban dando vueltas solos. Gracias a Dios que las madrinas se hicieron cargo de ellos y los tuvieron y los atendieron mientras yo estaba tan mal. Por eso hoy los tengo a todos, si no, yo no tendría ni a mis hijos.

VERÓNICA: Las asistentes sociales nos querían llevar a todos porque yo, que tenía diecisiete años, cuidaba a los demás, pero como era menor de edad también, dijeron que no podía hacerme responsable. Por eso llamé a las madrinas que se hicieron cargo de todo hasta que mamá estuvo mejor.

DORA: De a poquito empecé a juntar fuerzas después de la internación y me devolvieron a los chicos. Primero cosía acá, me daban para coser pantalones, camisas. Pero después nos fuimos Verónica y yo a trabajar al Medh directamente y cosíamos allí, la coordinadora nos daba para hacer ropa de chicos, delantales. También hice de cocinera. A mí me hizo muy bien trabajar allí, a veces yo pensaba cuando llegaban los familiares con sus denuncias que lo mío no había sido lo peor, porque habían desaparecido familias enteras, hermanos, padres, hijos, todos. Los secuestros, las torturas, toda la destrucción.

VERÓNICA: Nosotros por lo menos habíamos quedado todos los hermanos juntos con mamá.

DORA: Pero cuando los antropólogos encontraron a mi marido yo no lo quería aceptar de ninguna manera, yo lo quería encontrar vivo. Lo hice buscar para que mis hijos nunca dijeran que yo no había hecho absolutamente nada, pero el dolor que habíamos pasado y todos los esfuerzos que habíamos hecho no eran para encontrar lo que encontramos. Queríamos que apareciera, que todos los desaparecidos aparecieran, pero no de esa manera. Si lo hice buscar fue por mis hijos, porque les habían sacado al padre y ellos lo necesitaban.

MARÍA ANGÉLICA: En realidad uno siente impotencia, desesperación, bronca. Cuando nos enteramos de que lo habían encontrado así yo sentía bronca, me sentía impotente por no haber podido hacer nada, por haber sido tan chica. La que más soportó los peores momentos fue Verónica, que por ser la mayor se hizo cargo de todo, especialmente cuando mamá estuvo tan mal. Ella no lloraba nunca, se tragaba los nervios, nos cuidaba, nos llevaba al colegio, se fijaba en los cuadernos, se ocupaba de que comiéramos. Se brotaba toda de los nervios, pero no lloraba. Fue la que llevó la carga más pesada. Mónica también ayudaba mucho, pero Verónica fue la que más soportó y aguantó sin llorar, y eso no le hacía bien.

VERÓNICA: A mí me hizo muy bien estar en el Medh, participar en las marchas, en las denuncias, conocer los testimonios de muchos ex detenidos, saber las cosas terribles que habían pasado, los castigos. Creo que por pensar fueron castigados. Creo que fueron perseguidos, torturados, asesinados por pensar, por defender ideales. Y mi papá también tenía su ideal. El defendía la justicia, el salario, la dignidad. Ése fue su ideal. Si murió por eso fue por una causa justa. En la fábrica él no tenía la función de delegado pero defendía su salario y el de sus compañeros, ellos lo consultaban porque era mayor y tenía experiencia. No se dejó pisotear nunca y no permitió que pisotearan a los otros trabajadores. Nunca fue injusto con los demás y tampoco permitió que los demás fueran injustos con él. Creo que ésa es una buena enseñanza que nos dejó.

MARÍA ANGÉLICA: Ahora estamos todos crecidos, ya somos grandes, pero esto no quedó atrás, es como que siempre queda ahí y está ahí, en cada día que uno vive, en cada día que uno piensa en él. Papá siempre está presente, y también está presente lo que le pasó. Nada se ha olvidado, y se sufre tal vez igual que en ese tiempo. Se sufre igual. Se siente igual. No ha cambiado el sentimiento, ni tampoco la bronca.

VERÓNICA: No ha cambiado porque no hay justicia, porque no hubo justicia con los asesinos. Nosotros tenemos, por los estudios de los antropólogos en los restos, el testimonio de cómo fue asesinado papá. En la forma que le entraron las balas, cuantos tiros le dieron, el tiempo que estuvo secuestrado y sufriendo. El tiempo en que lo mataron que fue corto, pero el dolor debe haber sido muy grande por escaso que haya sido ese tiempo, por rápido que lo hayan asesinado. Esas balas que lo fueron matando y que le entraron por la espalda. Y otra de remate, en el mentón. Sin haber tenido ningún derecho a defenderse. Todo eso todavía no fue castigado como tendría que haber sido. Ése es el dolor que queda. Es la impotencia de no poder hacer nada. Te lo entregaron muerto, lo encontraron muerto, y qué más vas a hacer. Se te termina una etapa. Y después qué. El perdón y el olvido. No. Nosotros no podemos perdonarlos. Pero hicieron las cosas de esa manera: perdón y olvido. Te atan las manos y no podés hacer nada más. Si hoy día, después de más de veinte años, recién se está pudiendo saber la verdad. Recién ahora quizá se está empezando a hacer justicia con Videla preso; tenemos que estar todos unidos para eso. No hay olvido.

DORA: Yo veo la reacción de la gente, a veces dicen: "Recién ahora se acuerdan de ponerlos presos", pero a cada uno le llega su tiempo. Yo pienso que una no puede olvidar nunca lo que pasó, si bien tampoco puede andar todo el día recordándolo porque se vuelve loca. Ellos hicieron lo que hicieron y cómo no van a pagar por lo que hicieron. A mí se me ocurre que lo que a tantas familias les pasó no lo van a olvidar nunca, nunca. No eran animalitos o plantas que una puede olvidar. Eran seres humanos. Más todavía cuando sabemos cómo los hicieron sufrir, cómo los mataron y por qué.

MARÍA ANGÉLICA: Para mí no es castigo el de Videla. Para mí no hay castigo en esta tierra que pueda otorgarles el perdón. No es suficiente el castigo para ellos. En esta tierra no lo hay, no sé si en la otra vida serán castigados, adónde irán, pero para mí no hay nada, no hay nada que los pueda castigar. Así los maten, así los manden presos, así se quemen el resto de la eternidad en el infierno. No. Para mí no hay nada. Causaron demasiado sufrimiento. Videla está preso. Y adónde está preso, ¿entre todos los presos? No. Está como un señor bien. Mirando televisión, bañándose con agua caliente, recibiendo la visita de su familia.

DORA: Tenemos que ser justos, lo que nos pasó a nosotros y a tantas familias más es irremediable, pero también tengo que reconocer que yo he recibido mucha ayuda, gracias a Dios. Todos ellos han podido estudiar porque me los becaron y eso para mí es muy importante. Marisa, que hoy no está aquí, también estudió, ahora trabaja en un estudio jurídico, y yo me siento satisfecha porque ésa era la idea del padre, que estudiaran. Los que no quisieron seguir haciéndolo fue por una elección, no por una imposibilidad. Ana María no quiso ir a la facultad después de terminar el secundario. No todos terminaron, pero tuvieron la oportunidad de hacerlo. Y Mónica está queriendo terminar su secundario.

MÓNICA: Quiero terminar mi bachillerato, hace mucho tiempo que lo tengo postergado, debo materias de tercero y cuarto año y me falta quinto. Siempre soñé con poder terminarlo, pero con todo lo que me pasó...

DORA: Lo que pasa es que Mónica tuvo muchos problemas, fue la que más dificultades sufrió, después de lo de mi esposo estuvo varias veces internada. Y algunos de mis nietos también estuvieron mal, mucho tiempo después, sobre todo cuando los antropólogos encontraron los restos.

MARÍA ANGÉLICA: Hay un hijo de nuestro hermano Lucho que tiene diecisiete años y que estuvo muy mal, con depresiones y con la idea fija de que como se llama igual que papá a él le iba a pasar lo mismo, que lo iban a matar.

VERÓNICA: Sí, nuestros hijos por todo lo que escucharon y por lo que vivieron con la búsqueda de los antropólogos tienen miedo de volver a sufrir, de que la historia se repita y suceda lo mismo, miedo de ser ellos esta vez los protagonistas. Son las secuelas terribles que les han quedado.

DORA: Y Mónica no sé cuántos años hace que está con psiquiatra, hace un año estuvo mucho tiempo internada. Como era la que se quedaba en casa cuando nosotras salíamos a trabajar, su cabeza empezó a andar mal, además ella estaba muy aferrada a su papá.

MÓNICA: Yo me siento como que hubiera estado presintiendo lo que iba a pasar, siempre recuerdo la última imagen de él, alejándose con sus lentes ahumados. A mí me saludó antes de irse. Y siempre, siempre lo tengo en mi cabeza, y el Día del Padre más. En vez de salir adelante parece que me hundo en un pozo, me vienen las depresiones y voy a parar a estos lugares de donde siempre entra y sale gente, y ahí busco, propongo nuevas ideas. Quedo un tiempo internada, luego salgo, y tarde o temprano vuelvo al pozo depresivo. Así es mi vida constantemente.

MARÍA ANGÉLICA: Todo fue terriblemente difícil para nosotros porque quedamos sin nada, muy desamparados, sin papá. Pero él había sido tan querido en el barrio y tan conocido, que creo que por eso mismo fueron tan solidarios con nosotros. Él formaba parte de la cooperadora de la escuela, ayudaba en todo lo que podía, siempre se lo conoció a mi papá como una buena persona. Así que el barrio mismo tuvo la iniciativa de ayudarnos, el carnicero nos daba la carne, el lechero la leche, el panadero el pan; organizaban partidos de fútbol y juntaban plata para darnos, para que mamá siguiera haciendo trámites tratando de encontrar a papá.

DORA: Qué días aquellos. Uno salía de la casa y no sabía si volvía. Pero la solidaridad para con nosotros fue muy grande, gracias a Dios. Incluso el día del sepelio de Jaramillo.

VERÓNICA: Cuando los antropólogos terminaron de identificar a papá, preparamos el sepelio y se les avisó a todos los compañeros de esa época, a la gente del barrio que lo conoció. Fue impresionante ese día la gente que vino, gente de la fábrica que jamás habíamos visto, algunos lo habían conocido, pero otros más jóvenes sabían de él por lo que les contaron los más viejos y vinieron también.

DORA: Tanta gente vino ese día al cementerio de Ezpeleta, y habló el padre Luis Farinello que hizo la misa, y el padre Daniel que era de la parroquia de aquí, y el "Barba" Gutiérrez que había sido delegado y compañero de mi esposo en Saiar.

VERÓNICA: Una escuchó durante tantos años y con tanto dolor eso de "si se lo llevaron por algo será", y eso a una la hace sentir tan mal, porque aunque hubieran sido activistas políticos tenían derecho a tener sus ideas, pero no habían hecho nada malo, no es malo tener ideas. Defender los ideales es un derecho de todos los seres humanos, por eso me parece válido lo que se haga por la memoria de muchos que cayeron tan injustamente.

MARÍA ANGÉLICA: Después de que supimos todo lo que había pasado con papá le iniciamos juicio al Estado, más que nada por mamá que padeció tantas penurias, creemos que merece estar mejor económicamente, a los sesenta años todavía está limpiando por hora en una casa, en Quilmes, y sólo tiene trabajo una vez por semana. A su edad hay muy pocas posibilidades de conseguir trabajo, no hay para los jóvenes, menos todavía para las personas mayores.

MÓNICA: Yo quiero contar algunas cosas que me pasaron con los psiquiatras que me atendieron; cuando yo hablaba de mi papá me contestaban: "Bueno, eso ya pasó. Ahora tenés que buscar otra salida para poder avanzar". Siempre tratando de retacear lo que pasó, procurando que todo quede en el olvido. No. Me hace sentir tan mal, tan mal cuando me dicen eso. Tal vez me quieren ayudar, pero yo no lo siento así. Tuve muchísimos psiquiatras y todos me preguntaban: "¿Para qué querés saber quién fue?", como que yo ando buscando quién le hizo eso a mi papá. Ése es el dolor que a uno le queda después de tanto tiempo y tanta lucha, y se pone a pensar. Yo me digo, si a papá lo vi partir por qué no lo retuve, si yo sentía algo, si tenía un mal presentimiento. Yo tendría que haberle dicho no te vayas, quedáte.

DORA: Es que uno jamás hubiera pensado que iba a pasar eso, si él no estaba haciendo nada malo. Después ya fue tarde, por más que se hizo no se los pudo salvar, íbamos a todos lados, a las Madres de Plaza de Mayo.

MARÍA ANGÉLICA: Hay algo que siempre me llamaba la atención a mí, mamá decía que tenía que ir a hacer trámites y que tenía que ir a hablar con las Madres, y yo decía por qué con las Madres, por qué si papá no es el hijo de ella que desapareció, por qué no hay un lugar para las esposas. Yo era muy chica, mucho no entendía, pero eso me llamaba la atención. Yo decía, las madres buscan a sus hijos, y las esposas a sus esposos, por qué mamá no irá al lugar donde se buscan a los esposos, ¿no estará equivocada? Ahora, de grande, me parece que quedó un vacío con las esposas, ahora están los Hijos y ellos sí tienen su propio lugar.

DORA: Yo pienso que debe haber sido un poco que nadie se preocupó por eso, todo fue una cosa tan terrible que se atinó a lo más rápido. Las Madres de Plaza de Mayo salieron a buscar a sus hijos y ahí nació la cosa, y lo que menos nos preocupaba fue pensar en nosotras mismas, en nuclearnos así. Para ellas eran los hijos y nosotras las seguíamos, y una estaba tan preocupada en buscar al esposo y en mantener a los hijos que no quedaba tiempo ni para pensar. Pero nunca es tarde, hoy están todos los hijos que quedaron en ese entonces chiquitos, hoy ya saben pensar y se han organizado en Hijos. Los míos no han ido allí, pero eso es algo que tiene que salir de ellos, ellos han participado mucho de todos modos y a lo largo de tantos años, en marchas, en el Medh.

VERÓNICA: Durante muchísimos años participamos con las Madres, con la Asamblea, con el Medh y con todos los organismos de derechos humanos. Después, cuando lo encontraron a mi papá, me empecé a preguntar en qué lugar encajamos en este momento nosotros: englobados en todo para pedir justicia.

DORA: Es que una tenía tanto miedo en esa época, cuanto más sabía lo que pasaba, más miedo sentía, salía de la casa y no sabía si regresaba. Pero esto es algo que nunca se olvida, como nunca se olvida a la persona que nos sacaron. Acá mi esposo está presente todos los días, aquí, en esta casa, entre nosotros.

VERÓNICA: Esto es tan así que yo todavía no puedo ir al cementerio, lo siento tan vivo a papá que no puedo ir al cementerio y estar ahí, frente a esa tumba helada. Lo recuerdo vivo, con las cosas positivas que él nos dio.

MARÍA ANGÉLICA: Yo soy diferente, lo recuerdo todos los días, pero el domingo pasado fui al cementerio. Cada uno tiene que hacer de acuerdo a lo que siente.

VERÓNICA: Claro, no puedo ir presionada por los demás. No quiero ir a un lugar donde me voy a sentir mal. Lo de él lo recuerdo, para mí está presente conmigo siempre. Papá fue un buen marido, un mejor padre y es un buen abuelo, porque a nuestros hijos, siete nietos tendría, siempre estamos diciéndoles: "Tu abuelo decía que...", o: "Si tu abuelo estuviera no permitiría que...". Creo que todos pueden decir que tienen un excelente abuelo.

DORA: Él soñaba tantas cosas para sus hijos. Quería construir aquí arriba, un piso para cada hijo. "Vamos a construir, vieja", me decía. Ahora esto está renovado, nosotros vivíamos en una casillita de madera y con los años tuve que ir levantando paredes de material porque se fue pudriendo. Pero aquí hay muchas cosas que él había hecho y que nosotros conservamos. Quería construir y estaba averiguando cómo hacerlo con el famoso plan Eva del Banco Hipotecario; decía que nosotros íbamos a vivir abajo porque ya íbamos a estar viejos, y en cada piso un hijo. Una torre íbamos a hacer. La idea de él era seguir siempre todos juntos. Y me decía: "Cuando las chicas sean grandes me voy a poner atrás de la ligustrina a vigilarlas con los novios, les voy a dar yo a los novios".

MARÍA ANGÉLICA: Claro, él iba a construir departamentos para todas las hijas solteras... Muy seguido recuerdo los momentos posteriores a la desaparición de papá y todavía me parece irreal lo que nos pasó. Cómo nos sentíamos... éramos chicas, unas nenas. Sabíamos que papá no estaba. Llorábamos. Me acuerdo que mi grito era ahogado, me iba a llorar afuera, enloquecida. A veces quería abrazarme a Verónica que era la que aparentaba mayor fortaleza, y ella, seria, me empujaba y me decía: "Ponéte firme y sé fuerte, como tengo que ser yo". Y tenía que comerme el llanto. Creo que cada una de nosotras lo vivió de forma diferente, es la misma historia, pero la manera de sentirlo de cada una es distinta. Yo soy la única que volvió a ver a mi papá. Unos días después de que se lo llevaron yo estaba jugando aquí, en la esquina, estaba jugando a saltar unas ruedas que había tiradas, y vi venir de contramano un auto celeste, no sé la marca porque yo era chica, nueve años tenía, y mi papá venía sentado adelante, del lado del acompañante, con su traje oscuro y los lentes ahumados que él usaba, atrás iban otros dos hombres. Vi que papá miró y dio vuelta la cabeza. Pero yo juro por Dios que era él el que iba en ese auto. Juro que era mi papá.

Bosques, 25 de junio de 1998.

DESAPARECIDO
LUIS ADOLFO JARAMILLO
29 DE NOVIEMBRE DE 1976*

* Sus restos fueron encontrados por el Equipo Argentino de Antropología Forense en una fosa común del cementerio de Avellaneda, en octubre de 1990. El 16 de marzo de 1991 su familia le dio sepultura en el cementerio de Ezpeleta.

HABLÓ EL GRAL. LIENDO A LOS TRABAJADORES

"A los treinta y ocho días de gobierno militar, en mi primer contacto oficial, con el pueblo trabajador, quiero expresar mi orientación sobre cinco aspectos fundamentales:

"– El primero, referido a la participación del sector gremial en este proceso.

"– El segundo, relacionado a las leyes que rigen las actividades del campo sindical.

"– El tercero, a la política que posibilitará la normalización de la estructura gremial.

"– El cuarto, a la política de ingreso, y

"– El quinto, a la subversión en el ámbito fabril.

"Con relación al primer punto –esto es, la participación del sector gremial en este proceso– es evidente que el aporte del capital y del trabajo al proceso es de suma importancia y que, de la magnitud del mismo, dependerá en mucho, su consolidación y luego el logro de los objetivos previstos.

"De aquí que el movimiento obrero no podrá marginarse ni retacear su participación.

"El punto de partida insoslayable para esta participación –quede bien claro– es la toma de conciencia de la propia responsabilidad como sector protagónico en el quehacer nacional. Esta toma de conciencia de la propia responsabilidad, habrá de ponerse de manifiesto superando divisiones, corrigiendo deformaciones y rechazando soluciones demagógicas, es decir, las soluciones fáciles.

"Tendrá como base de sustentación la convicción del gobierno de que una auténtica y equitativa justicia es la condición primaria para una efectiva colaboración y por parte de los trabajadores la certeza de que los derechos y conquistas sociales genuinos serán mantenidos y mejorados. (...)

"Referido a las disposiciones legales que encuadran la actividad y estructura gremial, su revisión no tiene en modo alguno como objetivo lesionar el principio protectorio ínsito en el derecho laboral, ni cercenar ningún derecho inalienable del trabajador. (...) La modificación a la ley de Contrato de Trabajo sancionada por el Excelentísimo

Señor Presidente de la Nación y de reciente publicación, es testimonio fiel y concreto de lo manifestado.

"Con esta misma orientación y profundidad de miras, el Ministro de Trabajo continuará con los estudios y elaboración de proyectos de otras actividades relacionadas con el área laboral, a efectos de reglamentar adecuadamente:

"– El derecho de huelga, suspendido transitoriamente por el gobierno militar por ley número 21.261.

"– El régimen de trabajo rural.

"– La regulación de los estatutos legales especiales de trabajo.

"Todo ello con la finalidad de concretar un código de trabajo tantas veces postergado.

"Asimismo, se efectuará la revisión de las disposiciones relativas a las finanzas que manejan las asociaciones profesionales y la propia ley de asociaciones profesionales.

"Respecto a la política de normalización de la estructura gremial, debo señalar que la etapa que se inició el 28 de abril último con la nueva conducción militar a cargo de la Confederación General del Trabajo, posibilitará concretar la renovación y reorganización de la dirigencia obrera y de las asociaciones profesionales y del nivel superior de la estructura sindical.

"La concreción de esta tarea estará dirigida por el interventor militar asistido por un equipo integrado por personal militar superior de las tres fuerzas, la colaboración de los interventores militares en las asociaciones profesionales y los consejos directivos de aquéllas no intervenidas.

"El Ministerio de Trabajo considera que, salvo algunos casos particulares, con la actual situación de asociaciones intervenidas y no intervenidas, se está en condiciones de iniciar esta etapa de renovación y reorganización. Etapa que deberá asegurar la instauración de un sindicalismo representativo, ajustado a sus fines, específicos, con el objeto de conformar un movimiento obrero unificado, capacitado, de inspiración nacional, con criterio independiente y sirviendo a los altos intereses del país.

"El ejercicio pleno de la democracia interna, posibilitará el acceso a la conducción gremial, de los dirigentes auténticos, que harán realidad lo anteriormente expresado. (...)

"Relacionado con la política de ingresos, deseo recordar que, en la situación configurada en el país a partir del 24 de marzo, el Estado ha asumido la conducción de la política salarial, sin excepciones de ninguna naturaleza.

"Esta política se basa en una retribución justa, excluyendo prácticas inflacionarias, individuales o sectoriales. (...)

"Pero debemos entender que la situación del país, hasta que se normalice, exige sacrificios sobre una base de justicia y no afectando a un solo sector sino a todos en forma equitativa. Y si hubiese alguno, que debe absorber una mayor cuota de sacrificio, ese sector es el propio Estado.

"Para el ejercicio de esta responsabilidad asumida por el gobierno, se instrumentarán los procedimientos necesarios que posibiliten, no sólo concurrir en sostén del sector asalariado sino también para solucionar, cuando corresponda, las diferencias que existen entre los salarios de los propios trabajadores.

"La intención o eventual decisión de algunos sectores empresarios en el sentido de otorgar aumentos unilaterales, se considera incompatible con los lineamientos trazados por el programa económico del gobierno nacional.

"En consecuencia, las actitudes empresarias, en el sentido indicado, en lugar de medidas que contengan el alza injustificada de precios y sus consiguientes márgenes de utilidad no hacen sino agravar el panorama general, ampliando innecesariamente los plazos en los cuales se debe alcanzar la estabilización de precios.

"Este tema tan acuciante para la población argentina no puede ser marginado por el capital.

"El empresariado, pese a que también ha sufrido las consecuencias de una catastrófica conducción económica debe, no obstante, afrontar las exigencias de esta emergencia nacional con patriotismo y gran sentido de responsabilidad, sus programas de recuperación, que contribuirán al logro del bienestar general, deberán ajustarse a plazos razonables y que contemplen la difícil situación por la que atraviesa el país.

"Respecto a la subversión en el ámbito fabril, sabemos que ella intenta desarrollar una intensa y activa campaña de terrorismo e intimidación a nivel del sector laboral.

"Nadie debe dudar de cuáles son sus objetivos: la destrucción de la nación, la paralización del aparato productor, la instauración de una dictadura marxista y la negación del ser nacional.

"Es necesario conocer el modo de actuar de la subversión fabril, para combatirla y destruirla.

"Ella se manifiesta por alguno de los procedimientos siguientes:

"– El adoctrinamiento individual y de grupos para la conquista de las bases obreras, colocándose a la cabeza de falsas reivindicaciones de este sector.

"– La creación de conflictos artificiales para lograr el enfrentamiento con los dirigentes empresarios y el desprestigio de los auténticos dirigentes obreros.

"– El sabotaje a la producción, la intimidación, secuestro y asesinato de obreros y empresarios que se opongan a sus fines.

"– Los ejecutores de este accionar son agentes infiltrados y activistas perfectamente diferenciables de los verdaderos delegados que ejercen la representación gremial de sus mandatarios.

"Frente a ello el gobierno y las Fuerzas Armadas han comprometido sus medios y su máximo esfuerzo para garantizar la libertad de trabajo, la seguridad familiar e individual de empresarios y trabajadores y el aniquilamiento de ese enemigo de todos.

"Pero cabe la reflexión que aquellos que se apartan del normal desarrollo del proceso buscando el beneficio individual o sectorial, se convierten en cómplices de esa subversión que debemos destruir, lo mismo que quienes no se atreven a asumir las responsabilidades que esta situación impone.

"Por todo ello, en este difícil campo de lucha, la consigna es: para el obrero, no prestarse al juego de la subversión. Para el empresario, asumir plenamente sus responsabilidades.

"Finalmente, deseo expresar que, como todo miembro de las Fuerzas Armadas, con muchos años de servicios militares cumplidos en todas las latitudes de la patria, he podido apreciar la calidad humana, profesional, técnica y manual de nuestro pueblo, reconocida y reclamada además en diferentes partes del mundo. Ello me indica claramente que tenemos la herramienta fundamental para llevar adelante este proceso: el hombre argentino."

***La Nación,* 2 de mayo de 1976.**

Lilia Mannuwal (Lucía)

EL NOMBRE DE MI COMPAÑERO era Ricardo Miguel Ángel Morello, de apodo: Lucho, militaba y fue responsable de la JP (Juventud Peronista) de la zona sur, y con el paso de los años fue dirigente del Partido Peronista Auténtico.

Hoy, que es 1° de julio, recuerdo aquel 1° de julio del 74, cuando estuvimos tres días sin dormir para poder despedirlo al Viejo, bajo la lluvia, haciendo cola con Carlitos Caride, al frente de la Columna Sur y con otros compañeros nuestros, y llegamos a verlo; creo que después de que pasamos nosotros ya no dejaron entrar más gente, aunque la fila seguía, larguísima. Ése fue el primer día que lo vi llorar a Lucho, cuando bajábamos las escalinatas del Congreso de la Nación se puso a llorar y me dijo: "Petisa, se acabó todo". Hacía mucho frío, llovía y veíamos venir lo peor.

Yo empecé a militar en el año 1969 o 1970, en Montoneros, y Lucho, que venía de las FAP (Fuerzas Armadas Peronistas), en el 73 se pasó a Montoneros. Nos conocimos militando aquí, en los barrios de zona sur, en Quilmes. Yo tenía dos hijos y estaba sola, poco después nos fuimos a vivir juntos a Avellaneda.

En esa época él aparecía mucho en la revista *El Descamisado*, sobre todo cuando ocurrieron algunas de las primeras muertes de la Triple A (Alianza Argentina Anticomunista) en Quilmes, de el Roña y el Gringo, con ellos estaba Carlitos Bagletto, que sobrevivió; tuvimos que dejar el barrio porque había mucha militancia y todo el mundo leía *El Desca*, nos tenían muy marcados y ya ni siquiera podíamos dormir porque pensábamos que en cualquier momento una bomba nos volaba la casa. A partir de ahí empezamos a peregrinar de casa en casa, después vino el golpe y todo lo demás. Así vivimos casi cuatro años.

En marzo de 1977 estábamos viviendo en una casa prestada, amontonados con los chicos, y lo que más queríamos en ese momento era un poco de estabilidad, mis hijos cambiaban de escuela a cada rato. Teníamos la idea de poder meternos en un terreno, armar una casita y tratar de dedicarle un cachito de tiempo a consolidar la familia. Los chicos tenían siete y ocho años, y pensábamos que el tema de la represión iba a ser terrible, así que, sin dejar de militar, queríamos dedicar tiempo a consolidarnos como familia. Conseguimos comprar un terreno en cuotas en Temperley, en la calle Pasco, cerca de las vías; la compra la hicimos con un compañero que usó sus documentos. Levantamos una piecita, cocina y baño, preparamos los cimientos y nos pusimos a buscar una casilla para llevar allí. Encontramos la casilla y había que desarmarla y trasladarla al terreno. Los chicos trabajaron mucho con nosotros, nos levantábamos temprano y salíamos a trabajar en el pedazo de tierra. En esos cimientos habíamos depositado todo. Toda la esperanza de poder sobrevivir en ese cachito de tierra, donde también había un pino tremendo, hermoso. Lucho, los chicos y yo estuvimos dos días para desarmar la casilla, clavo por clavo; tengo muy presente un día que Lucho estaba parado arriba del techo con la cara llena de brea, de tierra, con todos los pelos parados, y yo lo miré desde abajo, y nos reíamos, los ojos celestes le saltaban de contento. Nos reíamos los dos sin saber de qué, yo con una bolsita con clavos en una mano y el martillo en la otra, sucia también. Pero era como decirnos que, bueno, que ya faltaba poco para vivir como queríamos, eso nos daba alegría.

Al día siguiente, el 17 de marzo, Lucho se fue con un bolsito con un martillo, una pinza y la tenaza, yo lo acompañé a la puerta y le dije: "A la una, acá", porque íbamos a comer con Gustavo, mi hijo, que cumplía años; la hora era muy rigurosa en ese momento para nosotros, si uno decía a tal hora vuelvo, volvía. Cuando se fue eran las nueve menos cinco, y Gustavo, el más grande, lo corrió y le dio un soldadito de plástico, siempre le decía que le daba un soldadito para que lo ayudara a defenderse si le pasaba algo; Lucho se puso el soldadito en el bolsillo y se fue. Poco después yo salí para Temperley a comprar unas cosas para hacerle una torta al nene, y de casualidad me encontré con un compañero que muy angustiado me dijo: "Vengo mal, acabo de ver unos coches que pisaron a un tipo en Pasco"; encima estábamos muy susceptibles con todos los caídos. Hice las compras y volví, pasaron la una, las dos, las tres, y Lucho no llegaba, empecé a pensar que había pasado algo. Les dije a los chicos que iba a buscarlo y me fui al lugar de la casilla, la señora que nos la había vendido me dijo que Lucho no había ido a retirarla. Volví a casa y llamé por teléfono a la mamá de él, le dije que Lucho estaba enfermo, que le avisara a los compañeros. Ella nos atendía mensajes y los pasaba. Regresé a casa, preparé cosas para llevarnos y les dije a los chicos que me esperaran, que volvía rápido. Me fui a caminar al lugar al que yo pensé que él tenía que ir a buscar el camión para trasladar la casilla al terreno; se hizo de noche y pasaban coches a toda velocidad por Pasco, pero de Lucho nada. Yo me había puesto un pañuelo en la cabeza y anteojos, di vueltas y vueltas pero no pude averiguar nada, así que fui a buscar a mis hijos y nos quedamos esa noche en la casa de una compañera. A la mañana siguiente me fui yo sola a la zona de Pasco a preguntar si alguien había visto algo; después de dar vueltas entré en un pizzería y le pregunté a un mozo: "¿No sabe si hubo algún accidente por aquí, o pasó algo, porque hay un chico de Chingolo que volvía de trabajar y no llegó a la casa?", y el tipo me contestó que accidente no, pero que había escuchado que habían matado a un montonero en Pasco y Asunción. Llegué a esa esquina y nadie sabía nada, hasta que me metí en una peluquería y había un viejito que me vio muy mal, me hizo entrar, me dio agua, y le conté, entonces me dijo: "Tiene que ser el muchacho que se llevaron ayer, a las diez menos cuarto de la mañana, acá de la esquina". Me contó cómo estaba vestido y lo primero que le pregunté era si se lo llevaron vivo, porque siempre hablábamos con Lucho de eso. Ya sabíamos cómo te torturaban para sacarte algo, y los dos habíamos decidido hacernos matar para no correr el riesgo de que cayeran otros compañeros. Eso de poder quedar como un traidor o hacer caer a otros compañeros lo teníamos muy metido en la cabeza, que no íbamos a hacer vivir a nadie lo que nos pudiera tocar vivir a nosotros. Por eso andábamos cada uno con su pastilla de cianuro, asumidos totalmente que había que morir antes de caer en manos del enemigo, no por alguna valentía en especial, sino para no arrastrar a nadie, y para que se quedaran con las ganas. Yo sabía que Lucho tenía su pastilla de cianuro en un agujerito que habíamos hecho en el cinturón.

El viejito me contó, de acuerdo a lo que él pudo armar hablando con otra gente, que Lucho iba caminando por Pasco y de pronto lo encerraron un montón de coches y le gritaron: "Alto", él empezó a correr y dos o tres lo agarraron, logró zafarse y lo siguieron corriendo, y ahí gritó: "Viva los Montoneros", y le dispararon. El viejito me dijo que cayó en esa esquina y que ahí lo tuvieron más de media hora hasta que se lo llevaron, no me pudo asegurar si estaba vivo o muerto. Yo pensé que estaría muerto porque si tardaron tanto en llevárselo era porque ya no les servía para torturarlo, que lo fusilaron. Pensar eso me traía tranquilidad, más allá del dolor de asumir la muerte, pero era un alivio pensar que no iba a sufrir la tortura. El viejito también me dijo, creo que por compasión, que Lucho balbuceó el nombre de una mujer, pero pienso que fue una fantasía de él, no creo que haya podido acercarse para escuchar. Los que se lo llevaron eran todos tipos de civil, los balazos quedaron en un quiosquito de diarios. Después el viejito me pidió que me fuera porque le habían estado preguntando a la gente de la zona si habían visto a alguien más con Lucho andando por allí, y nosotros siempre caminábamos por esas calles.

No volví más a esa esquina hasta que vino la democracia y fuimos con mis hijos a pegar unos volantes allí, diciendo quién era Lucho y que lo habían matado ahí.

Nunca entregaron el cuerpo, ni avisaron a la familia, ni se publicó nada en los diarios; por lo que me contó el viejito, yo siempre pensé que lo fusilaron en la misma esquina, pero Lucho pasó a engrosar la lista de los desaparecidos. Supe que las patotas anduvieron dando vueltas por la zona, buscándome, a la casa no llegaron, pero igual me fui porque era prestada, y al terreno no quise volver nunca más.

Como Lucho, que dijo: "Se acabó todo" cuando murió Perón, para mí se acabó todo después de él; esa voluntad de armar la familia. Con el tiempo, volví a armar pareja, pero nunca pude armar una familia.

Pasaron unos cuantos meses hasta que me ordené un poco, volví a cambiar de escuela a los chicos y nos fuimos a vivir con Teresa, que había perdido al compañero. En un momento llegamos a ser tres las que nos habíamos quedado sin compañero, Claudia Istueta, médica, que tenía al compañero desaparecido y yo; y además el Tata Sapag, que tenía a la compañera embarazada y desaparecida.

El problema era sobrevivir y reubicarnos, con el tiempo cayó el Tata, lo fusilaron cerca de Peugeot.

Así seguí mi vida, militando, no paré. Reorganizamos un grupo de compañeros y continuamos con la resistencia en la zona sur, actividad que no abandoné aun en los peores momentos. Hacía lo que podía, hasta que para el Mundial del 78 nos llegó la posibilidad de salir del país. Cuando salí para Uruguay de alguna manera ya había perdido a mis hijos, porque había perdido casa, documentos, todo, así que los mandé con mi mamá. Habíamos decidido eso entre todos los compañeros, queríamos seguir militando pero preservar a los chicos. Me despedí de ellos sabiendo que no los iba a ver por un tiempo largo, o nunca más. A los pocos días llegó una patota a la casa de mi mamá, a ella la encapucharon, a mi hijo más grande le pegaron para que dijera dónde estaba yo.

Esa fue la peor etapa de mi vida, sin compañero, sin hijos, me hicieron salir del país, me hicieron salir de prepo porque no quería irme, lo sentía como una traición, y tuve que viajar a México, ahí tuve que quedarme tres meses. Después volví a la Argentina a buscar a unos compañeros que estaban muy mal. Entré y salí del país varias veces sacando compañeros.

En esas idas y venidas conocí a un compañero y quedé embarazada, me volvía loca sin mis hijos y busqué quedar embarazada. Yo era muy pegote con mis hijos, así que me aferré a ese embarazo como loca. Me aferré a la panza con desesperación y me vine a tenerlo a la Argentina, por principios morales, aunque mi hijo podía haber nacido tranquilamente en México.

A los cuarenta días nos fuimos nuevamente a Brasil, a esperar que mi mamá me mandara a los dos más grandes a través de Naciones Unidas, pero mi vieja no se animó. Estuve como veinte días yendo todos los días a las doce a una cita en una iglesia, porque me los iba a llevar un cura, pero nunca llegaron.

De esa pareja me separé cuando volví definitivamente a la Argentina. Mi pareja con Lucho no se había terminado, yo tuve esa otra relación tal vez por desesperación. A pesar de que Lucho ya no estaba, internamente yo seguía con él y no pude consolidar nada.

Hasta 1991 no recurrí al Equipo Argentino de Antropología Forense para tratar de ubicar a Lucho, un poco por no tener suficiente confianza, además la mamá había fallecido y los hermanos no estaban. Pero ese año un grupo de compañeros me dijeron que los antropólogos tenían el dato de que el 17 de marzo de 1977 había ingresado un NN al cementerio de Lomas de Zamora, a esa altura yo estaba convencida de que a Lucho lo habían fusilado ese día. Finalmente decidí ir a conocer al equipo de antropólogos y cuando los comencé a tratar me di cuenta de que son personas increíbles, sensibles, solidarias, de una coherencia a través del tiempo que es envidiable, y que me volcaron un gran afecto. Ellos me dijeron que ese NN probablemente fuera Lucho y yo les aporté todos los datos que tenía. Se hicieron los trámites en el juzgado para que el juez autorizara a levantar esa tumba, pero yo no tenía demasiadas cosas concretas, no sabía que Lucho hubiera tenido operaciones o fracturas, los hermanos no estaban en el país y no pude dar con ellos, y de lo único que me acordaba era de sus dientes torcidos. Cuando el juzgado autorizó fuimos a Lomas una mañana, sola con los antropólogos, no quise que nadie más me acompañara, y ni bien entramos en el cementerio empecé a sentir que era Lucho el que estaba ahí. Infinidad de veces yo había imaginado el momento en que lo mataron a Lucho, su imagen, su ropa, su cuerpo tirado en esa esquina, y siempre pensaba que lo habrían enterrado en algún cementerio de la zona sur. De manera que cuando llegamos al de Lomas, para mí fue como una película que ya había visto. Empezaron la excavación y al rato apareció una zapatilla negra como las que Lucho llevaba ese día, y los restos. Cuando pude ver la boca reconocí su dentadura. Estaba completamente segura de que era él.

Los antropólogos hicieron todos los estudios de los restos y confirmaron que eran de Lucho y que fue fusilado por la espalda, elaboraron un informe con muchos datos sobre él y sobre su asesinato.

Quise que los compañeros de Lucho y todos los que lo habían conocido participaran en un homenaje, sin importar el partido político en el que se encontraran en ese momento, habían pasado casi quince años y todo era muy distinto a la década del 70, pero yo quería que estuvieran presentes todos los que tuvieran el recuerdo de él y el deseo de hacerlo. Hicimos el homenaje en el cementerio de Ezpeleta, allí Lucho fue puesto en una urna y el padre Luis Farinello hizo el responso, concurrieron más de doscientos compañeros que se enteraron por una nota que publicó *Página/12*. Así, quince años después, Lucho tuvo su tumba con su nombre. Después de ese día no pude volver más al cementerio.

En la época en que pude ubicar los restos de Lucho, yo estaba en pareja con un compañero, militante, pero cuando empecé con la búsqueda con los antropólogos esa pareja se rompió. Fue así de simple, él no se lo pudo bancar. Pienso que es muy difícil armar una pareja estable con una historia como ésta. A mí creo que me resulta imposible, de hecho ya no lo intento.

No sé, a veces pienso que de alguna manera quienes fueron compañeras de un desaparecido y logran armar una nueva pareja, es como que tienen que renunciar a todo el pasado para poder mantener la nueva pareja. Tal vez por eso se haya producido ese vacío con respecto a nosotras. Creo que cargamos una mochila importante de cosas que no podemos superar.

Me vienen a la memoria aquellos domingos después de la desaparición de Lucho, en plena dictadura. Caminando por los barrios de la zona sur yo veía a las familias reunidas, los asaditos, los ruidos y las voces de chicos, las radios prendidas, la gente cortando el pasto de sus jardines. Ese recuerdo me quedó tan, tan metido adentro. Sentía que si me hubieran ofrecido cualquier cosa, el oro del mundo a cambio de poder tener mi familia, hubiera dicho que no, que me quedaba con mi familia. Es ese olor a domingo metido en todos lados.

La mayoría de las mujeres que conozco que perdieron a sus compañeros canalizaron la cuestión a través de sus propios hijos, participando en Hijos, o a través de los organismos de ex detenidos, u otros grupos de militancia y derechos humanos. Y conozco la situación inversa, la de compañeros con la compañera desaparecida, y ahí vi que es mayor la negativa a participar en general, no quieren oír hablar de nada, la lucha en esos casos la continuaron los padres de las compañeras, ellos no, incluso algunos directamente se fueron del país. Creo que los hombres en este sentido son más flojos que las mujeres. Esto también lo ves en Madres o Abuelas, los hombres acompañan, pero el rol protagónico lo han llevado siempre adelante las mujeres. Tendrá que ver con haber parido, no lo sé.

Todo esto es muy difícil, a mí me costó mucho el reencuentro con mis dos hijos mayores y creo que me sigue costando hasta hoy. Ellos pasaron su adolescencia lejos mío y eso marca mucho. Estuvieron con mi vieja y ella los apañó, los sobreprotegió, no se enteraron de todo lo que estaba pasando. Hoy en día todavía trato de recuperar o compensar esos tres años que estuve lejos de ellos, que perdí, pero realmente creo que son irrecuperables para ellos y para mí.

Me acuerdo cuando estábamos con Lucho y los chicos, los cuatro juntos en casa, los nenes bañados, preparados para comer e ir a dormir, ese ambiente de hogar. No lo recuperás más eso: llevarlos a la escuela, esperarlos cuando venían. Una trata de tapar eso con otras cosas, pero es inútil, está perdido. Nunca más. Y esta tristeza queda para siempre, en ellos y en nosotras.

No sé, una perdió tantas cosas que se hace todo muy duro, hasta hacer política, yo no me siento representada más que por lo que yo pienso, y lo intenté pero no puedo digerir la farsa, el verso, la hipocresía, las traiciones por un cacho de poder. Lo que hago es unirme a compañeros que sí participan más con las luchas de la gente; en definitiva creo que ése es el único camino verdadero: donde está la gente siempre está la verdad y la esperanza.

A mí el hecho de haber encontrado los restos de Lucho no me cambió nada, lo hice como para decirle a los milicos que va a salir a la luz cada cosa que hicieron. De todos modos no pudimos saber quiénes fueron sus asesinos, hay sospechas, sólo eso.

En mi caso no me dio tranquilidad poder ir a una tumba, lo que me dio algo de tranquilidad es decirle a los milicos: "Ustedes lo hicieron y aquí está la prueba". Nada más que eso.

Berazategui, 1º de julio de 1998.

DESAPARECIDO
MIGUEL ÁNGEL MORELLO
17 DE MARZO DE 1977*

* En 1991 sus restos fueron hallados e identificados por el Equipo Argentino de Antropología Forense en un cementerio de Lomas de Zamora. Había sido fusilado el día de su desaparición y enterrado como NN.

Los invitamos a compartir el responso
que se realizará por el compañero

MIGUEL ÁNGEL MORELLO,
"LUCHO"

dirigente del partido Peronista Auténtico,
que fue fusilado por la dictadura militar el 17 de marzo de 1977 por la mañana,
en la esquina de Pasco y Asunción de Temperley.

Después de casi quince años lo hemos recuperado gracias a la labor que viene desarrollando el Equipo Argentino de Antropología Forense.
Más allá de identificaciones ideológicas o partidarias, nos encontramos para testimoniar con nuestra presencia, que recuperar a nuestros muertos, es una de las formas con que cuenta el pueblo para preservar la memoria colectiva, y para orientar la construcción del futuro.
Porque pensamos que son dignos de homenaje todos aquellos que se entregaron sin egoísmos a los ideales de una sociedad más sana y más justa.
Porque rechazamos EL INDULTO para los responsables del Terrorismo del Estado.
Porque sostenemos que sólo la verdad es liberadora y sólo en la justicia se asienta la verdadera paz.

COMISIÓN DE HOMENAJE

El responso se realizará el 7 de diciembre a las 12 horas
en la capilla del CEMENTERIO DE EZPELETA.

“QUEMAR LA RAÍZ Y EL TRONCO DEL ÁRBOL”

El Ejército luchó en tres ángulos: combatió la subversión, realizó acción cívica y catequizó a su población ideológicamente. *Los cuadros y tropas tenían estos principios básicos: mentalidad ganadora, sentido de orden práctico, planeamiento abreviado, ejecución instantánea, réplica inmediata, persecución a muerte, conquista de la población, espíritu de combate y fe ciega en la victoria (...) Combatimos en forma convencional, pero a veces nos adaptábamos a la misma táctica del subversivo. También trabajábamos políticamente, porque la subversión había hecho ese trabajo durante años (...) La gran proporción de universitarios enrolados como ideólogos o combatientes en la subversión dentro del país, es una muestra palpable del trabajo de adoctrinamiento que se realizó en esas casas de altos estudios. Ésta es la dolorosa, difícil, experiencia vivida en la lucha contra la subversión en las universidades de Tucumán y Bahía Blanca. De ello se infiere la importancia futura en la preparación del ser argentino con una clara orientación ideológica. A semejanza de todas las demás, la Universidad de Tucumán padecía de una absoluta autonomía jurídica, legal, política. Esta peligrosa autarquía adecuó el camino a su conversión en la sede teórica y organizativa de la subversión. De allí que la subversión cultural es el esfuerzo de separar al individuo de su medio sociocultural para acoplarlo al universo de ideas, valores, pautas de conducta propias de la sociedad que lleva a cabo la subversión. Se trata ya, no de conquistar terreno, físicamente hablando, sino de conquistar mentes. No de tomar plazas fuertes, sino de moldear las estructuras mentales a favor.* ***La única victoria definitiva en la guerra es la victoria cultural (...) Más que lucha por las armas, es una lucha por las almas. Para graficar: se ha podado un árbol y para que no brote en el futuro será necesario quemar la raíz y el tronco de ese árbol.***

Somos, 16 de setiembre de 1977.

Eva Andrada de Ballestero[*]

MI ESPOSO ERA VÍCTOR BALLESTERO, en realidad se llamaba Adrián Ceferino Ballestero, pero todos lo conocían como Víctor. Trabajaba en la fábrica Grafa de Capital, en la calle Albarello. Una mañana, a las cuatro y veinte más o menos, salió de casa para la fábrica y a las dos cuadras lo estaban esperando. Nosotros escuchamos unos disparos de ametralladora muy cerca, pero no pensamos que eran para él.

ADRIANA: Creíamos que ya había tomado el colectivo, que se había ido. Él era delegado de la sección corte, en Grafa, y se postulaba para ser secretario general del gremio, la AOT (Asociación Obrera Textil), por la lista Blanca, que era la opositora a Casildo Herrera. Se conocían Casildo y mi papá, habían trabajado juntos en la misma sección, fueron amigos. Pero después este tipo empezó a escalar en forma vertiginosa y llegó a ser secretario general de los textiles. En 1974 papá un día salía de la fábrica con sus compañeros y lo estaban esperando los guardaespaldas de Herrera, armados con Itakas, lo agarraron entre varios y empezaron a pegarle, le quebraron un pierna en tres partes y le destrozaron la cara, estaba irreconocible, pasó meses enteros enyesado. Ante esto los compañeros decidieron hacer una me-

* En la entrevista con Eva participó también su hija Adriana.

dida de fuerza, el caso salió en los diarios, en la radios, uno de los tipos que le pegaron era un tal Núñez.

EVA: Fue una advertencia, Núñez le dijo a mi marido que Casildo no quería que se postulara, se hizo la denuncia pero no pasó nada. Un año y pico después Víctor desapareció, el 24 de septiembre de 1976, es decir, ese día lo secuestraron y nunca más supimos nada.

ADRIANA: En realidad pasaron años hasta que supimos cómo lo habían secuestrado, había vecinos que decían que era él a quien se habían llevado esa madrugada a dos cuadras de casa, otros decían que no.

EVA: Muchos años más tarde unos vecinos se animaron a decirme que era Víctor el que se llevaron después de los disparos, que lo metieron en el baúl de un auto. Después de la paliza que le dieron los de Herrera ya no pudimos vivir tranquilos, mucho no se hablaba del tema, pero temíamos que pasara algo peor. Fue cuando Víctor se compró un arma, una pistola chica, porque tenía miedo de que vinieran a matarlo. Yo tenía miedo, pero no sabía bien lo que realmente estaba ocurriendo. Tenía mucho miedo, empecé a cerrar las puertas, a preocuparme por la seguridad de la casa, de noche no podía dormir. Él tampoco dormía, ya estaba muy nervioso; recuerdo que le decía a Adriana que si iba en un colectivo y pasaba algo o escuchaba tiros se bajara, que se fijara en los autos. Él miraba continuamente los autos y los números de las chapas. Un día recuerdo que me dijo: "Si me vienen a buscar quiero que sepas que yo no hice nada, no maté a nadie"; creo que él no sabía lo grave que era lo que estaba ocurriendo. Poco después me dijo que había desaparecido un compañero, estoy convencida de que Víctor no sabía bien lo que estaba pasando, aunque andaba muy nervioso, pero lo que no había entre nosotros era diálogo sobre estos temas, o no lo querría contar para no asustarnos. Después desapareció Romero, otro compañero, fueron a la fábrica, a la casa, lo esperaron, lo agarraron y se lo llevaron, eso fue en Moreno, cerca de casa, nosotros somos de Moreno. Ahí ya me preocupé muchísimo, porque era un compañero de donde él trabajaba, de la lista de ellos del gremio, y ya habían desaparecido otros compañeros más de Grafa. Cuando Víctor ese día se fue a trabajar y no volvió, yo pensaba que en la semana volvería, lo esperaba, pensaba que en cualquier momento iba a llegar. Un tiempo antes un compañero le había sugerido a él que se fuera, que renunciara a la fábrica; otros se fueron. Por eso digo que él no estaba muy enterado de lo que estaba pasando. Es que nadie se esperaba lo que pasó, porque sé de mucha gente que en el momento no sabía, no era consciente del peligro.

ADRIANA: Como mucho uno pensaba que se los llevaban para ponerlos presos en alguna parte, presos políticos, como había antes en las cárceles.

EVA: No, esto no era así, uno no se daba cuenta todavía, pero era otra cosa. Víctor hacía más de veinte años que trabajaba en Grafa y lo tenían muy marcado, porque siempre luchó con los compañeros por mejores condiciones de trabajo y habían logrado muchas cosas. Víctor estaba muy identificado, muy marcado, y seguramente fue la misma empresa la que lo señaló para que se lo llevaran. Ahora uno sabe que las cosas eran así.

Cuando vi que no volvía empecé a hacer las denuncias en Morón, San Martín, Capital, iba a las comisarías pensando que lo encontraría detenido en alguna parte. Pero todo eran negativas. Estaba lleno de gente haciendo lo mismo que yo, presentando hábeas corpus, buscando en todos lados, como yo. Las respuestas eran las mismas para todos, siempre no.

Tuvimos tres hijas con Víctor, Adriana que ahora tiene treinta y cinco años, Alejandra Miryam de treinta, y Roxana de veintisiete. Empecé a sentir pánico, miedo por las chicas, se me ocurrió que podían venir a casa y hacernos algo a nosotros, escuchaba que así les pasaba a otras familias. Yo tenía algunas cosas en casa, eran recuerdos; después de la paliza los compañeros le había regalado a Víctor un pergamino firmado por todos y habían hecho una reunión para homenajearlo: teníamos fotos de ese día; hice desaparecer todo, estaba aterrorizada.

Además iban pasando los días y en el barrio las cosas estaban cada vez más feas, pasaban helicópteros todo el tiempo, había operativos, allanamientos, de noche escuchaba tiros. Era tanto el miedo que saqué a las nenas del colegio, no las mandé por unos meses. Vivíamos en la misma casa, aún hoy sigo viviendo allí; pero nunca vinieron.

Tuve que salir a trabajar, antes sólo me ocupaba de la casa y atendía a las nenas. Cuando empecé a trabajar me di cuenta de que nos seguían, eran siempre los mismos autos, me seguían hasta mi trabajo, me subía al colectivo y los veía, volvía a casa y me seguían hasta allá. Y a Adriana también.

ADRIANA: Yo estudiaba de noche y trabajaba en Ituzaingó pintando cerámicas, siempre era el mismo tipo el que me seguía, me lo encontraba en todos lados. Volvía muy tarde de estudiar en Castelar y estaba muy oscuro, bajaba del colectivo y el tipo siempre ahí. Sentía los pasos de él detrás mío. Hasta que un buen día no estaba más.

EVA: Empecé a trabajar en casas de familia, en varias casas, teníamos muchas necesidades. Mi casa era muy precaria, caía el agua por todas partes, era como una obra en construcción, teníamos que apisonar la tierra y poner goma en el suelo para no andar chapoteando. Después tuve la pensión que me correspondía por ley, porque Víctor había trabajado siempre y había hecho los aportes, pero pasaron años hasta que pude cobrarla. Con eso y mi trabajo, y Adriana que también trabajaba y estudiaba, saqué un crédito hipotecario y terminé mi casita.

Pero yo lo esperaba a Víctor. Cuando vino la democracia con Alfonsín, pensé que iban a volver a aparecer. Me dolían los ojos mirando por la ventana, desde mi ventana se ve bien lejos la calle. Me gasté la vista mirando, esperando, pensaba que estaba en algún hospital, que había perdido la memoria. Lo he buscado en los hospitales también. He salido a buscarlo a los regimientos, sin darme cuenta de la gravedad de lo que estaba pasando. Qué locura. Fui a La Tablada, sola. Después me di cuenta de mi locura.

Pero en nuestro caso por lo menos no vinieron a casa, a otros compañeros les han llegado a las casas, les han roto, les han robado todo. Fue más terrible para los hijos; a uno le pusieron una bomba en la casa y le quedó un chico sordo, se llevaron al matrimonio y dejaron las criaturas solas. A nosotros no. No vinieron a casa.

A los hospitales me iba con una vecina amiga, y con mi hija Adriana fuimos al Ministerio de Guerra y al Regimiento Patricios, a Puerta Cuatro fui sola, igual que a La Tablada. Me mandaban de un regimiento a otro, cuanto más lejos mejor, parecía que se divertían haciendo eso con una.

Yo estaba de acuerdo con lo que hacía Víctor, con lo gremial, pero el miedo que me daba era por mis hijas. Trataba de protegerlas, no quería que él trajera gente a casa. Pero lo apoyaba mucho, cuando hubo elecciones en el gremio y él descubrió la trampa de Casildo Herrera y su gente se puso muy mal, tuvo una decepción terrible, la lista de Víctor perdió en esa oportunidad. No sé qué hubiera pasado si hubieran ganado, tal vez la desaparición, el secuestro, se habría producido antes.

Quince años estuvimos juntos Víctor y yo, nos habíamos casado jóvenes. Mi vida había sido una vida sencilla, jamás pensé que podía pasar algo así, nunca, aunque él siempre fue una persona de luchar contra la injusticia, de evitar los abusos de los patrones, él ya tenía eso desde siempre, pero jamás pensé... Me sentía orgullosa de él, sí, sí. Mi vida era simple antes. Esto me cambió mucho a mí, muchísimo, muchísimo. Me movilizó, me hizo pensar diferente contra la injusticia, contra todo. Lo tengo muy presente a Víctor, fue una persona muy honesta, luchadora. Pero cambié muchísimo, ya no soy la que era antes, me hizo cambiar él, las fuerzas que él ha tenido para luchar contra las injusticias, los ideales de él.

Tengo las tres hijas, hermosas. Ellas eran muy chicas y yo no podía con todo; Adriana hizo un poco de mamá de sus hermanas, son tres hijas maravillosas. Fue terrible lo que hemos pasado. Fue mucho dolor, aún hoy es un dolor muy grande. Me gustaría encontrarlo a Víctor, quisiera encontrarlo. Por eso andamos haciendo trámites con los antropólogos, para ver si hay alguien que sepa algo, adónde anduvo, si algún compañero lo vio en alguna parte. No se sabe nada de él, nadie lo vio, nada, ni esa suerte. Yo quisiera tanto encontrarlo. Sería como tener un poco de paz, de calma. También sé que ahí no termina todo, pero para mí sería como un poco de descanso antes de morirme. Para mis hijas también, para ellas sería muy importante tener a su padre.

Tengo mucha bronca. Es terrible la bronca que tengo. Yo veo a otras personas que incluso lo han pasado peor que yo, y que pueden manejar mejor las cosas. Y yo no, yo siento una bronca terrible. ¿Y qué hago con la bronca? Últimamente lo que hago es estar mal porque veo cada vez menos justicia. La justicia está vendida. Veo a los asesinos sueltos, en la calle, a los torturadores, a los que se robaron las criaturas, tranquilos por ahí. Me pone muy mal. Yo pensaba que, bueno... que iba a haber justicia. Pero esto así me da mucho dolor, me da mucha bronca. No me deja vivir.

Me gustaría estar en grupos de gente, hacer cosas. Me gustaría ponerme bien. Estoy luchando con eso; quisiera ponerme bien e integrarme a un grupo. No terminar mis años así, yo sola con mi bronca. Quiero hacer algo. Nunca me acerqué a otra gente como yo. Quiero hacer eso. Hay gente que hace cosas a la que admiro muchísimo, y la veo y quisiera estar ahí, con ellos. Pero me detiene que estoy como paralizada. Tengo que arrancar.

Víctor y yo siempre decíamos que teníamos que morirnos juntos. Después él pensaba y me decía que no, que alguien tenía que quedar para cuidar a las nenas, y tenía razón. Jugábamos a eso, a morirnos juntos.

Después, cuando quedé sola con mis chiquitas recordaba eso y golpeaba las paredes y decía por qué. Por qué y por qué. Golpeaba las paredes. No entendía, no podía entender. Tenía miedo. Miedo de volverme loca. No podía dormir. Cuando dormía soñaba que mis hijas quedaban solas. Empecé a estar muy mal. Me dieron remedios. Ahí empezó a cambiar mi vida totalmente. Vivía con miedo, tenía miedo de que los militares me secuestraran a mis hijas del colegio, de la calle, o cuando yo estaba en el trabajo, y me volvía loca. A veces salía corriendo de donde estaba para ir a buscarlas. También soñaba con Víctor, él me decía que se lo habían llevado los soldados, pero que iba a volver. Empezaron a darme remedios, pastillas para dormir, tampoco dormía. Me daban ataques, escapaba del trabajo corriendo, como loca, corriendo, no cobraba ni nada, me desesperaba por llegar a mi casa y ver si estaban mis hijas. Nadie sabía qué me pasaba, yo no hablaba con nadie. Tenía mucho miedo, sí, sí.

Les hacía la vida imposible a las chicas cuando salían, era enorme mi miedo de que les pasara algo. De más grandes, cuando iban a bailar y se retrasaban un poco, yo me la pasaba en vela, esperando, ya pensaba en ir a las comisarías, a los hospitales. Terrible.

Ahora cuando vuelven los miedos trato de comunicarme enseguida con Adriana, para mí es un placer hablar con mi hija. Es un placer. Cuando me pasa algo, alguna angustia, la busco a mi Negra querida. Con ella me relajo mucho, es muy inteligente Adriana, sabe manejar las situaciones, y yo apenas tengo un primario hecho, ni secundario ni nada. Un primario hecho en el campo, muy precario. Por eso es un placer hablar con mi hija, ella tiene otro estudio, otra preparación. Ella me dice siempre que lea, aunque sea el diario, pero que lea.

Todo eso empezó después del secuestro de mi marido, fue un cambio terrible para mí. Yo era la que limpiaba, la de la casa, la que los cuidaba. Y después fue como una revolución, un cambio total en mi manera de pensar, pero sin una preparación, sin estudios, y eso hace falta. Por eso yo luchaba para que mis hijas estudien. Una vez Adriana dejó de estudiar para cuidar a sus hermanas, cocinaba, atendía la casa mientras yo trabajaba. Pero dije basta. Cada una se hace sus cosas y todas estudian. Siempre con necesidades, haciendo apuntes, sin poder comprar libros, pero yo trataba de que estudiaran.

Fue todo muy duro, muchos golpes, los vecinos empezaron a evitarnos porque sentían que corrían peligro cerca nuestro. Los compañeros de Víctor nos ayudaron, hicieron colectas, con mucho miedo venían a alcanzarnos lo que juntaban. Con mucho, mucho miedo, era impresionante el miedo que había. Después ya no vinieron más.

Me pasaba el tiempo que estaba en casa prendida a la radio, escuchando, con la esperanza de que hubiera alguna noticia, algo, alguna palabra, una señal. Fui a Grafa muchas veces, a preguntar. Hablaba con el jefe de personal. Nunca me decía nada. Pero yo iba y volvía a ir, no me resignaba. La última vez fui en el 91, cuando se hacían excavaciones y aparecieron algunos restos. Como a Víctor le dieron esa paliza y tenía una pierna fracturada en tres partes, lo habían atendido los médicos de la fábrica: yo fui a pedirles las radiografías para dárselas a los antropólogos. No me dieron nada, me dijeron que los archivos se habían inundado y se había perdido todo. Fue terrible esa vez, todavía estaban escritos en los paredones los nombres de mi marido y de los compañeros que integraban la lista. Ahora ya no, los han borrado.

ADRIANA: En casa, entre nosotras, era muy difícil hablar de todo esto, no se hablaba. Roxana, la más chica de mis hermanas, que tenía cuatro años cuando se llevaron a papá, nunca preguntó nada. Era muy silenciosa, se pasó la infancia y la adolescencia sin hablar del tema de papá. Alejandra no, era fatal, hacía las preguntas de toda la familia juntas, y por supuesto que no había respuestas. Cuando ella me preguntaba, yo le decía que papá iba a volver. Yo estaba segura de que iba a volver. Estaba segurísima de que en algún momento iba a aparecer.

EVA: Ya en democracia yo creía que él iba a volver. Seguí esperando mucho tiempo. Todavía hoy, ahora, cuando me preguntan si soy viuda digo que no sé. Hace muy poco en el hospital de Moreno me estaba por atender un médico y me hicieron esa pregunta y contesté: "No sé". Aunque vaya a Antropólogos, parece que todavía dentro de mí hay dudas, me digo que tal vez Víctor perdió la memoria, que está por ahí, perdido. Por eso en los recordatorios que sacamos en *Página/12,* seguimos poniendo "Víctor", por si alguien lo vio, por si alguien lo conoce, todos lo conocían por ese nombre. Una vez en un trabajo me dijeron: "Señora, ¿usted qué es, viuda, separada? Nunca habla de su marido, habla de sus hijas pero no de su marido". Yo también tenía miedo de que me dejaran sin trabajo, a la mayoría de la gente no le parecía bien que una fuera mujer de un desaparecido, de un "extremista", como les decían. Una tenía que callarse la boca y también pensaba que eso era lo que querían los milicos, que una se quedara muda, que no abriera la boca. Eso también me da bronca. Por eso me gustaría unirme a gente que haga algo, para poder hablar por todo lo que tuve que callarme la boca.

ADRIANA: Nosotras siempre le decimos a mamá que tiene que hablar de esto, que tiene que sacarse toda la bronca que tiene adentro y que la está enfermando. Pero yo no creo que haya un solo factor por el cual ella y otras mujeres, sobre todo esposas, compañeras, no hayan hablado, no se hayan hecho escuchar como las Madres, las Abuelas, los Hijos. Creo que es muy fuerte la imagen que queda de la persona desaparecida, es muy difícil hacer un poquito de sombra, es como que son más que San Martín, y más todavía para los chicos. Pero es una imagen tan fuerte que creo que anula a todas las demás, aunque estén vivas. En el caso de las mujeres, las esposas, creo que de por sí son discriminadas por el sexo, por el género, porque son femeninas. Éste es un país muy machista. Yo no soy feminista, pero no puedo ser necia y dejar de ver esto. La madre es otra cosa, *la mamma,* en la cultura argentina la madre es intocable, el tango, todo, no me toquen a la madre. En cambio la mujer, la compañera, la esposa, la novia, es la que acompaña siempre un paso atrás, es como el dicho ese de mierda: "Detrás de un gran hombre siempre hay una mujer...", bueno, en la Argentina la mujer está detrás.

Y cuando el hombre no está, ella no está. No existe. No creo que esto esté impuesto desde el hombre, sino desde la sociedad, la misma mujer se ha encargado también de que así sea porque se ha creído ese rol, lo ha vivido así porque no le ha quedado otra cosa que hacer. Creo que está muy ligado a nuestra historia y a nuestra cultura. Parece que en el caso de las mujeres fue un disvalor haber acompañado al desaparecido. Es un valor haberlo concebido, es un valor haber nacido de una mujer, de una madre, pero no es un valor ser la compañera de un hombre, cuando en realidad en muchísmas mujeres hubo una decisión, una elección por la militancia, o mutua, de él y de ella. Y la elección de la pareja es una de las primeras decisiones adultas del ser humano, porque uno elige formar pareja con alguien, lo decide, pero, por ejemplo, no elige nacer. Creo también que hay diferencias según los sectores sociales, yo conocí a mujeres de desaparecidos obreros, compañeros de mi papá, y también conocí a mujeres de desaparecidos de clase media, mujeres profesionales. En estos últimos casos, muy poco, pero hay cierto reconocimiento, pero en las clases más humildes no, para nada, no existen.

EVA: Eso fue siempre así, los obreros fueron los que más desaparecieron, siempre estaban poniendo el cuero en todas las luchas, en las huelgas, en los paros, contra los golpes, sin embargo son los menos reconocidos. Y si no los reconocen a ellos, qué nos van a reconocer a nosotras, sus mujeres.

A mí lo que me da mucha rabia es que me sentí apartada. Había un vecino al que mi marido le había conseguido trabajo en Grafa; cuando desapareció Víctor lo primero que hice fue recurrir a ellos que eran amigos, pero me rechazaron, me pidieron que ni siquiera pasara por su vereda. Lo que yo les pedía era que me acompañaran un poco, que me acompañaran en los trámites, pero lloraban, gritaban y me rogaban que me fuera. No me sentí discriminada, pero me sentí con mucha rabia con esa gente, y sigo con rabia con ellos aunque ya no están, se mudaron al Sur. Me fui apartando de todos los vecinos cuando vi que nos rechazaban, y tampoco permití que les hicieran preguntas a mis hijas, porque eso sí lo hacían, tratar de averiguar, de preguntarle a las nenas: "¿Y qué sabés de tu papá?". Fui personalmente y les dije que ni les hablaran a mis hijas. Me aparté de todo, hasta del almacén, mientras estuvo Víctor teníamos libreta y pagábamos todo a fin de mes, cuando él cobraba. Después no saqué más fiado, si tenía dinero pagaba en el momento y si no tenía, no compraba. Empecé una vida distinta, todo fue distinto.

Ahora estoy intentando un tratamiento psicológico, tengo estados de angustia, de depresión, de ahogo. Por eso también la idea de integrarme a un grupo, de estar menos sola. ¿Pareja? No, nunca más tuve pareja. No. Tengo mis hijas. Ahora están grandes y están bien; y tengo un nietito y otro por venir.

ADRIANA: Yo creo que todo esto fue muy doloroso y con mucha soledad. Para mí fue como si nos hubieran tirado una bomba, cayó la bomba en el medio de mi casa, quedaron las esquirlas por todas partes y es como si encima nos hubiesen dicho: "Y ahora bancátela y viví así". Recuerdo ese día, llegaba de la escuela y una cuadra antes de mi casa me dijeron: "Tu viejo no volvió". Sentí como un agujero adentro, un agujero que es para siempre, yo sé que para siempre te queda la marca.

Pero más allá de ese dolor, lo que a veces pienso es cómo el ser humano saca valor de donde no tiene, es fabuloso. Yo la veía a mi vieja y sé que ella se quería morir. Yo sé que se quería morir. Sin embargo fue la persona más valiente que conocí. No sé si mi viejo se hubiese bancado algo así, y yo al viejo lo adoro, pero no sé si hubiese tenido los huevos de bancar a tres hijas, chicas, sin un peso y solo. No lo creo. Lo más probable es que nos hubiera mandado a la casa de una tía, o algo así. Los hombres son distintos. En cambio parece que las mujeres podemos desarrollar cualquier rol en momentos críticos, se puede ser cabeza de familia y a la vez madre y mujer. Pero la veía a mamá luchar y a veces sentía bronca, me parecía terrible tanto para una sola persona.

Yo también sentí y siento mucha bronca, pero trato de que no me lastime el cuerpo. Por eso hice terapia y hablé mucho con otros familiares, mucho. Pero yo quisiera... quisiera saber más. Me gustaría que alguien me diga que lo vio. Eso quiero, nada más.

EVA: Después de muchos años del secuestro una señora que vivía en la cuadra donde Víctor estaba esperando el colectivo esa mañana, vino a casa y nos contó que sí, que era él, que un balazo le había entrado a la casa de ella y casi le mata a una hija. Y también vino un señor que había estado esperando el colectivo en la misma parada, nos contó que venían camiones con militares y autos, y que mi esposo salió corriendo para el lado de casa y empezaron a dispararle. El señor vio cuando lo levantaron y lo metieron en el baúl de un auto.

ADRIANA: Cuando este hombre nos contó eso yo pensé que lo habían matado, que se lo llevaron muerto. Pero el abogado me dijo que no, que se los llevaban heridos porque querían que hablara. El mayor dolor lo sufrí cuando imaginé la tortura, cuando sentí en mi propio cuerpo el dolor que papá tuvo. Él fue el último, el último que cayó de los compañeros, después de él ya no llevaron a nadie más. Yo sé que más allá de los dolores que puede haber padecido, él amaba a sus compañeros, los quería muchísimo. Claro, los que quedaban cómo no iban a tener miedo, si se llevaron a catorce compañeros, uno apareció muerto, los demás no aparecieron.

Nosotros pensamos que, por la zona, lo deben haber llevado a Campo de Mayo, y ahí casi nadie sobrevivió, fue terrible lo que hicieron allí.

EVA: Pero Víctor era tan callado. Nunca habló de esto. Hasta conmigo era muy callado, muy reservado, lo que me decía siempre era: "Nadie te va a querer como yo, soy el único que te va a amar así, si me muero no vas a encontrar a otro, ni para que te haga el asado ni para que te quiera...". Eso me decía, pero era muy reservado. Le gustaba mucho la tierra, la naturaleza, trabajar la tierra, amaba el campo y lo extrañaba; nosotros nacimos en Catamarca. Ante todo estaban sus ideales, él creía que iba a cambiar cosas, tenía una seguridad de que iba a poder cambiarlas.

Nosotros nos casamos muy enamorados, nos queríamos mucho y creo que eso sigue. Yo sigo enamorada de él y seguro que él, donde esté, también. Charlo con Víctor, esperándolo. O esperando encontrar sus restos. Y seguiré luchando para que se haga justicia.

Buenos Aires, 20 de agosto de 1998.

DESAPARECIDO
ADRIÁN CEFERINO BALLESTERO, "VÍCTOR"
24 DE SEPTIEMBRE DE 1976

“NO NOS VENGAN A HABLAR DE CAMPOS DE CONCENTRACIÓN”

Y por favor no nos vengan a hablar de campos de concentración, de matanzas clandestinas o de terror nocturno. Todavía nos damos el gusto de salir de noche y volver a casa a la madrugada. Vivimos desarmados y eso ocurre en Sudamérica. Un campo de concentración es un tema muy vendedor.

Además al lector hay que decirle lo que le gusta escuchar, y más si los lectores forman parte de la adoctrinada opinión pública europea.

La Semana, mayo de 1978.

APOLOGÍA DE VIDELA A CARGO DE BERNARDO NEUSTADT

Y el lector quiere saber algo más, porque el teniente general Videla, aunque sigue perteneciendo más al ejército que a la casa de gobierno, es el Presidente de un país que, por características propias se resiste a entender conductas institucionales por encima de las personales. En el ambiente militar su apodo cariñoso es “el cadete”. ¿Por qué? Porque para la vida interna del Ejército el cadete es aquel que pese al ascenso en la carrera no abandona las austeras y correctas costumbres del Colegio Militar. El “cadete” Videla ha llegado a comandante general del Ejército pero no ha abandonado su proceder de la época del West Point argentino. Mesurado, educado pero sin remilgos, no utiliza ni la grita ni el desdén para dirigirse a sus subordinados, sea cual fuera su grado militar. Es siempre igual: serio, preciso, pulcro, ordenado, correcto, estudioso, respetuoso y firme. El “cadete perfecto”.

Extra, enero de 1978.

María del Socorro Alonso

YO ERA UNA MILITANTE DEL PB (Peronismo de Base), tenía contacto con gente de Montoneros y de la izquierda, pero en realidad desde hacía dos años mi mayor encuentro, o mi mayor relación, la tenía con gente que en aquel momento estaba formando el Frente Antimperialista por el Socialismo (FAS). Y yo no tenía ubicación política. Venía de una familia peronista, muy peronista, papá había sido funcionario en la provincia de Tucumán durante los dos gobiernos de Perón, después vino toda la historia de la proscripción, el retorno. Viví muchísimo eso, en mi casa se hacían panfletos, mis tíos eran dirigentes gremiales, y de un modo u otro siempre andaban escapando, eran los hermanos de mamá. Por el otro lado estaba la familia de papá en Tucumán, que rechazaba totalmente que su hijo fuera peronista, o sea que era el descrédito de una familia reaccionaria de Tucumán. Yo de movida no enganché con toda la historia de las trenzas del peronismo, viví toda la etapa del vandorismo muy de cerca, por mamá y por mis tíos, y cuando llegó el momento de las definiciones, mamá me quiso meter adentro de una de las estructuras del justicialismo, pero yo tomé contacto con gente del peronismo revolucionario, el PB.

En el 73 estaba militando en el PB y empecé a vivir la ruptura con el montonerismo, y del montonerismo con la izquierda, y todo aquello de que la gente del PB o de la izquierda tenía que ir al final en las marchas. En medio de todo eso lo conocí a Guille, él se decía simpatizante del PRT (Partido Revolucionario de los Trabajadores), no era militante del PRT todavía, había hecho la colimba en el Sur, donde fue preparado para la lucha antisubversiva, y lo llevaron a San Martín de los Andes, dirigido por el hijo de Menéndez. Guille vivía en Villa Crespo, era programador de computación de IBM, algo poco común en aquel momento, y estudiaba arquitectura. El veía un futuro promisorio en la programación y en la computación, cuando acá todavía no se hablaba de eso. Hacía poco tiempo que militaba y lo conocí trabajando en derechos humanos, yo era responsable de prensa de Capital en el Frente de Derechos Humanos, en el año 74.

Por aquel entonces yo ya sabía de la historia de los desaparecidos, y manteníamos reuniones con miembros del gobierno de Isabel Perón para reclamar por ellos. Ya tenía incorporado el tema de que existía algún lugar adonde llevaban a la gente que no estaba ni presa legalmente ni muerta –estaban desaparecidos–, y en esa época eran doce personas.

Conocí a Guille porque empezamos a trabajar en un mismo grupo, pero no se me pasó por la cabeza ser su pareja, yo era la responsable de ese grupo. Con el tiempo se fue dando una relación, y cuando empezamos a ser pareja todos se opusieron, él no podía saber nada más que mi sobrenombre, yo conocía todos sus datos y su historia, pero él sólo sabía que yo me llamaba Pina y nada más, ni dónde vivía, ni qué hacía mi familia, nada. Pero nos enamoramos muchísimo, mi relación con él fue magnífica, tal vez idealizada ahora, por la desaparición. Nunca voy a saber si a lo mejor eso se cortaba. Siempre pienso que yo idealicé esa relación, quedó ahí, nadie puede decir qué hubiera pasado. Ésa es la verdad, pero mi relación con Guille está por sobre todas las otras relaciones de mi vida.

Y así empezamos a salir, nuestra historia fue bastante terrible porque él no podía estar en reuniones donde yo estaba, no podíamos hablar abiertamente de casi nada, entonces había todo un invento de conversación que él hacía para cuando no estábamos trabajando o militando, para que no se infiltrara información de ninguno de los dos.

Yo fui muy dura con él, realmente, cuando estaba en la cárcel le comentó a los compañeros que yo le exigía más a él que a nadie. Ahora ya no soy tan dura, pero en aquel entonces yo suponía que si era débil con él porque era mi compañero estaba cometiendo una deshonestidad, entonces era más dura con él que con el resto de los compañeros; con lo que yo llamaba sus errores pequeño-burgueses, con todo. A Guille le bajaba toda la línea. Lo que sucedía era que a medida que la represión se iba poniendo más brutal, yo iba sintiendo más compromiso, al contrario de otros compañeros que dijeron hasta aquí llegué, no va más.

Pero cuando quedé embarazada me pasó algo muy extraño, un día me puse a llorar y él me dijo: "No llores, porque si vos aflojás yo me caigo", me pareció que él estaba parado al lado de mi fuerza, como que yo era su ejemplo además de su mujer. Yo lloraba porque pensaba... Estaba segura de que me iban a matar; y lloraba porque pensaba que no iba a poder tener a ese hijo, justo cuando estaba en un buen momento y me llevaba bien con Guille. Lloraba por todo lo que no iba a poder ser. Porque cada vez que uno salía a hacer algo pensaba que lo podían matar. En un momento determinado no sé si Guille me pidió un renunciamiento, pero me dijo que yo lo decidiera, si seguíamos o no con la militancia. A esa altura era todos los días la muerte. Se imponía tener este tipo de conversaciones en las parejas. Y yo como siempre, porque vengo de abuelos hispanos, y los gallegos tienen mucho eso de cagarse de risa de las situaciones tremendas, al contrario de los tanos, que lloran; pensé que renunciar a seguir hubiera sido un acto de traición, de cobardía.

Guille tenía menos experiencia, su familia no había sido militante. En ese momento yo ya estaba con captura y él no lo sabía, y en la organización se había planteado que yo podía irme del país, pero Guille no. A mí eso me quebró toda mi dureza militante y dije: "Si él se queda yo me quedo". Y nos quedamos. Esta parte él nunca la supo, yo no le podía contar estas cosas. Así que en aquel momento lloré por eso. Pensé que estaba perdiendo el tren. Pero no pude irme, no pude.

Tampoco podíamos vivir juntos, vivíamos juntos a medias, de una casa de compañeros a otra, a veces nos quedábamos en lo de la mamá de él; una vida así, pero con mucho amor.

Hasta que llegó el día. Estábamos en La Boca, en la calle La Madrid, con otro compañero más y lo pararon a Guille, yo estaba haciendo control, era gente de Prefectura la que lo paró y estaban a punto de matarlo, y yo desde la esquina levanté los brazos y empecé a gritar. A mí no me habían visto. Así que no me fui del país y después me entregué... Si se lo juzga políticamente, es malísimo lo que hice, entregarse no está bien, pero si en ese momento no me entregaba, a Guille lo mataban. Yo sentí necesidad de hacerlo, después los compañeros me decían que me había sentido Julieta, la de Romeo, que no fue una actitud clara, pero yo dije váyanse a la mierda, porque había otras cosas que tampoco ya eran rigurosas a esa altura.

Al gritar y correr como loca hacia ellos, los de la Prefectura pararon de darle a Guille. Nos detuvieron y llamaron a la Comisaría 24 para que nos vinieran a buscar.

Entramos legalmente detenidos el 11 de agosto de 1976. Para mí era como la continuidad de la situación, porque yo ya venía viviendo en estado de riesgo desde hacía mucho tiempo. Lo que se dio en mí después del golpe del 76 es que me sentí muy fuerte, reconozco que todo eso fue como una vorágine, pero me sentía con tanta rabia después del golpe. No estaba ni mejor ni peor, seguía teniendo captura, era lo mismo para mí. Había sido militante de gráficos, después estuve en una agrupación de Obras Sanitarias, y siempre en una doble militancia, en lo gremial y en derechos humanos. Constantemente estaba en contacto con los informes de caída que se hacían con cada compañero que era detenido, con los torturados; años y años en contacto con eso, de manera que cuando nos detuvieron fue como vivir en carne propia lo que durante tanto tiempo yo ya sabía a través de otros compañeros. Cuando entramos a la Comisaría 24, a pesar de que a Guille lo bajaron una cuadra antes y lo hicieron arrastrarse por el piso hasta la seccional, bajo la lluvia, yo pensaba que era una detención legal, entramos y le vimos la cara al comisario, todo. Pero poco después, cuando saltó mi nombre con pedido de captura, la situación cambió de inmediato. A las pocas horas llegaron a buscarnos de lo que entonces era Coordinación Federal. Guille estuvo nada más que ocho días en Coordinación Federal, porque intervino la embajada italiana a pedido de sus padres, y lo trasladaron de nuevo al Departamento de Policía, a la alcaidía, en un lugar que era para los extranjeros. Entre el 19 y el 26 de agosto Guille estuvo ahí como para que cualquier abogado lo sacara, no tenía causa ni proceso, ni nada. Pero los padres, por falta de experiencia, no fueron a ver a ningún abogado, creyeron que alcanzaba con la intervención de la embajada. La mamá iba todos los días a llevarle comida, frazadas, ropa, pero no se le ocurrió llevarle un abogado. No le permitían verlo, a Guille seguro se le hubiera ocurrido pedirle que buscara un abogado. Un abogado quizá hubiera podido sacarlo en esos días que estaba sin nada. Pero el 26 de agosto apareció el decreto que nos puso a disposición del PEN (Poder Ejecutivo nacional).

El 1° de septiembre me sacaron de Coordinación en un camión celular que después estuvo estacionado más de cuatro horas frente al Departamento de Policía, y de pronto vi que subía Guillermo, a quien yo, por los traslados que hubo en Coordinación entre el 19 y el 20 de agosto, creía muerto. Supimos que la gente que sacaron de Coordinación en esa fecha fue asesinada en represalia por la muerte del coronel Actis, y yo suponía que Guille estaba entre esas personas. A partir de creer que él estaba muerto a mí no me importaba nada que me mataran o no, ya nada me interesaba mucho, me sentía un poco responsable por eso. Cuando lo vi subir al celular fue como un milagro. Pero duró poco. Después yo pensaba, qué terrible, cuando las cosas están marcadas están marcadas, porque él tendría que haberse ido de la alcaidía, lo habían puesto ahí para que se lo llevaran.

En Coordinación en ese mes de agosto pasó de todo. Ahora que se habla tanto de la droga, siempre dije en mis testimonios que estos tipos, los torturadores, estaban drogados. No manejaban el hilo de los interrogatorios, para mí era favorable porque pese a todo el dolor que yo tenía en mi cuerpo, en mi alma y en todas partes, me daba cuenta de que me hacían preguntas que ya les habían hecho a otros; se escuchaban todos los interrogatorios, y eran cosas que no tenían que ver conmigo. Obviamente esto me favorecía, pero me daba cuenta por el estado en que venían que estaban drogados, y estoy hablando de hace más de veinte años. Evidentemente, como pasó en Vietnam, estos tipos se daban con algo duro para hacernos lo que nos hacían, y podían llegar a cualquier cosa, carnicerías.

Uno estaba preparado para casi todo, pero para el trato ruin, para el bastardeo, para la intención de convertirte en... Quiero decir que uno cuando militaba se imaginaba que era una persona política y que si te detenían –más allá de la tortura que uno ya sabía que sucedía, porque teníamos a Vietnam muy cerca y sabíamos cuál era la escuela–, el trato, un trato que creo que yo sería incapaz de tener por más que sean mis enemigos políticos, sería el de mi enemigo, le daría esa categoría, sin embargo nosotros éramos tratados por ellos como una escoria, como una escoria social. Nosotros veníamos de una historia de trabajo, de militancia, de estudio, de ser buenos hijos, buenos amigos. A mí eso me pegó mucho más duro que todas las otras cosas. Eso era agarrarnos y tomarnos como si fuéramos, qué se yo, violadores, criminales. Cosas horribles. Y ver a mujeres y a hombres en esa situación, manoseados por lúmpenes, porque ahora se sabe que son lúmpenes. Cosas terribles. Además nosotros sexualmente teníamos una educación, y ahí pasaban cosas espantosas. Hablo de hace veinte años, cuando esto era distinto, no abrías el diario y veías lo de ahora. Bueno, nosotros nos enteramos hace veinte años de que un policía puede ser policía y violador, de hombres y de mujeres. Porque también violaban a los compañeros, no es que yo justifique la violación de la mujer, pero estaba la violación de los hombres, hombres atados y violados, o mutilados, o capados. Eso no es un interrogatorio a un detenido. Yo para todo lo que era lo político estaba preparada, para la tortura también. Ésa es la verdad, mi golpe emocional, que creo que todavía me dura, fue no estar preparada para lo otro. Para lo denigrante, para verlos pasarse una noche con un chiquilín, violándolo, y después matarlo. Estas cosas que hoy pasan y a veces se saben y otras veces no. Normalmente no se habla de esto, pero... Y uno para poder seguir una vida correcta y normal tuvo que meter todo esto en algún lugar del cerebro, y es bastante difícil después de pasar por eso pensar que uno cree en algo. Yo me puedo hacer la inocente, pero sé que inocente no puedo ser. No me sorprende nada. A veces se saben estas cosas y la gente se sorprende. Yo ya no me puedo sorprender.

Estaba embarazada de casi cinco meses. Una ahí no dormía nunca, porque se escuchaba todo, una se enteraba de todo. Venían de noche a buscarme para la tortura. En medio de esa historia sufrí dos paros cardíacos. Del último me desperté tirada en el piso, nos tenían así, como fardos, uno encima del otro. Mientras pudieras respirar, esto te favorecía porque pasabas menos frío, nos abrigábamos unos a otros. Me desperté y no tenía memoria, estaba como en blanco, y me di cuenta de que tenía algo encima y traté de sacármelo, eran personas muertas. Me habían tirado ahí y si reaccionaba, reaccionaba, y si no iba a parar donde fueron a parar los otros. Empecé a gritar y vino un tipo y me cagó a palos. Rápidamente me hizo acordar de adónde estaba, me volvió a anudar la venda que se me había caído de los ojos o me la había arrancado, no sé.

Después, la pérdida del bebé. A la segunda sesión de tortura empecé a tener pérdidas, para ese entonces lo único que tenía arriba de mi cuerpo era mi gamulán, con el que había caído, y un jean, ya no tenía zapatos. Mi zapatos fueron a parar a esa tumba que hay en Mercedes que descubrieron los antropólogos forenses, enterraron mis zapatos y no me enterraron a mí; estaban en las tumbas de los compañeros que mataron en Fátima, cuando abrieron una de esas tumbas aparecieron mis zapatos, entre docenas de otros zapatos.

Ibas perdiendo la ropa en las sesiones, y mis jeans de tanta pérdida de sangre que tenía estaban como acartonados. Cuando terminaba la sesión estos tipos... siempre había uno con la voz suave que te decía: "Tomá, aquí tenés la bombachita, el corpiño...". Pero era mucha sangre la que yo estaba perdiendo. Entonces mandaron un médico a verme y cuando me preguntó qué me pasaba yo le dije: "Doctor, mire, yo soy María del Socorro Alonso y...", y ahí nomás el tipo me agarró a trompadas y me gritaba: "¡No puedo saber tu nombre!", como un loco, supongo que fue el mismo que me vino a tomar la presión una noche que me estaban dando máquina y yo empecé a tener latidos muy fuertes, y les dijo a los torturadores "No, no, un poco más aguanta...", después de eso hice un paro cardíaco. Lo único que me acuerdo de ese paro es que, aunque yo era muy liviana y muy delgada, de la fuerza y la desesperación que me vino rompí las correas que me ataban a la parrilla, pero lo demás es todo una nebulosa.

No sé de qué manera fue que perdí a mi bebé, sé que fue la tortura, la picana ahí adentro, una cosa horrorosa, imposible de describir. Tengo una cicatriz que me descubrieron después en Canadá, donde estuve exiliada, hay una parte de mi matriz que está casi transparente, como si me la hubieran perforado, es una cicatriz muy, muy profunda. Mi hijo ahora tendría veintiún años. La tortura me trajo muchísimas consecuencias, durante varios años padecí crisis epilépticas, y en la cárcel de Devoto fui mal tratada médicamente, lo que agravó las secuelas. El Estado no se hizo cargo de esto y en la Subsecretaría de Derechos Humanos me hicieron firmar un papel en el que decía que renunciaba a todo reclamo por las secuelas de la tortura, de lo contrario no me dejaban proseguir el trámite para obtener la indemnización de ley para los presos políticos de la dictadura.

Sí, la pérdida del bebé... Bueno, seguí con las hemorragias y cuando llegué a Devoto yo no tenía total conciencia de que lo había perdido, porque no había despedido nada, sólo sangre. En el celular, camino a la cárcel, Guille que también fue trasladado conmigo preguntaba por su hijo. En Devoto me ordenaron reposo absoluto en el hospital del penal, tenía infecciones muy graves, me faltaban las uñas de los pies y de las manos; las compañeras me fueron curando con pan y leche las heridas, los forúnculos infecciosos. Sin embargo yo creía que mi bebé se había salvado a pesar de todo, pero me dieron unas inyecciones de una droga, Cristerona Forte, me las dejaba dar porque pensaba que era para ayudar el embarazo, después supe que es un abortivo. A los dos días despedí algo sanguinolento, negro. Recién ahí tomé conciencia de... bueno, de que no iba a quedar más nada, que ya no tenía más... nada. Guardé en una bolsita lo que despedí. A la mañana siguiente cuando vino el recuento, se lo reventé en la cara a la celadora. Eso fue todo lo que quedó de mi hijo.

Después me consolaba pensando que volveríamos a estar juntos con Guille y que íbamos a tener una docena de hijos.

En octubre del 76 a Guillermo lo trasladaron a la Unidad 9 de La Plata, después me enteré de que durante ese traslado les hicieron simulacros de fusilamiento, los golpearon salvajemente. En La Plata lo metieron en un pabellón lleno de gente, un pabellón al que le decían "de la muerte"; había dos de esos pabellones, eran como los de Hitler, el último lugar al que los llevaban antes de la cámara de gas. Entre tanto Guille y yo teníamos mutuas noticias a través de su familia y la mía, pero él no me hacía decir nada de esto porque yo estaba muy mal. Nunca supe por qué a Guille lo llevaron ahí, si su historia no era como para justificar eso. Creo que lo llevaron al pabellón de la muerte cuando vieron el afecto que le tenían los demás compañeros, la gran solidaridad de la que era capaz. Creo que estos hijos de puta vieron que Guille era una persona elegida en cuanto a sus cualidades personales, creo que por eso lo sentenciaron. No sé, es lo que yo pude sacar en limpio.

A todo esto yo seguía en Devoto y vino una compañera que me llamaba "Segallita", porque Guille era Guillermo Segalli, y me preguntó si yo sabía dónde estaba Guille y que en ese pabellón de la muerte había estado esa semana Ibérico Saint Jean. "Les ha ido a decir a todos los de ese pabellón que están sentenciados a muerte", me contó. Ahí empezó mi calvario.

Lo cierto es que el 26 de enero de 1978 salió publicada en los diarios la libertad de Guille junto a más detenidos a disposición del PEN. Los compañeros que declararon en la causa que se está tramitando en Italia por los desaparecidos de origen italiano, dijeron que a las 0.30 del 3 de febrero de 1978 escucharon gritos de pedido de auxilio, los tenían a todos encerrados en celdas individuales, y que podía ser Guille el que gritó y que se resistió; de ese pabellón 2° se llevaron a dos, a Guille y a otro compañero Carranza, y del pabellón 1° se llevaron a Domínguez; ninguno de los tres tenía nada que ver entre sí. Los compañeros que declararon en Italia contaron que le habían dicho a Guille que bajo ningún aspecto él tenía que dejar que lo sacaran de la cárcel, que no firmara ninguna libertad, que se negara a salir. Bueno, pero dicen que escucharon esos gritos pidiendo auxilio, y que podía ser la voz de Guille. Y se lo llevaron de la cárcel.

Para esa época yo ya estaba afuera, con libertad vigilada, me habían soltado porque estaba muy enferma y ya no sabían qué hacer conmigo, así que el 11 de enero de 1978 me pusieron en libertad vigilada, la llamaron a mi mamá para que me viniera a buscar porque yo ni podía caminar sola. Mi madre desde hacía rato venía presentando recursos de amparo por mi estado de salud. Mis compañeras me decían: "María, no te vayas, te van a matar afuera". Así que encima de todo salí con esa idea, pero pensaba que si me querían matar también podían haberlo hecho en la cárcel.

El día que nos enteramos de lo de Guille yo estaba en lo de Polda, la mamá de él, ella había podido visitarlo unos días antes y después de eso había hablado con el Consulado italiano, y del Consulado llamaron a la Unidad 9 para reclamar por Guille. En la cárcel les contestaron a los italianos que se quedaran tranquilos, que ellos ya estaban preparando la puesta en libertad; así que yo estaba en la casa de mi suegra ordenando cosas para cuando Guille saliera; y fui a atender un quiosquito que ellos tenían a la vuelta de la casa. Ahí había teléfono y llamó una señora preguntando por Polda y diciendo que era la madre de otro detenido, de Carranza, y me preguntó si Guillermo había llegado ya a su casa; le dije que no, que estábamos esperando que llegara de un momento a otro. Yo no podía ir a esperarlo porque con la libertad vigilada no me dejaban salir de los límites de Capital, y a Polda le habían dicho que estaba prohibido esperar a la salida del penal. Entonces la señora me dijo que había ido a la cárcel a ver a su hijo y le habían dicho que no estaba más allí, que lo habían puesto en libertad junto con Guillermo Segalli. Inmediatamente me di cuenta de lo que pasaba, me desesperé, dije: "No, esto no, por favor". Siempre recuerdo ese momento como algo terrible. Terrible, porque yo sabía que había desaparecidos desde hacía muchos años, por no haberme dado cuenta de lo que podía pasar, por no haber desconfiado de lo que le dijeron al Consulado.

Corrí a lo de Polda y ella se fue a la Unidad 9, allí le dijeron que lo habían soltado la noche anterior y que ya no tenían nada más que ver. Empezaron a contradecirse, algunos decían que Guille y los otros que habían dejado en libertad se habían ido caminando, otros que habían subido a un micro. Pero cuando Polda salió del penal, un tipo que era el jefe de la mesa de entradas le dijo que se los habían llevado a Campo de Mayo, Lamelsa se llamaba el tipo, nunca me voy a olvidar. Pero nunca más volvió a repetir eso durante todos los trámites de búsqueda de Guille que hicimos después, años y años.

Fuimos a Campo de Mayo y por supuesto negaron que los hubieran llevado allí, y empezó un itinerario en el que ya a mí no me interesaba mi persona. Nada. Yo tomaba grapa Valle Viejo y me sentía Dios, me metía en cualquier parte. Polda empezó con una depresión terrible, decía que se iba a matar. El dueño de la casa que alquilaban les inició un desalojo diciendo que la vivienda se había utilizado para actividades subversivas. Éstas son las cosas que pasaban en esa época, las cosas sobre las que muchos argentinos todavía hoy dicen: "No me di cuenta, no sabía". Nadie se daba cuenta, la gente, los políticos, nadie. Los padres de Guille terminaron viviendo en el quiosquito, durmiendo abajo de una escalera. Y empezamos con los trámites, no había abogados, hacíamos los escritos nosotros mismos. Fuimos al Primer Cuerpo, yo la acompañé a Polda al Regimiento de Patricios, ahora hay un museo ahí, pero en ese momento tenían gente chupada, gente que murió en esos sótanos, que sufrió tormentos. Lo digo porque en todos los países del mundo con estos lugares se hacen museos del horror, pero aquí ahora los alquilan para fiestas, para bailar. En ese regimiento y en tantos otros sitios en los que buscamos fuimos maltratadas, humilladas, hasta los conscriptos se daban el lujo de maltratarte. Todo inútil, Guille no estaba en ninguna parte, nadie sabía de su existencia, había sido "dejado en libertad", ésa era la versión oficial.

Yo empecé a buscar que cualquiera me detuviera de nuevo, puteaba a los patrulleros, me burlaba de todas las reglamentaciones que tenía que respetar para conservar la libertad vigilada. Mi familia empezó a decirme: "Vos estás buscando que te maten a vos y nos maten a todos".

Finalmente la situación se puso tan densa que me fui de casa con una mano atrás y otra adelante, no tenía trabajo y no tenía plata; mis padres me dieron algo de dinero, pero me plantearon que si yo pensaba seguir con lo de Guillermo, buscándolo y acompañando a su madre, haciendo trámites y preparando todo para que ella hiciera las presentaciones y los hábeas corpus, me tenía que ir de casa. Así que me entregaron unos pesos y me fui a ver a un amigo de la familia de mi madre, Alberto Luro, para que me ayudara porque él me lo había prometido. Él me ubicó en una habitación de un hotel, en la calle Hipólito Yrigoyen, por Congreso, en el cuarto había dos camas, pero como no coincidíamos en los horarios yo no sabía quién ocupaba la otra cama. A las cuarenta y ocho horas vi sobre la mesita de luz un libro de política, la *Historia del movimiento obrero argentino*, a mil por hora pensé que era una trampa porque el hotel estaba ubicado a dos cuadras de Coordinación Federal, y decidí esperar a la dueña del libro. La encaré, le pregunté quién era y le describí mi situación; lo hice de esa manera porque pensé que si era policía se iba a dar cuenta de que yo no caía en su trampa, y si no era, me iba a dar alguna explicación. Me dijo que ella era chilena, que había sido parte del movimiento de educación chileno, que salió escapando de su país tras el golpe del 73, que seguía escapando y que ese hotel era el último lugar que tenía para estar. Creí y no creí, pensé que me podía estar mintiendo, que hasta podía ser una "quebrada" chilena, pero le dije que las dos juntas no podíamos estar allí y me fui. Pasé días huyendo de un lugar u otro, a veces sin dormir, hasta que terminó mi libertad vigilada y mis padres me sacaron un pasaje a Brasil, pero antes, durante dos meses mi situación quedó como suspendida, no tenía ningún aviso ni de la Policía ni del Ejército, fui a la Comisaría 5ª, adonde controlaban mi libertad vigilada y allí me dijeron que fuera a firmar cada tres días porque yo "estaba en el aire", o sea sin ningún amparo legal. A los meses me enviaron una citación para que me presentara en Coordinación Federal y allí me encontré con una cantidad de gente que había sido puesta en libertad vigilada conmigo: Martín Palermo, María Fátima Cabrera, que era la pareja de Patrick Rice, una de las personas que después testimonió por mi caso, estaban en el Movimiento Ecuménico y habían sido detenidos junto a un montón de chicas de la Acción Católica que trabajaban en villas. Y me fui a Brasil sin ningún otro documento que mi DNI, en el vuelo se sentó a mi lado un tipo que me di cuenta que era de los servicios por las preguntas que me hacía, estaba controlando cómo me iba.

En Brasil la situación era muy confusa y estaban secuestrando a compañeros uruguayos, chilenos y argentinos, en el marco del Plan Cóndor, que en el 79-80 funcionaba muy activamente. Me quedé cuatro o cinco meses corriendo a lo largo de Brasil, viendo a todo tipo de sectas, tratando de que alguien me dijera adónde estaba mi compañero, me dio por ahí porque ya no tenía esperanzas de poder saberlo a través de las tramitaciones y los hábeas corpus; me vi con umbandas, con los que hacen culto afrobrasilero, los "espíritas", donde había refugiados yo iba para saber si había algún conocido que se hubiera podido escapar del país, hasta que un día me volví a la Argentina porque no soportaba más y porque Polda y la nona de Guillermo me pidieron que volviera, que lo que yo dijera se iba a hacer porque yo era su mujer y porque él seguía desaparecido.

Cuando volví empecé a reunirme con compañeros que yo conocía y armamos un grupo con Ricardo Cañete, que era dirigente del PC (Partido Comunista) y su hermano; Quique, un chico que después mataron en Mar del Plata en algo que en los diarios apareció como un hecho común; Di Paola; Roberto Louro, un pibe de la facultad del Salvador; Eduardo Luro, que venía del peronismo, de la mesa de Trasvasamiento Generacional de Galimberti; y otros compañeros. Empezamos a publicar documentos, hacíamos obleas, todo de una manera absolutamente artesanal, peligrosa y sacrificada. El país estaba totalmente vigilado, pero mandábamos cosas entre sábanas que vendía un compañero a domicilio; inventábamos toda una manera de hacer propaganda –que era lo que no había–; llegamos a tomar una imprenta para imprimir propaganda, pegábamos obleas en las paradas de colectivos.

En medio de todo eso, quedé embarazada. Una de las personas que trabajaba en este grupo era Eduardo Luro, a quien yo conocía desde que éramos muy chicos, porque su familia era amiga de mi madre. Eduardo era de una familia muy tradicional de Mar del Plata, su abuelo había fundado la Alianza Libertadora Nacionalista, una familia de amistades muy fascistas. Pero de esa familia salió Eduardo que estaba en el peronismo, su papá fue el que me pagó el hotel y el que me ayudó cuando mis padres me conminaron a irme de casa, de chica él fue como mi padrino y yo lo quería mucho. Alberto entendía lo que pasaba con mis padres, papá estaba casi postrado, ya había sufrido un allanamiento en el que lo habían humillado, basureado, con su pierna ortopédica no estaba en situación de caer preso y menos habiendo sido funcionario del gobierno de Tucumán hasta junio del 76. Por eso en aquel momento Alberto me ayudó, le hizo alquilar a Eduardo un departamento a su nombre para que yo pudiera vivir allí. Y bueno, las cosas tienen que aparecer en este libro tal como yo se las conté a mi hija, o sea con la más pura verdad: yo hice el amor con Eduardo. No era la novia, hice el amor. Él tenía una novia que trabajaba en el banco de Mendoza. Pero hicimos el amor la noche del 24 de diciembre del 80. Me acuerdo porque como yo no hacía el amor con nadie, ni seguí haciéndolo con él después de aquella noche, fue una cosa así, pasamos la Nochebuena juntos. Para mí las fiestas habían dejado de existir, en aquel momento me parecía que era criminal festejar algo, no había absolutamente nada que festejar. Eduardo era la única persona que Polda y yo tuvimos a nuestro lado y podíamos contar con él para todo, pero lo cierto es que él estaba de novio y yo quedé embarazada esa noche. Le dije entonces, cuando supe de mi embarazo, que quería tener ese bebé, que lo iba a tener, que lo necesitaba porque realmente lo que me hacía falta era un motivo para vivir, y que un hijo para mí iba a ser lo más importante, yo no tenía casa, familia, nada. Había vuelto de Brasil, militaba todo el tiempo y eso era todo.

A partir del cuarto mes de embarazo la dejé de ver a Polda sin decirle nada, porque no quería que ella me viera con la panza. Cuando nació María Sol, mi hija mayor, vinieron algunos amigos a verme, Enrique Mouján –hoy vocero de Eduardo Bauzá– que me trajo una poesía de Walt Whitman grabada, de regalo para mi hija, él era muy amigo mío y en aquel momento estaba muy caído, tenía a su hermano, Hugo, preso; otra amiga, Felicitas Jaime, y los pocos amigos que me acompañaron y me cuidaron durante mi embarazo. María Sol nació en medio de mucho amor y muchos cuidados; papá estaba contento, muy contento, él entendía que éstos eran como últimos esfuerzos que yo hacía para seguir viviendo. Y en verdad era así.

A la semana de haber nacido María Sol me fui con ella a la ronda de los jueves de las Madres de Plaza de Mayo, me acerqué a Polda, le puse a la nena en sus brazos y le dije: "Es María Sol y es mía", y Polda me abrazó y me contestó: "Bueno, también es mía ahora".

Así siguió la vida, nosotros seguíamos militando, acompañábamos a los organismos, y en aquel entonces todos los que teníamos algún desaparecido usábamos pañuelos blancos en la cabeza, ésa es la verdad, los pañuelos no eran de Madres sino de todos, la historia es así. La única diferencia con Madres –y quiero que esto quede claro aquí– es que nosotros decíamos que nuestros familiares estaban desaparecidos porque tenían actividad política, y ellas no querían aceptar esa realidad. Me refiero a las Madres de Hebe Bonafini, porque Azucena Villaflor tenía otra postura, pero con Hebe empieza esta eterna discusión; luego, ya en democracia, ella cambia totalmente esta posición, pero anteriormente ellas no querían reconocer que sus hijos eran militantes políticos. Nosotros estábamos convencidos de que había que decir que a los compañeros no se los habían llevado por nada o porque estaban asaltando un quiosco, que lo que estaban haciendo lo hacían enmarcados en su militancia política, fueran montos, brigadistas, erpios, o lo que fueran, era gente militante. Costó años esta discusión.

En el 82, durante la visita del Papa por el conflicto de Malvinas, quisieron detenerme y logré escapar gracias a las Madres, los Familiares y Emilio Mignone del Cels, pero tuve que irme de nuevo del país. Primero fui a Brasil, donde me allanaron la casa dos veces y a raíz de eso hice una conferencia de prensa en el estado de San Pablo, donde relaté que en el 76, estando detenida en Coordinación Federal, ya me habían dicho que tiraban a los compañeros de los aviones. Los cuerpos que se encontraban en las costas no eran de coreanos ni vietnamitas, como pretendían hacer creer, sino que eran de los desaparecidos argentinos a quienes, al ser arrojados al mar desde los aviones, por efecto de la presión se les iban los ojos hacia atrás y quedaban con esa apariencia de orientales. También denuncié la masacre de Fátima, que después se conoció en el Juicio a las Juntas y que ocurrió a raíz de la muerte de Actis provocada para obtener el control del EAM, el ente que manejó el Mundial del 78. Allí asesinaron a treinta y ocho militantes con la excusa de que habían matado a Actis, cuando quien lo mandó matar fue Massera para quedarse con el EAM y colocar allí al almirante Lacoste.

Entre tanto yo seguía buscando a Guillermo, hablando con cuanto sobreviviente de los campos llegaba a Brasil. Tras los allanamientos, en uno de los cuales participaron integrantes de la Side argentina, el alto comisionado de las Naciones Unidas para Refugiados (Acnur), Andrés Rodríguez, me pidió que me fuera de Brasil porque ellos allí no podían garantizar mi seguridad ni la de mi familia. Nos fuimos a Canadá, sin un peso, casi sin ropa, y yo en muy malas condiciones físicas, pues la tortura me dejó serias secuelas. Así que pasamos de vivir en los morros de San Pablo en pésimas condiciones al hotel Waldorf Astoria de Toronto, que en ese momento estaba destinado a recibir refugiados. El tratamiento que me dieron en Canadá fue excepcional, lograron recuperarme físicamente y me salvaron de un cáncer de útero. Definitivamente volví en el 90, aunque a partir del 84 hice varios viajes a la Argentina.

Durante todos esos años seguí haciendo cosas en Canadá vinculadas a derechos humanos, y había dentro mío como dos partes que luchaban entre sí respecto de Guille: como yo había pasado por la tortura y como creo que a él cuando lo largaron y volvieron a secuestrarlo a la salida del penal, lo deben de haber torturado mucho, yo deseaba que le llegara el alivio de la muerte. Durante los dos primeros años, hasta el 79, yo soñaba todas las noches con Guillermo que, sentado en la "parrilla", en la camilla esa donde te picanean, muy lastimado, muy quemado, lo único que me decía era: "María, María, María". Me llamaba. Yo tenía la absoluta certeza de que lo estaban torturando y mucho, y yo estaba en sus manos, yo estaba con libertad vigilada y en sus manos. Aprendí a amar una parte de mi compañero muchísimo más en nuestra segunda separación, cuando se lo llevan a la salida de la cárcel. Hasta el nacimiento de Sol mi locura era que me llevaran con él, no había ningún otro motivo que me hiciera seguir viviendo. No me iba a suicidar, pero buscaba la muerte todo el tiempo, y una manera de buscarla era desear que me llevaran con él. Y yo sentía que lo estaban torturando, lo sentía en mí. Un día soñé que él estaba en una casa, en una prefabricada grande, como esas que hay por Campo de Mayo, y que frente a Guille había un escritorio antiguo y una ventana que daba a un gran parque, en el sueño yo estaba mirando a espaldas de él, estaba vestido con camisa blanca y un pantalón sin cinturón, y zapatillas o alpargatas, como vestido de paisano. Por la ventana entraba muchísima luz y yo lo veía muy delgado y muy blanco, hasta que de pronto se dio vuelta y me miró largamente, profundamente. Nunca más volví a soñar con él después de esa vez, pero me quedó una paz adentro, una paz enorme.

Siempre he pensado que no, que no va a haber ninguna relación que supere a la que tuve con Guillermo; y yo lo siento mucho porque el cariño, el amor del padre de Sol hacia mí fue enorme, el amor y el respeto. Él ahora tiene otros dos hijos, pero siempre ha conservado una relación muy linda con Sol y conmigo, una relación limpia, transparente.

En la actualidad yo tengo otra hija, Anita, con otra pareja mía, y a veces pienso que puede ser dura esta situación para ellos, porque aunque no se converse cotidianamente, esto es parte de lo que hizo la desaparición forzada de personas: a los hijos de los desaparecidos no los dejó que supieran cómo iba a ser la relación con sus padres, buena o mala, hay relaciones buenas y malas entre padres e hijos, tampoco podemos ser tan hipócritas e idealistas con eso, pero se cortó la relación, los ciclos de vida, esto es lo tremendo que hizo la desaparición, es algo que como no sucedió, bueno, el interrogante es eterno. Creo que éste es un planteo ineludible en todas nosotras. Es la pareja, es el hombre que nos llevaron, es el padre que no está, es el hermano que no está. No podría contestarle a nadie qué me hubiera pasado de no haber desaparecido Guille, pero sé lo que me pasó, lo que me cortaron. Y es duro, para mí es durísimo. Y ahora que ya han pasado tantos años y que yo ya soy una señora mayor... Claro, una tipa madura, una jovata, me pasa que estoy muy recurrente con los recuerdos de Guillermo. Durante un tiempo no quise acordarme porque me lastimaba, y ahora me hace bien recordarlo. Durante más de veinte años no pude escuchar la música que escuchábamos juntos. Ahora la escucho y me da, como dicen los brasileros, una *saudade,* pero no me hace mal. Pero es otra vida la que una vive después de eso. Es como haber empezado de nuevo, aunque una haya seguido haciendo cosas, militando, es otra vida, no es una decisión de vida; la ida a Canadá me produjo un desarraigo terrible, yo me sentí corrida de aquí, corrida por los milicos con la muerte. Si no hubiera pasado lo que pasó yo hubiera seguido estudiando, hubiera tenido mi hijo con Guille, él tenía un futuro muy promisorio con sus 23 años. Yo no sé si aquí se toma conciencia de que nos partieron la vida a miles de personas.

Muchos hijos no les habían dicho a sus padres cuál era su compromiso político, y muchos padres que sí lo sabían estaban en contra de su militancia. Cuando sucede lo que sucede, lógicamente los padres salen a buscarlos y pasan por cosas espantosas, pero les costó muchos años aceptarlos como militantes populares. Esto que es tan simple sirvió para desuniones, para que en vez de haber un organismo hubiera veinte, y ahí por supuesto metieron la pezuña los servicios e introdujeron mucha confusión, hicieron que se perdieran testimonios, rastros. Otra cosa hubiera sido si se hubiera centralizado todo como se hizo con las víctimas del Holocausto, hoy sabríamos mucho más de nuestros desaparecidos. Si en lugar de echar –como medio se hizo– a las compañeras de los desaparecidos, a las que fuimos sus mujeres, o a los compañeros que fueron maridos de desaparecidas, si no nos hubieran tratado con desconfianza, como si no fuéramos de la familia, la cosa hubiera sido diferente y hubiéramos avanzado mucho más. En mi caso Polda tuvo la actitud de tratarme más que como una nuera, como a una hija, pero en la mayoría de los casos no fue así. Creo que otro factor fue nuestra juventud, todas teníamos entre veinte y veinticinco años, y creían que nuestras actitudes eran temerarias, quizá haya excepciones, pero yo creo que en la mayoría de los casos nos veían como un peligro. Pero ¿qué va a pasar ahora?, las madres, todas las madres, no sólo las de los organismos, se van poniendo viejitas y producto de estas cosas nosotras estamos dispersas cuando tendríamos que ser las que tomáramos la posta. También fue muy grave el tema de sospecha que se manejó alrededor nuestro, la pregunta maldita: "¿Cómo vos estás viva y él no?" hizo que muchas mujeres se apartaran muy heridas, algunas se alejaron definitivamente del tema, otras seguimos como pudimos, militando, apoyando, aportando, pero siempre con el perfil bajo. Y la ironía es que la mayoría son las madres de los hijos de los desaparecidos, de los que están en Hijos y de los que no están, pero son las que tuvieron que seguir adelante solas, con esos chicos. Encima te cuestionaban porque militabas teniendo hijos, como una irresponsable. Es cruel todo esto, si lo pensás a fondo es muy cruel. La cultura argentina evidentemente daba para que pasara todo esto, muchos se llenan la boca con la "juventud maravillosa" de los 70 por todo lo que hicimos, pero por otra parte te dan con un caño, como pasó y pasa con nosotras. Hay una notable esquizofrenia y una gran hipocresía, es el mismo caso de los que se llenan la boca con los derechos humanos pero adhieren a la teoría de los dos demonios. Una de cal y una de arena.

Buenos Aires, 19 de marzo de 1999.

La carta de la cual envío fotocopia fue escrita por Guillermo Oscar Segalli cuando yo aún estaba desaparecida, y él se encontraba en el Departamento Central de Policía. Esta carta la leí al salir en libertad ya que se salvó por casualidad de requisas. Al ser trasladado Guillermo a Devoto junto conmigo (a mí desde Coordina y a él desde el departamento) el 1º de setiembre de 1976, me dijo que tenía una carta para mí en el celular que nos condujo a la cárcel. Luego al entrar a Devoto le quitaron el bolso que le había entregado su madre y que contenía efectos personales, el que fue a parar a la requisa de Devoto, de donde lo retiró Polda; la carta estaba allí. La madre la guardó y al salir, por pedido de Guillermo quien quiso que ella guardara esta carta, me la entregó. Un poco en ella está testimoniado un pedazo de aquellos días en Coordinación Federal.

Buenos Aires, Sábado 28 de agosto de 1976.

María: Hasta el momento he tratado de averiguar dónde te tienen y todos los esfuerzos de mis viejos para tratar de traerme noticias tuyas, han chocado contra una pared. Sé que tu madre y tu hermana se están moviendo constantemente y estoy seguro que en estos días voy a saber dónde estás. Me extraño de escribirte sin saber todavía cómo mandarte esta carta pero a la vez me duele no haberte podido contar todo lo que me ayudaste durante los momentos más difíciles. Cuando de noche las ligaduras de las muñecas me lastimaban, el frío me ponía tieso como una madera o las pequeñas lastimaduritas se ponían molestas, repasarte mentalmente, acordarme de todos los minutos juntos me sacaba de ese mundo y me devolvía la fuerza que trataban de sacarme.

Me acuerdo también de tus gritos y de mi desesperación al escucharlos y de mi constante insomnio durante todos los gritos para darme cuenta de cuándo eran tuyos, me acuerdo también una noche que te devolvieron a tu celda muy mal y creo que nunca me podré olvidar del día que escuché "Mama Angustia", me puse como a los 8 años cuando me regalaron la primera pelota de cuero... éramos varios tirados en el piso y los que estaban más cerca mío se dieron cuenta de mi alegría y supongo que adivinaron el motivo y recuerdo algunas palmadas torpes pero sinceras y creo que ese día toda la celda se llenó de tu voz y mi alegría, porque creo que todos tarareamos mentalmente con vos y algunos también lo hicieron muy despacito con la garganta. Tuve la suerte que mi venda sea tu bufanda, pero el día que me trasladaron me la quitaron y a pesar de que pedí que me la dejaran no me dieron bola. También perdí el saco de cuero; me dolió mucho porque mis viejos tuvieron que laburar mucho para poder comprármelo y que yo tuviera un abrigo al volver de la colimba. Sé que tu familia está bien al igual que la mía.

Y quiero que sepas que tu recuerdo fue la coraza más resistente que tuve y tendré y que tengo muchas ganas de estar con vos y contarte cosas con los ojos, con las manos, con la boca y curar lo que haya que curar, y reírnos sin darnos mucha cuenta de que nos estamos riendo y hacerte el amor hasta dormirnos y seguir amándonos en un sueño que dure mil años, aún después de despertarte o que me despiertes, por eso voy a dedicarte todos mis sueños y sin darme cuenta un día como en esos sueños voy a verte otra vez, sin que te haya dejado de ver realmente y aunque llene millones de hojas para escribirte en ese momento voy a poder decir mucho más.

Sé que no soy de decir estas cosas como muchas veces me repetís, es normal que sienta mucho más de lo que digo, en este caso también realmente te amo mucho y me aterra no poder decírtelo, solamente espero que me entiendas.

Chau.
Guille.

Última carta que me enviara Guillermo desde la Unidad 9 de La Plata. Si bien ella es de carácter estrictamente personal en algunos de sus párrafos, desearía que no se le quitara ninguno de ellos ya que, a lo largo de toda su escritura, queda bien en claro toda su fortaleza, su entereza y su alegría, pese a la lenta agonía que vivían los compañeros del pabellón denominado Pabellón de la Muerte por la dictadura, y ello es lo importante que se sepa, es un mensaje de fortaleza moral para nuestros hermanos menores, los jóvenes que, en los diarios, veo a menudo inundan las calles de Buenos Aires y Argentina toda en busca de justicia, nuestros hermanos menores.

La Plata, Miércoles 25 de Enero de 1978.

Querida vieja: Me parece hermoso poder conversar los dos allí, en la cocina. Y no porque crea en los categóricos postulados de Boogy (el aceitoso). Que cuáles son? Fijate vos que este personaje dice: "La mujer?, en la cama o en la cocina. Y si la cama está en la cocina mejor". Te aseguro que nada tan lejos de mi ánimo. Y si así fuera, por aprecio a mi salud, no me atrevería a confesártelo. Fijate que también supongo, qué bueno sería ejercitarte en el uso del cucharón y la olla, según mis gustos y costumbres, que mi señora abuela tan bien conoce. Y no es que dude de tus aptitudes para cocinar. Ya sabés que tus características "culinarias" siempre me han parecido sobresalientes; y me han atraído al punto de enloquecerme. El asunto es mucho más sencillo y profundo: es que yo también te extraño mucho.

Yo no soy caprichoso (no soy caprichoso, no soy caprichoso, no soy capri...) Bueno, sí, un poquito, y qué? Mi dulce señora está gris, yo cómo estoy? Pues estoy pensando en el gris de mi dulce señora. En cómo cubrirlo de besos, cómo estrecharlo entre mis brazos, cómo lloverlo de estrellas y cariño; cómo florecernos entre los dos. Vos sabés que yo soy un poquitito celoso. Imaginate nomás. Yo realmente no me sé todos los cuentos y eso que muchas veces pensé que sí pero siempre se me aparecieron con uno nuevo. No, no sé muchas cosas; y supongo que estoy equivocado en otras tantas. Pero fijate, tengo algunas verdades para empezar. Cuando mi mujer apoya su cabeza en mi pecho, todo está bien. Cuando toma mi mano no existen dudas sino certidumbres, es posible perderse con semejante luz? Es posible no ser todo agua cuando tiene sed? Todo fuego cuando tirita de frío? Dice una canción: "Menos tu vientre todo es confuso, menos tu vientre todo inseguro, menos tu vientre: claro y profundo". A qué discutir, cuando es tiempo de mirarnos a los ojos y acariciarnos el alma?, hay tanto tiempo después... Y nuestra gran verdad nos necesita tanto... Que lo demás se vuelve vago. Si tengo que preguntarle algo? Sí, tal vez miles de cosas, pero antes tengo que darle millones.

La soledád se muestra extraña con el que ama, y toda su crudeza se deshace impotente ante uno solo de mis recuerdos –ante un solo recuerdo tuyo–. Y aquí estoy: pensándola. No, no pensándola. Mi saliva a veces la trago a veces la escupo. Mi camisa; a veces la uso a veces la dejo. Pero a mi amigo lo abrazo, a mi calle la camino y a mi mujer la amo. Y aquí estoy entonces amándola. De la única manera que conozco; con todo lo que soy capaz, con todo lo que tengo. A medias? completamente. Amándola!!

Jueves 26: Sí la extraño en serio, la extraño muchísimo. Y me acuerdo de la cadencia con que camina, de cómo bufa, de cómo hace pucheros cuando quiere mimos. Y me gusta tanto todo lo que me acuerdo que no me explico cómo antes podía vivir sin conocerlo. Aparte de respirar por mí quisiera, Por Favor que comiera por mí. No va a poder sentirse bien con cuarenta kilos de peso, Que coma!! Con respecto a que no piensa quererme porque yo la quiero, puede ser. Pero va a quererme porque yo la quiero. Lo que ella piense es muy importante, por supuesto, pero respecto a eso nada tiene que pensar y yo la voy a convencer a besos o empujones. De la misma forma como el mar convierte a la roca en arena, muy suavemente pero constantemente. Soy un muchachito con cara de bueno e inocente pero si pretendo que me abrace me convierto en un animal salvaje con una determinación obsesiva, y mejor que no se retobe!! porque no le va a servir de nada. Y aunque esté equivocado así pienso y así voy a seguir pensando.

Mi dulce señora ya hace mucho que no estamos juntos. Y yo te quiero y te extraño.

Yo sé que tendrás razón en muchas cosas y en otras tantas podrás equivocarte. Y, yo también acierto y me equivoco. Pero estoy seguro de quererte. Y si algo no es cuento, es justamente eso. Espero que vos también lo creas. Estimada Penélope, serías tan amable de destejer los pulloveres en lugar de romperlos? le aseguro se ahorraría un montón de lana!!! (y de paso se sacaría una extraña costumbre).

Espero que las pecas no se me maduren. Eso sí sería el colmo.

Supongo que a esta altura de la carta, ya soy bastante insoporta-

ble, te aseguro que pienso serlo mucho más, y eso de dormir en paz, hummmmm, no sé, yo no te aconsejaría asegurarlo. Ya se termina la carta. Tengo muchas ganas de estar con vos, Por favor, no estés triste. Comé. Yo te quiero mucho. Saludá a la abuela y a los viejos. Un abrazo muy, muy, muy fuerte, Fumás el cigarrillo conmigo?, estamos de acuerdo no? Te extraño mucho. Voy a pensar mucho en vos. Un beso con todo mi amor. Guille.

P.D. Tal vez sería bueno que me traigan un pantalón civil y me depositen un poco de plata.[*]

DESAPARECIDO
GUILLERMO SEGALLI
3 DE FEBRERO DE 1978

* El día 26 de enero cuando Guillermo escribía estas líneas se publicaba su levantamiento del PEN en los diarios de todo el país, de allí su pedido de ropa y plata, para llegar hasta su casa.

FUERON HALLADOS 30 CADÁVERES EN PILAR

Fuentes militares responsables indicaron anoche que el hallazgo de 30 cadáveres en la localidad bonaerense de Fátima, partido de Pilar –hecho ocurrido en la madrugada de ayer–, había causado "grave preocupación" a las Fuerzas Armadas. Un vocero dijo que este tipo de actos de violencia es repudiado "por todos los argentinos de bien". Añadió que el Gobierno impartió las necesarias instrucciones para que se realice una exhaustiva y profunda investigación del hecho, que deberá llegar "hasta las últimas consecuencias", y que el jefe de la Policía Federal, general de brigada Edmundo René Ojeda, había informado a las autoridades del Ejército acerca de la pesquisa en marcha. Tras las primeras versiones sobre el sanguinario episodio, el Ministerio del Interior produjo un comunicado al comienzo de la tarde de ayer, transmitiendo en él la condena del Gobierno.

Hacia las 4.10 de la madrugada de ayer, los vecinos de la localidad bonaerense de Fátima, partido de Pilar, escucharon –dentro de un radio de tres kilómetros– una violentísima explosión que conmovió a esa zona habitada por modestas familias de trabajadores.

Poco después, al despuntar el alba, obreros que se dirigían a un horno de ladrillos encontraron los cadáveres destrozados de una treintena de personas, en un lugar cercano a las vías del ferrocarril, en las proximidades de un criadero de aves, sobre un terreno descampado. Los cuerpos aparecían esparcidos en un radio de cien metros. (...)

Un redactor de **La Opinión** visitó ayer por la tarde la zona donde habían sido encontrados los cadáveres y trató de obtener, por parte de los vecinos, algunas precisiones. (...) El lugar donde aparecieron los cadáveres se extiende sobre una calle de tierra, a unos cinco mil metros de la ruta nacional 8, a la altura del kilómetro 64,5, en un paraje despoblado. (...)

Según los testigos consultados por **La Opinión**, fue posible ver el macabro espectáculo de los cadáveres dinamitados y prácticamente irreconocibles. En su mayoría eran jóvenes que previamente habían sido asesinados a balazos; muchos de ellos tenían atadas las manos a la espalda.

Según dijo anoche el diario **Crónica**, varios vecinos señalaron que a la madrugada escucharon detonaciones de armas de fuego. Los disparos se habrían sucedido por espacio de 20 minutos: instantes después se produjo la terrible explosión. El dato de las detonaciones no pudo ser corroborado en las conversaciones que **La Opinión** mantuvo con habitantes de la zona.

En cambio, otras fuentes del lugar consignaron que, por la tarde del jueves, observaron la presencia de dos camiones de color azul, con chapa de la Capital Federal, que incursionaron repetidas veces por la zona. El detalle fue confirmado por otra persona, en el kilómetro 57, junto a una estación de servicio.

Al promediar la tarde de ayer, efectivos del Ejército se habían instalado en la zona, ejerciendo además un estricto control sobre las rutas de acceso. Hacia las 17, varios aviones sobrevolaron el lugar.

En la comisaría de Pilar, el oficial de guardia expresó al redactor de **La Opinión** que todo informe sobre el suceso debía ser solicitado al Ejército. Hasta el cierre de esta edición, las autoridades de dicha Fuerza no habían expedido ningún comunicado. Versiones policiales señalaron que por lo menos 23 de los asesinados eran hombres; otros cinco cadáveres eran de mujeres y faltaba determinar el sexo de las dos personas restantes. Otras fuentes señalaron que los cadáveres de mujeres eran 12. Pero fue imposible corroborar estos datos.

La agencia **Noticias Argentinas** indicó anoche que, de acuerdo a trascendidos no confirmados, los autores de la masacre habrían dejado un cartel señalando la filiación extremista de los 30 muertos.

Además, el vespertino **La Razón** dijo anoche, como un trascendido, que en horas de la tarde habrían sido hallados otros diecisiete cadáveres en el partido de Lomas de Zamora. De acuerdo a versiones de algunos pobladores, el hecho se habría registrado en el Camino Negro, en jurisdicción de Banfield, donde habrían sido encontrados los cadáveres, acribillados a balazos, todos ellos pertenecientes al sexo masculino. Sin embargo, las consultas formuladas por **La Opinión** a las comisarías de la zona no obtuvieron ningún resultado positivo. (...)

¿Qué decir? ¿Qué hacer?

Durante poco más de cinco años, exactamente 63 meses de existencia, **La Opinión** *no ha dejado de condenar todos los actos de violencia. La subversión de la izquierda rociada de asesinatos, las masacres del terrorismo de derecha, la actividad de las bandas no identificadas, ejecutoras de un mandato tampoco identificado, que nacieron con José López Rega y perviven en su misterio e impunidad hasta ahora.*

Cada uno a su modo, todos los diarios argentinos han condenado la violencia. Algo, entonces, queda en claro: la prensa –tan importante como parece– en nada pue-

de ayudar a pacificar la Argentina, a detener este aluvión de sangre y horror. Y no tiene valor repetir hoy, otra vez, tantas frases más o menos sentidas, más o menos brillantes.

Quizás el país ha entrado en uno de esos extraños momentos que envuelven a un territorio en un soplo de otros tiempos, como si la Edad Media retornara, con su estilo oscurantista de impotencia ante el dolor, la verdad, los derechos humanos, el conocimiento, la fe.

Y a una población impotente frente a tanta impunidad, sólo le queda la oración. (...)

La Opinión, 21 de agosto de 1976.

Cristina Bollatti

CUANDO LO MATARON A MI MARIDO, Hugo Irurzún, yo estaba detenida en la cárcel de Devoto. Hugo estaba en el Paraguay y me enteré por las celadoras que había salido el nombre de él en los diarios como buscado a raíz de un hecho muy resonante, el caso Somoza. Apareció como buscado en un primer momento, pero al día siguiente los diarios ya lo daban como muerto. Esto también lo supe a través de los comentarios de la celadoras, pero tuve que esperar a que hubiera visita de familiares para que me confirmaran la versión de los diarios. A mí la cosa me quedaba como una versión, no tenía la confirmación, para mí sólo era una versión dada a conocer en los diarios.

Mis suegros decidieron viajar al Paraguay para saber realmente qué había sucedido. En el caso de mi marido siempre digo que además de esta política de desapariciones forzadas, que fueron todas espantosas, se sumó la forma en la que desaparecieron el cadáver. La policía paraguaya necesitó demostrar su efectividad exhibiendo el cadáver de Hugo, hay fotos, le dieron fotos a la prensa que fueron publicadas en diarios y revistas de la época. Pero a mis suegros que fueron a Paraguay a reclamar por él, por su cuerpo, no se lo dejaron ver, los mantuvieron varios días allí con diferentes excusas y con entrevistas con uno y con otro, para después de cuatro días y bajo amenazas, decirles que no les iban a entregar el cadáver y que se volvieran a la Argentina. Regresaron sin nada, ni siquiera un papel que dijera murió Fulano de Tal. Por eso digo que en el caso de Hugo desaparecieron el cadáver, le mostraron el cadáver al mundo y luego lo desaparecieron, y a nosotros, la familia, no nos dieron ni un papel que dijera nada de nada. Todavía yo no tengo certificado de viuda. Ni certificado de defunción ni cadáver, nunca nos entregaron nada.

La confirmación de la muerte de Hugo la tuve cuando mis suegros volvieron del Paraguay y me contaron toda esta historia. También hubo una actitud muy buena del obispo Pagura, que venía a vernos a las mujeres a la cárcel, y él, a través de la Iglesia metodista, me confirmó la muerte de mi marido.

De todos modos, si bien yo sabía que Hugo estaba muerto, no hizo carne en mí la idea de su muerte. De hecho estábamos separados porque yo estaba detenida y él estaba afuera, no teníamos ningún tipo de contacto, no estábamos separados por decisión nuestra sino por la fuerza de los hechos, hacía como un año y medio que no sabía si Hugo estaba vivo o muerto, o sea que la incertidumbre estaba siempre en mi cabeza. A mí me habían detenido en agosto del 75 y en el 80 hacía como un año y medio que no tenía noticias de él. Cuando pasó lo de Paraguay leí, me lo confirmaron, pero internamente no me convencía, no lo aceptaba. Hoy mismo pienso que hasta que yo no vea el cadáver no voy a poder enterrar a mi marido.

Cuando salí en libertad, en el 83, me tocó enfrentarme a la realidad sola. Por primera vez sola, porque hasta el 75 vivía con Hugo y teníamos a Federico, nuestro hijo. En el 83 Federico ya tenía nueve años y yo estaba sola, ahí fue el primer encontronazo con la realidad, tres años después de la muerte de Hugo. A partir de ese momento, sola, tuve que tomar decisiones y enfrentar la vida. Sola y con una responsabilidad, con Federico de nueve años que desde mi detención había vivido con mi suegra.

Salí con libertad vigilada dos o tres meses antes de que entráramos en democracia. Como mis suegros son de Santiago del Estero, Federico estaba con ellos en La Banda y tuve que fijar domicilio ahí. Me fui para allá, siempre digo medio en chiste y medio en serio, que primero tuve que cortar con mi familia política, no pelearme, cortar, decidir hacer mi vida. Volví a la casa de mis padres con Federico, corté con mis padres, y me vine sola a Rosario, con un bolso con todas mis pertenencias en una mano y Federico en la otra. Decidí venir acá porque éste era mi lugar de origen, aunque yo soy de Las Rosas. Nacida en Las Rosas, a los dieciséis años vine a vivir a Rosario para seguir estudios; mi vida de adolescente y de adulta transcurrió en Rosario. Aquí me encontré con mis raíces, afectivas y de militancia. En un principio paramos en la casa de una amiga que nos bancó en la primera etapa, y busqué trabajo. Pero con Federico éramos dos ilustres desconocidos, yo sabía que él era mi hijo y él sabía que yo era su madre, pero de convivencia nada. Él me visitaba cuando yo estaba detenida, pero eso era muy poco, la convivencia es algo muy distinto y llevó todo un proceso que fuimos haciendo los dos, de aprendizaje y de conocimiento. Federico es un pibe excepcional en ese sentido, porque podríamos haber disparado nuestras vidas para cualquier lado, sin embargo más o menos pudimos encauzarnos. Claro que no fue sin resistencias, Federico hizo flor de resistencia, no quería venir a vivir a Rosario, no quería ir a la escuela primaria, no quería hacerse amigos aquí porque sus amigos estaban en Santiago; me refregaba todos los días que yo lo había traído a un lugar que no le gustaba, y en ese momento, a pesar de que para mí era muy duro, le decía: "Federico, vos ahora no me entendés, yo estoy segura de que vos no me entendés, pero cuando seas grande vas a darte cuenta de que yo tuve que hacer esto". Fue así casi hasta la escuela secundaria; encima tenía acento santiagueño y los chicos se le reían, y él usaba eso, su marginación o su no conocimiento del terreno, para encerrarse cada vez más. En esa etapa hizo hasta una gastritis, y el pediatra me recomendó que lo llevara a un psicólogo que terminó atendiéndome a mí. Fueron dos o tres meses, yo no tenía más ganas de seguir investigando mi vida, pero me ayudó mucho porque me hizo entender que le trasladaba a Federico cosas que yo misma no podía resolver, y no entendía que él no podía estar a la altura de mis exigencias. De a poco cesó la gastritis y mejoró nuestra relación.

El otro tema era que en casa no se hablaba del padre. Federico siempre supo todo, pero en un primer momento mi suegra no se animó a decirle que el papá había muerto, ella lloraba, se lo ocultaba. Tuve que hacerlo yo durante una visita en la cárcel en la que ni siquiera podía tocarlo pues nos separaba un vidrio, tuve que explicarle que su papá estaba muerto. Anteriormente le había prometido que cuando yo saliera en libertad íbamos a buscar a Hugo los dos juntos, porque Federico llevaba siempre sus fotos y lo buscaba por la calle. En esa visita tuve que decirle que ya no íbamos a poder encontrarlo porque estaba muerto. Fede miró a su abuela que estaba presente y le preguntó si lo que yo decía era cierto, mi suegra lloraba y le dijo que sí, que era cierto. Entonces él nos contestó: "Bueno, yo de estos temas no quiero hablar más", y se fue a jugar, nos dejó a las dos mudas; seis años tenía Federico en ese momento.

Las cosas se mantuvieron así hasta el Día del Padre del año siguiente, mi suegra vivía con una cuñada que se había separado y tenía dos hijos varones que también iban a estar ese día sin su papá. Hasta la noche los chicos estuvieron más o menos tranquilos, pero antes de acostarse se pusieron a mirar el programa de televisión de Juan Carlos Altavista, y su personaje, "Minguito", dijo que en el Día del Padre él quería felicitar a su madre, porque su madre había sido madre y padre al mismo tiempo. Eso fue un detonante, los tres chicos se largaron a llorar en medio de una crisis y una angustia terrible. Pero a partir de ahí se pudo hablar, Federico durante todos esos años había recibido la imagen de Hugo a través de mi suegra, desde mi punto de vista, demasiado idealizada; cuando empezamos a convivir decidí darle tiempo, esperar a que preguntara. Sucedían cosas que me sorprendían, detalles del comportamiento de Hugo que Federico repetía y que nadie podía haberle contado, por ejemplo siempre se paraba frente a una juguetería que era la misma por la que su padre tenía fascinación, y también en un local que vendía cosas de dibujo. Hugo era estudiante de arquitectura e ingeniería, no pudo terminar ninguna de las dos, pero cursaba ambas carreras. Los únicos dos locales de la calle Córdoba, en Rosario, donde Federico se paraba cuando salíamos a caminar eran ésos, los mismos que miraba su papá, y cuando se lo pregunté Federico me dijo que se paraba ahí porque le gustaba, no tenía la menor idea de lo de Hugo. Así, lentamente empecé a incorporar a Hugo en la vivencia de Federico, intuitivamente, a veces le decía: "Sos igual a tu padre de vago", cuando no me quería ayudar en la casa; o cuando se encaprichaba: "Si estuviera tu padre te metería una patada en el traste". Era una fórmula mágica que utilicé casi intuitivamente y a la que Federico respondía muy positivamente, además nos daba la posibilidad de hablar, él preguntaba. Su abuela le había construido una imagen superheroica de Hugo, así que cuando yo decía esto de que el padre era vago, que dejaba la ropa tirada por toda la casa como él, u otras cosas por el estilo, lo motivaba a querer saber del padre común, del hombre común de carne y hueso. Federico había tenido muy poco contacto con Hugo, hasta el año más o menos, y espaciadamente, porque cuando me detuvieron quedó conmigo en la cárcel hasta los dos años, y Hugo lo veía durante el primer año, cuando mi familia sacaba al nene del penal. Con el golpe del 76 Hugo tuvo que borrarse sin alternativa, y Federico no lo vio más, así que fui reconstruyendo totalmente su historia para Federico. En el colegio secundario empezó a haber influencia externa, él cursó en el Politécnico, igual que Hugo, y ahí empezaron a preguntarle si era pariente del "Colorado Irurzún", Hugo era pelirrojo y todos lo llamaban así, hijos de compañeros de Hugo le nombraban a su padre y empezó a enterarse de cosas, de historias, por fuera de la familia. Recién ahora que tiene veinticuatro años dice "mi viejo", en la facultad se interiorizó más todavía y comenzó a politizarse, y ahora milita en Hijos. Creo que actualmente Federico está bien, dentro de lo que puede estar un chico de su edad con semejante historia, en ese sentido, aunque fue muy bravo, nos fue bien.

¿Y conmigo qué pasó?, qué pasa, ¿qué sigue pasando? Hubo toda una etapa en la que exclusivamente me dediqué a dar respuestas inmediatas. Cuando salí en libertad la prioridad era Federico. Cuando decía que rompí primero con mi familia política y luego con la propia, no fue una pelea sino una separación, porque yo sentí que el eje debía ser Federico y que no podía hacerme cargo de mis padres o de mis suegros, porque era otro bollo del cual sentía que no iba a poder salir. Puse el acento en mi hijo y en el trabajo. Tenía que salir a trabajar para darle de comer a mi hijo, no tenía otra entrada. No tenía alternativa, me dedicaba a que Federico estuviera bien, a que tuviéramos para comer lo mínimo elemental, para pagar el alquiler, la luz y para vestirnos. Y punto. Mi vida fue dedicarme totalmente a eso. Por suerte había alcanzado a recibirme de farmacéutica, nunca en la vida había trabajado de farmacéutica, no había estudiado farmacia para eso, pero el título que llevaba en el bolsito con mis pocas pertenencias me ayudó mucho. El Movimiento Ecuménico por los Derechos Humanos (Medh) me dio una mano inapreciable, me facilitaron parte del dinero para comprar una farmacia en sociedad con otra señora. Recuerdo que en aquel momento me encontré con un viejo amigo militante, Victorio Paulón, que me invitaba a participar nuevamente en política con Alberto Piccinini, en Villa Constitución, pero yo pensé que si empezaba a militar de nuevo se perjudicaba Federico, porque a mí me iba a requerir mucha dedicación la militancia y ese tiempo se lo iba a sacar a mi hijo. Tuve conciencia de que eso me podía llevar a perder a Federico, y si lo perdía, no lo recuperaba más; le dije que no a Paulón, cosa que hoy, aunque ahora sí participo con ellos, me sigue recriminando afectuosamente. En la farmacia yo estaba ocho horas por día, pero Federico sabía dónde encontrarme, o se venía cuando salía del colegio, o me llamaba por teléfono, es decir, estaba ubicable todo el tiempo. Esto fue así hasta el 94, hasta que cobré la indemnización que el Estado pagó a los presos políticos, con ese dinero compré la casa y nos sentimos mucho más seguros, cerré la farmacia, me organicé de otra manera, empecé a trabajar en la Obra Social de la UOM (Unión Obrera Metalúrgica) de Villa Constitución. Ahora Federico ya está grande, me sigue necesitando, y yo sigo estando, todavía vivimos juntos, pero de otra manera. Desde que salí en libertad en el 83 hasta el 94 hice esa vida, once años, recién después empecé a pensar en mí. ¿Qué hice? Irme a trabajar a Villa Constitución con los compañeros, que es lo que más me gusta.

Lo otro que hice fue dedicarme con más ahínco a la búsqueda del cadáver de mi esposo. El año pasado logramos encontrar la tumba de Hugo en Paraguay. Creo que si tenemos suerte, este año podremos traerlo a Rosario. Lo necesito, necesito hacerlo, de lo contrario yo no puedo cerrar esa etapa de mi vida. Hace un año que estoy con psicólogo, tratando de ayudarme a impulsar esto, si no me va llevar diez años más. Claro que yo tuve suerte, se dieron las cosas de tal forma que pudimos encontrar a Hugo, la tumba de Hugo; desgraciadamente hay muchas compañeras que necesitan lo mismo y quizás nunca puedan hacerlo.

El año pasado una de las chicas que trabaja en la Subsecretaría de Derechos Humanos, en Buenos Aires, Claudia, me llamó por teléfono y me dijo que viajara a verla para hablar personalmente porque había novedades que quería transmitirme. Nunca voy a olvidarme, fue en agosto del año pasado y, sin duda, marcó otro de los hitos de mi vida. Viajé sola a Buenos Aires, me querían acompañar pero, no sé, quise ir sola.

Claudia me entregó fotos de la tumba de Hugo y nunca pensé que me iba a producir semejante shock. Yo no me lo esperaba, no me esperaba que me dijera: "Acá está, en tal lugar, en tal cementerio, hablé con la persona que lo enterró". Ese hombre, que en el 80 era un muchacho de unos veinte años, le contó que los milicos le entregaron el cajón abierto con Hugo adentro, por eso lo vio y pudo describírselo perfectamente. Hugo tenía una figura muy característica, era pelirrojo, medía un metro noventa, llamaba la atención. Lo enterraron como NN, pero dada la difusión que tuvo el caso en Paraguay, todos saben de quién es esa tumba. Ahora los Antropólogos van a tener que hacer la identificación.

Yo creía que lo tenía todo claro, pero cuando me mostró esas fotos y me contó todo esto quedé como atontada, no reaccionaba. Claudia guardaba las fotos y a los minutos yo volvía a pedírselas, le decía: "Dejáme ver un poco más las fotos de la tumba", y no atinaba a otra cosa. Fuimos juntas a ver al Equipo Argentino de Antropología Forense y les llevamos todos los datos necesarios. Cuando salimos de ahí yo quería caminar, sola, pero Claudia estaba preocupada, no quería dejarme. Finalmente ella se fue y yo seguí caminando, no sé cuánto tiempo, hasta que me cansé y me tomé un subte que me llevó a Retiro. No sé ni cómo subí al ómnibus que me trajo a Rosario, estaba totalmente boleada, me podía haber pasado cualquier cosa. A la noche Claudia me llamó por teléfono, quería saber si había llegado bien. Fue algo muy fuerte, sinceramente yo no hubiera pensado que podía afectarme de esa forma, ni siquiera podía contárselo a nadie.

Ahora estamos esperando el traslado, espero no tener que viajar a Paraguay, siento terror de tener que hacerlo, será subjetivo pero siento terror. Lo que sí quiero y se lo dije a Federico es tocar los huesos de Hugo, necesito tocarlos. Los antropólogos me explicaron que a veinte años del entierro lo que vamos a encontrar son los huesos. Y yo los voy a tocar, tengo que tocarlos. Federico me dice que es morboso. Será morboso, no sé, pero lo necesito. También le dije a mi hijo que es la primera vez que vamos a estar los tres juntos, y le pareció de humor negro. No importa, para mí todavía es como si Hugo estuviera vivo. La cosa es así, yo no puedo engañarme. Para mí es así.

He hablado con otras compañeras que han formado pareja, otra familia. Yo ni pensarlo, para mí es como meterle los cuernos a Hugo. No pude tener otra pareja, para nada. Necesito cerrar esta etapa, necesito terminar mi conflicto, no puedo ver las cosas de otra manera. Esto no lo vivo mal internamente, hay compañeras que me dicen que un compañero, una pareja, me puede ayudar, pero yo necesito resolver lo otro, y vivo bien así. No voy a decir que soy una campanilla, ni que mi vida es de colores, pero quiero decir que lo vivo con tranquilidad, yo sé lo que necesito interiormente. Fundamentalmente necesito la paz, y no voy a poder tenerla hasta que no haga todo esto. Pude dejar este tema un poco de lado en la primera etapa, cuando me dedicaba de lleno a Federico. Pero cuando Federico tuvo armada su personita, volvió todo, todo, con mucho furor. Ahí fue cuando dije ahora sí necesito psicólogo. ¡Ayuda, por Dios!, porque si no esto es de perder los estribos, hay que tener referentes. Mi trabajo también me ayuda mucho, hago lo que me gusta, y eso sirve.

A lo largo de estos años me he encontrado con muchas mujeres de desaparecidos que han pasado también por esa primera etapa de tener que responder a cosas muy inmediatas como son los hijos; hemos debido dejar de lado hasta los aspectos políticos, no sólo de búsqueda personal, de necesidades personales. No digo que haya sido así en todos los casos, pero en un gran número tuvimos una prioridad que fueron los hijos. Por eso no es casual que recién ahora estemos resurgiendo, ahora los chicos están grandes, nos necesitan menos, distinto. Por otro lado, creo que había una parte de la búsqueda de los desaparecidos y de lo político referido a este tema que estaba más o menos cubierto para el momento político que se vivía, y nosotras teníamos la prioridad de los hijos y de la subsistencia en la que nos metimos de cabeza. Pero, en otro sentido, hay una historia que sólo los sobrevivientes podemos contar, y eso es lo que ahora estamos haciendo, ése es nuestro tiempo actual. Claro que yo iba a las marchas, participaba como una más, nunca me he desentendido, pero no lo hacía en una forma muy activa, en cambio ahora sí. Creo que hay tiempos, y que este tiempo empieza a ser el nuestro. Además sentía que no había espacios para hablar temas como éste, por ahí hablabas con una o dos compañeras más que tenían a sus maridos desaparecidos, pero eran espacios chiquitos, casi privados, ahora empieza a ampliarse. Empezamos a romper silencios. Creo que, personalmente, antes no hubiera podido hacerlo.

Cuando uno habla de esto tiene que ubicarse en la época, de lo contrario es imposible entender; por ejemplo, en Villa Constitución, en San Nicolás, en Rosario, hubo mucho destrozo humano, y es increíble pero aún hoy de "eso" no se habla. No hablan, la gente no habla. Me contaba una psicóloga que trabaja en la zona que el tema no sale en las terapias de las familias afectadas. Es terrible aún hoy, se puede hablar con alguno que otro, pero sin ir a fondo. Si hablás con gente que vivía en Villa Constitución en esa época que no sufrió la represión personalmente, pero que sí la vio, te cuentan lo que era la ciudad antes y lo que es ahora, te dicen que era una ciudad alegre, abierta, y después de la represión se convirtió en un lugar triste, cerrado, replegado sobre sí mismo. Por eso no se habla, socialmente es difícil, por lo tanto individualmente se hace más improbable todavía.

En lo político realmente no me siento representada por ningún partido, con todas las cosas que uno ha vivido se hace difícil. No es que yo me plantee volver atrás, al pasado, para nada, pero hay cosas que son elementales: no ser contradictorio, ser honesto, ser coherente, eso es lo mínimo. Y eso no está. Por eso prefiero seguir haciendo tareas que creo que pueden aportar socialmente, trabajo social, y participo en la agrupación de ex detenidos que hemos armado en Rosario, y en todo lo que aporte a la memoria, a que lo que pasó no se pierda en el olvido, en estas cosas me meto a fondo, con el alma. Pero más que eso ya no.

Rosario, 15 de abril de 1999.

DESAPARECIDO
HUGO IRURZÚN
ASESINADO EN PARAGUAY
EL 18 DE SEPTIEMBRE DE 1980*

* Las fuerzas militares que lo mataron mantuvieron desaparecido su cadáver hasta 1998.

FUERON INTERVENIDOS OTROS DOS SINDICATOS

El Ministerio de Trabajo dispuso la intervención –"a todos sus efectos"– del Sindicato Buenos Aires de la Federación de Obreros y Empleados Telefónicos de la República Argentina (FOETRA) y del Sindicato Obrero de la Industria Naval (SOIN).

La resolución oficial fue adoptada "a fin de regularizar anomalías que se observan en el movimiento sindical argentino, teniendo en cuenta lo dispuesto en el Acta para el Proceso de Reorganización Nacional".

En la primera de esas entidades se designó interventor al vicecomodoro Rubén Edmundo Cortés y, en la segunda, al capitán de fragata Domingo Ignacio Pérez.

La medida ministerial declara, asimismo, la caducidad de los mandatos que los ordenamientos legales y estatutarios acuerdan a las autoridades de las entidades cuya intervención se dispone. Además se inviste a los interventores de las facultades de esas autoridades.

Con estas dos suman 30 las intervenciones a sindicatos que se dispusieron luego de asumir el gobierno las Fuerzas Armadas.

Habría más intervenciones

Contrariamente a lo que consignaban algunas versiones, tanto en el Ministerio de Trabajo como en la CGT, a través de voceros oficiosos, se supo que es posible que en los próximos días se dispongan nuevas intervenciones a sindicatos.

Las versiones sobre el tema aseguraban que el Gobierno levantaría la intervención en varias organizaciones.

La Nación, 13 de mayo de 1976.

María Rosa Balbi

A MÍ ME COSTÓ MUCHO TIEMPO darme cuenta de que Juan Carlos no iba a volver. Nosotros éramos militantes de la Juventud Universitaria Peronista (JUP), estábamos los dos en la Facultad de Odontología de Rosario y participábamos en el Centro de Estudiantes de todas las actividades de la JUP.

A Juan Carlos Gesualdo, mi marido, se lo llevaron el 28 de abril de 1977, yo estaba embarazada de siete meses, en junio me detuvieron, y nuestro hijo, Juan Pablo, nació unos días después, el 7 de julio.

Desde el principio la búsqueda fue constante, yo estuve presa un año y medio y continuamente le pedía a mi familia que buscara a Juan Carlos, ellos hacían todos las trámites, y las noticias que me traían cuando venían a visitarme eran siempre iguales, no se sabía nada de él.

Cuando salí en libertad y andaba por la calles que habíamos recorrido juntos me parecía verlo en todas partes, lo buscaba, estaba convencida de que lo iba a encontrar. Cuando se lo llevaron Juan Carlos tenía 28 años, y la imagen que a mí me quedó de él es la de esa edad, no puedo imaginarlo como una persona de 50 años, la edad que tendría hoy.

No volví a formar pareja, no pude hacerlo. Cuando se te muere un familiar vos lo velás, lo llevás y lo enterrás, y sabés que está ahí, si querés vas al cementerio. Así me pasó con mi viejo, y si se me da por llevarle flores lo hago. O con mi suegro que, como no tenía otro hijo que Juan Carlos, quedó solo y lo adoptamos en mi familia hasta que murió. Pero con la desaparición siempre te queda el interrogante de qué habrá pasado. Por más terapia que hagas, el duelo no se termina. Una se termina enterrando con ellos.

Yo salí de la cárcel, dediqué todas las fuerzas a terminar mi carrera, me pusieron trabas pero la terminé y me recibí de odontóloga. Luego vino la lucha por entrar a trabajar, lo logré en el 85. Pero no encontraba un lugar donde hablar de estos temas; volví a la misma facultad donde Juan Carlos y yo militábamos, donde te encontrabas de todo, desde el compañero que venía y te decía: "Qué suerte, estás viva" hasta otros que directamente hacían que no te conocían, y habían sido tus compañeros de estudio, inclusive gente muy cercana a la militancia que era la que más simulaba que nunca te había conocido. Rencores no tengo con esa gente, en aquel momento tal vez sí, pero ahora, a la distancia, lo puedo analizar mejor. La nuestra fue una generación diezmada y ésa fue una etapa muy brava, creo que nosotros no nos pudimos recuperar. En mi caso puse mucha polenta con el trabajo y en salir adelante, pero hace poco tiempo que pude empezar a hablar, a abrirme y a relacionarme con gente de los organismos de derechos humanos, y no con todos, porque a mí me pasó que, con el tema de la excepción del servicio militar de los hijos de desaparecidos, fui de un organismo a otro, por mi hijo, y no me sentí bien tratada, hasta que por suerte encontré una persona que me escuchó. Pero creo que nos han bloqueado tanto que encontrás divisiones en los mismos organismos, por rencillas tontas, y a veces te preguntás qué hemos aprendido de todo lo que nos pasó.

Con mi hijo Juan Pablo me ayudó mucho la terapia, para poder explicarle toda esta historia. Él es un pibe sano, le gusta el rock, el fútbol, se moviliza, va a los escraches, a las marchas. Empezó la Facultad de Ingeniería, no le gustó y dejó, pero ahora está en Bellas Artes y encontró su lugar, lo que le gusta, es un cascabel. Lo importante para mí es que haga lo que quiere, lo que le gusta.

Yo reconozco que sobreprotegí a mi hijo, que no quise que viviera las mismas historias que yo, no es un chico resentido, es un chico con valor, y a mí eso me pone muy orgullosa. Físicamente se parece mucho al papá, tiene muchas cosas de él (lo que son los genes...) y en el compartamiento también, deben ser recuerdos, impresiones que le hemos transmitido. Estoy orgullosa de él y creo que Juan Carlos, si es que está en alguna parte, también debe estar orgulloso de nuestro hijo.

Juan Carlos era un tipo tranquilo, meditaba mucho, él venía del cristianismo y yo también, teníamos toda esa cuestión muy fuerte de participar en los movimientos de la Iglesia. Yo después me abrí de la institución porque me defraudó mucho, tengo valores espirituales, no me volví atea ni nada por el estilo, pero no quiero nada con lo institucional. Estoy segura de que Juan Carlos se bancó todo para que a nosotros no nos pasara nada, no transigía, así lo dijeron en un homenaje que le hicieron en la facultad; no era una persona que llevaba adelante grandes voces o un gran orador, pero con su forma de ser, con su manera de hacer las cosas, era un compañero importante y se lo recuerda con gran afecto.

Creo que voy a poder hacer este duelo el día que lo pueda enterrar, y creo que ése es el trabajo importante que tenemos por delante, buscar dónde están. Recién ahora me animo a plantearme esto, a mí me costó veinte años cargarme las pilas y poder dar pasitos para intentar reconstruir, para empezar a hablar de esta historia. No es fácil dar detalles, empezar a buscar, es doloroso; yo a veces iba por la calle y encontraba a otros compañeros que sobrevivieron y me preguntaba con amargura por qué ellos sí y Juan Carlos no. No me animaba a decirlo, pero era desde el dolor que lo sentía así, y no tenía con quién hablarlo. Creo que fue muy dañino ese silencio. Mucho tiempo yo soñé con Juan Carlos, me quería acordar de su voz y no podía, y en los sueños nunca le pude ver la cara. En el 84, cuando aparecieron las fosas comunes con tantos desaparecidos, tenía pesadillas en las que lo buscaba y lo buscaba sin poder encontrarlo, o que alguien se iba caminando, siempre de espaldas, y yo sabía que era él, pero nunca podía verle la cara. Todo esto lo volcaba en terapia, lo mismo que el tema de tener que hacer de mamá y papá para mi hijo y tener que decirle: "Papá no está". ¿Cómo le planteás el tema de la desaparición a un hijo? Fue gradual, al tanteo, nadie sabía cómo se hacía, desde la ciencia no estábamos preparados para esto, nadie sabía qué era lo mejor. Fue muy, muy difícil.

Creo que hay que hablar sobre estos temas, pero desde lo humano, no siempre desde lo político, a veces escucho este tema por televisión y ya me cansa, porque no fue sólo eso, desde lo psicológico hemos sufrido un enorme daño, la angustia está y parece que eso no se reconociera.

A mí me salvó la contención familiar, entre mis viejos y mi suegro me ayudaron muchísimo. Mi mamá tuvo que hacer todo el camino con Juan Pablo que nació en la cárcel, no teníamos documentación, yo estaba presa, fueron muchas cosas en un lapso muy corto y en una persona que, como yo, tenía 22 años y no estaba preparada para afrontar semejante desastre. Venía de un colegio de monjas, del tercermundismo, con toda la fuerza y las ilusiones, y de repente se me vino todo abajo, y lo terrible es que no alcancé a darme cuenta de que se venía abajo. No tuvimos contención fuera de la familia, las que la tuvimos. Me sentí muy sola, muy desesperada; pensar que tenía la edad que mi hijo tiene ahora, y yo lo llamo "nene".

Juan Pablo estuvo desde que nació, en julio del 77, hasta el 5 de mayo de 1978 sin documentos, viviendo conmigo en la cárcel. Para colmo era un bebé hermoso, venían y me decían: "Qué lindo es", y a mí me daba espanto, gastritis, todo junto, tenía terror de que me lo quisieran sacar, pero por suerte pude tenerlo el año y medio conmigo. Tal vez eso me dio la energía de pelearla desde otro lado, y la contención de mi familia que tal vez me sobreprotegió mucho. Pero conozco casos de gente que estuvo sola, sola, o que la familia la rechazó. Eso es terrible. Mi suegro, que murió en el 89, poco antes tomó conciencia de que su hijo no iba a volver, y a través de un poder que Juan Carlos le había dejado pudimos pasar la casa a nombre mío, la vendimos, pero la cantidad de manejos y cosas que había que hacer era impresionante y muy desgastante. Juan Pablo pudo llevar el apellido del padre porque un abogado argumentó abandono del hogar, y mi suegro atestiguó esa situación. La mentira me ponía muy mal, me sentía que lo estaba cagando a mi marido, pero era la única forma de hacer las cosas en ese momento. No quiero ser sectaria, pero creo que estas cosas sólo las entiende el que las vivió. Por eso digo que esto tiene que ser hablado desde lo humano, siempre se habló desde lo político y a veces se usa desde lo político.

Para mí el tema no está resuelto desde ningún punto de vista, y creo que sólo es posible resolverlo el día que encontremos a los desaparecidos. Pero es difícil, yo sólo sé que Juan Carlos estuvo quince días en la jefatura, en Rosario, pero a partir de ahí se perdió el rastro. Sin embargo recién ahora empecé a ir a hablar con gente que lo vio, porque no lo pude hacer antes, y estoy empezando a buscar pistas, rastros. Lo que sucede es que en Rosario fue muy especial la represión, es difícil la búsqueda, hay lugares como por ejemplo La Calamita, donde se presume que hay cuerpos enterrados, pero son lugares donde todavía hoy no se puede entrar, no se puede investigar. Yo tengo el presentimiento de que Juan Carlos está en Rosario, pero es complejo investigar, porque no se habla. Es un trabajo que hay que hacer con la Justicia y sin las contradicciones que existen entre los organismos, sin que unos tiren para un lado y los otros para el contrario, despojados de intereses políticos; a veces siento que en tantos años no aprendimos nada.

Ahora que mi hijo está grande y más independiente empecé a participar en la comisión de ex detenidos que tenemos en Rosario, pero antes sólo me dediqué a mi trabajo y a mi hijo. Me preocupaba que Juan Pablo no preguntaba por su papá, sólo sabía que había fallecido, y yo no sabía cómo contarle toda la historia. Él tendría diez u once años cuando le empecé a contar que nosotros militábamos, pero me escuchaba sin preguntar nada. Es un chico que tiene sus tiempos, recién hace un par de años que realmente comenzó a hacer preguntas, antes me contestaba: "De esto vamos a hablar cuando yo tenga ganas, no cuando a vos te parece". Ahora está en otra etapa, participa en una agrupación estudiantil, va a los escraches, lee política, quiere enterarse de todo junto. Con respecto a su papá, siempre tuvo contacto con la historia humana de Juan Carlos, tiene hasta juguetes de su padre; pero del tema de la desaparición no se hablaba. Luego se fue hablando en conversaciones de sobremesa, o por algo que aparecía en la televisión o en los diarios, pero no hubo una conversación formal, se fue dando progresivamente, y los ritmos los marcaba él, aunque también coincidió con mi terapia. Yo veía que él se venía grande y me preguntaba qué hacer con todo este despelote, cómo transmitírselo. Lo que no quería era crearle odios o resentimientos, o que esto lo llevara a tener actitudes jodidas, y creo que eso lo logré.

Sola era muy difícil, muy duro, imposible. Además, pienso que había una fuerte presión social que silenciaba este tema, nosotros no podíamos hablar, pero otros no querían que se hablara de esto, y una lo sentía, lo percibía. Recuerdo que entré a trabajar como odontóloga en la Obra Social de la UOM (Unión Obrera Metalúrgica) de Villa Constitución, y recién a los cinco años se enteraron de que tenía a mi marido desaparecido. El silencio era mortal.

Rosario, 15 de abril de 1999.

DESAPARECIDO
JUAN CARLOS GESUALDO
28 DE ABRIL DE 1977

DIOSE DE BAJA A DOS EMPLEADAS SUBVERSIVAS

Rosario.– El delegado militar en la Universidad Nacional de Rosario, coronel Joaquín R. Sánchez Matorras, dictó una resolución por la que se dio de baja a dos funcionarias que –según trascendió– se encontraban vinculadas con actividades subversivas. Se trata de Nelly Noemí Enatirriaga –muerta en el ataque extremista a una unidad militar– y de Myriam Soledad Lachnicht.

Se supo que la baja de Enatirriaga se dispuso al tomarse conocimiento oficial de que había participado en el ataque extremista al Batallón de Arsenales 601, de Monte Chingolo, provincia de Buenos Aires. La nombrada se desempeñaba como jefe de división de la Dirección General de Administración del Rectorado. En lo que respecta a la otra funcionaria, la sanción se basó en la circunstancia de haberse comprobado su intervención en actividades subversivas reprimidas por la ley 20.840. Myriam Lachnicht se encuentra detenida actualmente a disposición del Poder Ejecutivo. El cargo que desempeñaba era el de jefa de departamento en la Dirección de Contrataciones. (...)

***La Nación,* 13 de mayo de 1976.**

María Paz de Chávez

MI MARIDO ERA OSCAR ROBERTO CHÁVEZ y trabajó catorce años en Acindar, aquí en Villa Constitución, hasta que lo hicieron renunciar. Después nos fuimos a vivir a Buenos Aires y él consiguió trabajo en una carpintería. Esa mañana de diciembre de 1975 salió a trabajar como de costumbre, a las seis. Se hicieron las siete de la tarde y teníamos la fiesta del colegio de una de mis hijas que había terminado séptimo grado, pero él no venía y no venía y yo me puse tan mal que tampoco pude ir a la fiesta de la nena. Esperamos toda la noche, pero tampoco volvió. Al otro día la llamé a mi hermana y me decía que me quede tranquila, que ya iba a volver, que a lo mejor se había ido a ver a la madre a Villa Constitución. Pero yo sabía que no, que si viajaba él me avisaba, y además teníamos la fiesta del colegio.

Pasaron los días y él no aparecía. Un mes antes habíamos sacado pasajes para ir a pasar las fiestas a Santiago del Estero, donde está mi familia, pero yo ya no me quería ir. Le pedí a mi hermana que se llevara a los chicos porque yo tenía miedo de que pasara algo. Nosotros teníamos cinco chicos, el mayor de catorce años, pero uno de los más chicos, dos años tenía, no se quiso ir con mi hermana, y se quedó conmigo en Buenos Aires unos días más. Busqué mucho pero no pude encontrar a mi esposo. Entonces decidí venirme a Villa (Villa Constitución), a la casa de la madre de él, pero aquí tampoco lo habían visto ni sabían nada.

Yo no sabía la dirección de la carpintería de Buenos Aires donde él estaba trabajando, me había dicho que era una carpintería por la Chacarita, pero nunca se me ocurrió preguntarle la calle, el número, y él nunca me lo dijo.

Y bueno, de ahí fue todo muy duro. Decidí volverme con los chicos a Villa, a nuestra casita, teníamos una casita en el Empalme. Fue muy duro porque con los cinco chicos –yo no tengo familia acá, estaban muy lejos– el único que me ayudó muy mucho fue el padrastro de él, sí, me ayudó bastante, y también una cuñada mía, una hermana de él, los dos me ayudaban con los chicos.

Me puse a trabajar todo el día, desde que salía el sol hasta que anochecía. Después el pibe más grande empezó a trabajar en el frigorífico, pero se me casó a los diecisiete años, así que luché y luché solita. Después empezó a trabajar otra de mis hijas, pero vivíamos mal, mal. A lo mejor comían al mediodía y a la noche ya no me alcanzaba, no les podía dar de comer. Yo trabajaba en casas de familia y en una panadería. En la panadería tenía que lavar los tendillos, esas máquinas, todo el día.

De él no supimos nunca nada más, nadie lo vio, nunca, nada, nada. Unos años después yo estuve con un muchacho de Rosario, un compañero de él, amigo de esa época que repartían mercadería en los barrios, y este chico me dijo que mi marido tenía papeles de él, carpetas que le habían dejado. Este pibe se había ido del país porque lo buscaban, y después volvió y me contó eso.

Nosotros hicimos todos los trámites para cobrar la indemnización esa que hay para los desaparecidos, pero me falta un papel, dice el abogado. Yo llamé a Buenos Aires y me dijeron que la plata ya está toda depositada, pero me falta ese papel.

De otros compañeros de él que estuvieron presos tampoco pudimos saber nada, nadie lo vio, jamás. Mis hijos me preguntaban, ellos querían saber del padre, que cuándo iba a volver. Mi hija, la que tenía trece años en ese momento, se enfermó mucho, pedía por el padre todo el tiempo, de día y de noche, mucho se enfermó ella. Muy triste era, porque a veces yo llegaba a la noche de trabajar y me encontraba con mis hijos llorando, y me encerraba a llorar. Ellos me pedían cosas, que les comprara algo, y yo nunca podía, no tenía, y me decía por qué será así esto. Una tristeza. Así fue todo, hasta que ahora ellos están grandes, cada cual con su familia, menos dos varones, uno de treinta y cuatro y otro de veintisiete que son solteros todavía y viven conmigo. No, yo no me casé, qué me voy a casar. Esperando siempre que a lo mejor iba a volver. Y sí, yo soy una persona que hablo poco, nunca salí de mi casa para nada que no fuera para trabajar, así que tampoco me junté con otra gente que le pasaba lo mismo. Acá se llevaron mucha gente, cuando nosotros volvimos a Villa se seguían llevando, secuestrando y todo. Yo me hubiera quedado en Buenos Aires, pero con cinco chicos qué iba a hacer yo en la ciudad, aparte que ahí no me gustaba tampoco, así que nos vinimos. Acá escuchabas a cada rato que se llevaron a Fulano, a Mengano, y yo decía en cualquier rato me van a venir a buscar a mí. Pero gracias a Dios nunca me molestaron, nunca nada. Además nosotros no hablábamos con nadie de esto, ni yo ni mis hijos, no.

Una vez, antes de que desapareciera, él le dijo a los chicos que ellos tenían que hacer lo que yo les mandara, que ellos tenían que obedecerme, que si a él le llegaba a pasar algo tenían que obedecerme, a nadie más que a mí, y que cuidaran de sus hermanos. Estábamos todos comiendo ese día cuando les dijo eso, y a los cinco o seis días pasó que no volvió más.

Siempre pensé que seguro que cuando nos fuimos de Villa a Buenos Aires nos siguieron. La casualidad de que él tenía un hermano que trabajaba en la Prefectura y se fue a Buenos Aires, allá donde estábamos nosotros... pero no le habíamos dado la dirección a nadie, no queríamos decir, hablábamos por teléfono, les decíamos que estábamos bien. Pero el hermano se llegó a Buenos Aires y para mí que lo siguieron. Yo digo que esa mañana a mi marido se lo llevaron cuando salió de casa a trabajar, que lo estaban esperando. Treinta y cinco años tenía él, y yo no tenía miedo cuando él estaba, estando él yo me sentía protegida porque él protegía a sus hijos, yo no tenía miedo aunque él era delegado en Acindar.

Pero cuando me volví de Buenos Aires para acá, con los chicos, sí que tenía miedo, mucho miedo tenía, me parecía que andaban, esa sensación que a uno le queda, ladraba el perro o la perra y yo decía ahí andan, ahí vienen. Y no, no vinieron nunca, era nomás una cosa que a mí se me había puesto, yo tenía miedo, no por mí, pero por los chicos tenía mucho miedo.

Al hermano y a la madre de él los chicos míos nunca les importaron, yo laburé día y noche para poder tenerlos conmigo, porque el hermano vino y me quería sacar a los chicos, y le dije que no, no te los voy a dar, yo soy la madre y ellos van a estar conmigo, y aparte que no son animales para darlos, le dije. Así que como pude los crié, y les di una educación, que sean como la gente, que nunca se metan en nada malo, que si quieren algo lo pidan, que no levanten cosas ajenas, nunca. Sí, mis hijos me han salido bien, gracias a Dios. Ya tengo doce nietos, sí. Pero hay que seguir ayudando a los hijos, porque hay poco trabajo, y qué van a hacer. Yo ahora ya no trabajo afuera, me dieron esa pensión que le dan a las esposas de los desaparecidos, la graciable, son ciento cuarenta y cinco pesos, y con eso y un poco que me ayuda uno de mis hijos me arreglo. Este hijo trabaja bien, él tuvo un accidente con la moto y la novia falleció, ahora en mayo va a cumplirse un año, y todas esas cosas me iban pasando. Yo era una persona sana, pero después me decubrieron que tengo diabetes, lo que faltaba, dije. Era más gorda, pero empecé a adelgazar y a adelgazar, me fui al médico y me dio un tratamiento. Pero hay que comer verduras, carne y a veces, digo la verdad, a veces no hay, y qué quiere que haga, como lo que hay. Así, la vida sigue.

Hace poco vi a la madre de él. Me dijo que había visto al hijo por ese programa de la televisión "Gente que busca gente", que vio a un hombre que estaba en el Paraguay y que tenía un montón de hijos. "Para mí que era él", me dijo. Por favor, le dije, como él quería a sus hijos usted piensa que puede estar en el Paraguay sin avisarnos. Usted es la madre, le dije, y puede esperarlo toda su vida, pero él si estuviera vivo hubiera vuelto, si ya hay democracia, cuántos han vuelto.

Él una vez me dijo a mí, porque el tenía esa porquería de psoriasis, y me dijo: "Mirá María, antes que me agarren los militares a mí, yo me dejo que me maten, pero para que me tengan preso no, porque vos viste cómo vivo con esta porquería de enfermedad". Y yo pienso que nomás pasó así.

(A esta altura de la entrevista se integró Marisa, una de las hijas de María.)

MARISA: Quisiera decir algunas cosas de mi papá, él no renunció porque quiso a su trabajo en Acindar, renunció porque lo amenazaban continuamente, lo obligaron a renunciar con amenazas de que iban a ponernos una bomba en casa, que iban a matarnos a todos. Resistió mucho tiempo pero al final tuvo que renunciar, y después igual siguieron las amenazas, por eso en junio del 75 nos fuimos para Buenos Aires, porque mi papá estaba seguro de que corríamos peligro.

Los primeros días que pasamos en la Capital estaba más tranquilo, pero al poco tiempo le habló a mi hermano mayor y le dijo que la ayudara a mi mamá con nosotros, que nos cuidara si a él le pasaba algo. Siempre pensamos que lo habrían amenazado nuevamente, o que lo estaban siguiendo y él se dio cuenta. Yo mucho no me acuerdo porque era chica, tenía trece años, pero sí recuerdo que vivíamos siempre con miedo, siempre nos recomendaba que no abriéramos la puerta, que no habláramos con nadie. Tampoco quería que mi abuela fuera de Villa a Buenos Aires a visitarnos, porque tenía miedo de que la siguieran. Al poco tiempo de que dejamos nuestra casa de Villa fue la policía, la casa se la habíamos dejado prestada a una familia amiga y cuando vieron que mi papá ya no estaba, les pusieron una bomba. También secuestraron a otro vecino que tiene el mismo apellido que nosotros, creyendo que era mi papá, después lo soltaron. Quiero decir que fue una persecución y que había muchos motivos para tener miedo.

Mi papá era un delegado muy activo en Acindar, también era uno de los que repartía mercadería en Villa para los despedidos de la empresa y para todos los desocupados, para que comieran, para ayudar a la gente. Él estaba muy metido, era un militante muy activo y muy conocido.

El asunto es que al poco tiempo de que el hermano de mi papá –que estaba en Prefectura– fue a visitarnos a Buenos Aires, se produjo la desaparición. Seguro que lo siguieron a mi tío, si no cómo lo iban a encontrar a mi papá. Por ahí fue una casualidad o tal vez fue algo armado, no lo sé.

Nosotros no vamos a dejar de esperarlo nunca a mi papá. Por más que mi mamá y nosotros hayamos hecho todos los trámites por la indemnización, no vamos a renunciar a hacer cosas para encontrarlo o para que los culpables tengan su castigo. Aunque yo creo que nunca van a ser castigados en serio, mirá cómo están, presos en sus casas, llenos de las mejores cosas y hasta el presidente visita a uno que ahora está internado. De qué castigo hablamos. Qué podemos esperar nosotros. Te da bronca y dolor, porque ellos se llenan la boca diciendo que combatieron a la subversión, desconociendo todo lo que hicieron, y sin embargo no les hacen nada. Por eso yo creo que lo que hizo mi papá estaba bien, no fue un cobarde, él luchó con la gente, ayudó mucho, consiguieron cosas importantes en la fábrica. Aunque hoy de todos esos que perdieron la vida, tantos, como mi papá hay un montón, de todas las cosas por las que ellos lucharon no queda nada, se perdió todo. Hoy la gente de la fábrica no puede abrir la boca, no pueden trabajar dignamente, no tienen una obra social digna, nada. Y una piensa: tanta gente perdió la vida, para qué.

Uno de mis hermanos casi no lo conoció a mi papá, cuando él desapareció era un bebé de ocho meses, sin embargo, para él mi viejo es todo, el Día del Padre se emociona, llora por cualquier cosa, siempre. Una piensa que, si casi no lo conoció, cómo puede sentirlo así, pero es que en Empalme vos hablás de mi papá y todo el mundo lo conoció y lo adoran. Mi papá cantaba tango y siempre iba a un bar a cantar con los compañeros, y ayudaba a todos, les daba plata a los que no tenían para curar a sus hijos, los llevaba al médico. La gente se acuerda de sus buenas cosas y eso es lindo, por lo menos nosotros sabemos que mi viejo no fue un jodido y que lo que hizo no lo hizo por beneficio propio, si no hoy estaríamos llenos de todo, aunque él no estuviera más. Yo estoy orgullosa del viejo. Aquí en Villa hemos levantado un monolito con los nombres de los desaparecidos y todos los años los homenajeamos para el aniversario del golpe, les dejamos una flor. Antes una no podía decir: "Soy hija de un desaparecido", hoy sí lo decimos tranquilamente; hay gente que recién ahora se entera de lo que pasó, muchos ignoraron todo o quisieron ignorarlo.

Hay que imaginarse a mi mamá sola con cinco criaturas. Qué tiempo iba a tener mi mamá para ocuparse más que de trabajar todo el día y cuidarnos como podía. Mi abuela lamentablemente fue una mujer que tenía mucho miedo, no podía hacer nada: "No porque nos van a meter presas", te decía. Cuando volvimos de Buenos Aires a Villa, mi mamá fue a hacer la denuncia de la desaparición a Rosario, y mi abuela no quería que la hiciera. Siempre con miedo. Así que mi mamá estuvo siempre sola, para darnos de comer, sola, para hacer algo, sola, qué más iba a hacer. La cosa era callarnos y seguir viviendo, esperando. Pero cuando pasan cuatro o cinco años vos decís: ¿qué espero? Lo que mi papá hizo también lo hizo por nosotros, su familia. Si él estuviera vivo estaría con nosotros. Lo que siempre me reprocho es no haber hecho más cosas, no haber participado en las comisiones. Pero yo también tuve un hijo demasiado chica, a los dieciséis años, también tuve que trabajar para criarlo, después me casé y tuve más hijos. Mi marido hoy me dice que si yo quiero participar en estas cosas que lo haga, que me va a apoyar, pero cuando recién nos casamos no, nunca había salido de él ni de mí decir que yo quiero ir allá o acá. Era algo que había que dejarlo ahí.

Mi mamá es lo más grande que hay, porque mi papá luchó mucho por nosotros, pero después, el después le quedó a ella. Sola. Mi papá traía su sueldo y ella decía hay que pagar aquí o allá, pero después se encontró con que no tenía nada más. Tuvo que empezar de cero.

Cuando volvimos a Empalme no te ayudaba nadie, todos tenían mucho miedo y se lavaban las manos. Nosotros salimos adelante porque ella trabajaba de la mañana a la noche. Nos tuvimos que deshacer de lo poco que teníamos, una canoa de mi papá, un motor, todo eso lo fuimos vendiendo para comer cuando ella tenía poco trabajo. Así fue pasando la vida sin mi papá.

Villa Constitución, 16 de abril de 1999.

DESAPARECIDO
OSCAR ROBERTO CHÁVEZ
18 DE DICIEMBRE DE 1975

EL DOCUMENTO FINAL

"En ese crucial momento histórico, las Fuerzas Armadas fueron convocadas por el Gobierno Constitucional para enfrentar a la subversión. Esta convocatoria se materializó en dos resoluciones:

"Decreto Nº 261, del 5 de febrero de 1975, que ordena: 'Ejecutar las operaciones militares que sean necesarias a efectos de neutralizar y/o aniquilar el accionar de los elementos subversivos que actúan en la provincia de Tucumán'.

"Decreto Nº 2772, del 6 de octubre de 1975, que ordena: 'Ejecutar las operaciones militares y de seguridad que sean necesarias a efectos de aniquilar el accionar de los elementos subversivos en todo el territorio del país'. (...) La naturaleza y características propias del accionar terrorista, cuyos elementos se organizaban en sistema celular y compartimentación de acciones, obligaron a adoptar procedimientos inéditos (...)

'Se cometieron errores'

"Las acciones así desarrolladas fueron la consecuencia de apreciaciones que debieron efectuarse en plena lucha, con la cuota de pasión que el combate y la defensa de la propia vida genera, en un ambiente teñido diariamente de sangre inocente, de destrucción, y ante una sociedad en la que el pánico reinaba. En este marco, casi apocalíptico, se cometieron errores que, como sucede en todo conflicto bélico, pudieron traspasar, a veces, los límites del respeto a los derechos humanos fundamentales, y que quedan sujetos al juicio de Dios en cada conciencia y a la comprensión de los hombres.

'Aprobación'

"Fue por ello que, con la aprobación expresa o tácita de la mayoría de la población, y muchas veces con una colaboración inestimable de su parte, operaron contra la acción terrorista orgánicamente y bajo sus comandos naturales. En consecuencia, todo lo actuado fue realizado en cumplimiento de órdenes propias del servicio. (...)

"Aquellas acciones que, como consecuencia del modo de operar, pudieron facilitar la comisión de hechos irregulares y que fueron detectados, han sido juzgados y sancionados por los consejos de guerra. (...)

'Las secuelas del conflicto'

"Un conflicto que, por su extensión temporal y geográfica, sacudió a toda la República, porque cualquier lugar de nuestro suelo podía transformarse súbitamente en campo de batalla (...) debía inexorablemente dejar profundas secuelas de inseguridad, pérdidas humanas, destrucción y dolor. Muchos argentinos han sufrido y aún hoy padecen, en respetable silencio, las secuelas de una pérdida irreparable, sabiendo todo el país que no pocos de los autores materiales o ideológicos de esos asesinatos se encuentran en el exterior, gozando de impunidad (...)

"En todo conflicto armado resulta difícil dar datos completos. En la guerra clásica, donde los contendientes son de nacionalidades distintas, usan uniformes que los diferencian y están separados por líneas perfectamente identificables, existen numerosos desaparecidos. En una guerra de características tan peculiares como la vivida, donde el enemigo no usaba uniforme y sus documentos de identificación eran apócrifos, el número de muertos no identificados se incrementa significativamente (...)

"Es el tema de los desaparecidos el que con más fuerza golpea los sentimientos humanitarios legítimos (...) La experiencia vivida permite afirmar que muchas de las desapariciones son una consecuencia de la manera de operar de los terroristas. Ellos cambian sus auténticos nombres y apellidos, se conocen entre sí por lo que denominan 'nombre de guerra' y disponen de abundante documentación fraguada (...) Así, algunos 'desaparecidos' cuya ausencia se había denunciado, aparecieron luego ejecutando acciones terroristas. En otros casos, los terroristas abandonaron clandestinamente el país y viven en el exterior con identidad falsa (...) Se habla, asimismo, de personas desaparecidas que se encontrarían detenidas por el Gobierno argentino en los más ignotos lugares del país. Todo esto no es sino una falsedad utilizada con fines políticos, ya que en la República no existen lugares secretos de detención, ni hay en los establecimientos carcelarios personas detenidas clandestinamente. En consecuencia debe quedar definitivamente claro que quienes figuran en nóminas de desaparecidos y que no se encuentran exiliados o en la clandestinidad, a los efectos jurídicos y administrativos se consideran muertos, aun cuando no pueda precisarse hasta el momento la causa y oportunidad del eventual suceso ni la ubicación de sus sepulturas (...)

"Por todo lo expuesto la Junta Militar declara:

"1º) Que la información y explicaciones proporcionadas en este documento (son) todo cuanto las Fuerzas Armadas disponen para dar a conocer a la Nación, sobre los resultados y consecuencias de la guerra contra la subversión y el terrorismo.

"2º) Que en este marco de referencia, no deseado por las Fuerzas Armadas y al que fueron impelidas para defender el sistema de vida nacional, únicamente el juicio histórico podrá determinar con exactitud a quien corresponde la responsabilidad directa de métodos injustos o muertes inocentes.

"3º) Que el accionar de los integrantes de las Fuerzas Armadas en las operaciones realizadas con la guerra librada constituyeron actos de servicio.

"4º) Que las Fuerzas Armadas actuaron y lo harán toda vez que sea necesario en cumplimiento de un mandato emergente del Gobierno nacional, aprovechando toda la experiencia recogida en esta circunstancia dolorosa de la vida nacional.

"5º) Que las Fuerzas Armadas someten ante el pueblo y el juicio de la historia estas decisiones que traducen una actitud que tuvo por meta defender el bien común. Identificado en esta instancia con la supervivencia de la comunidad y cuyo contenido asumen con el dolor auténtico de cristianos que reconocen los errores que pudieron haberse cometido en cumplimiento de la misión asignada."

La Nación, 29 de abril de 1983.

Darío Olmo

EQUIPO ARGENTINO DE ANTROPOLOGÍA FORENSE

PARA EXPLICARLO CON PALABRAS SIMPLES, no académicas, nuestra tarea es excavar, recuperar historias, recuperar cuerpos y tratar de devolverles el nombre que tenían antes de ser asesinados.

A partir de allí nuestra interacción con familiares de desaparecidos es bastante frecuente. Cuando empezamos a trabajar era más habitual el contacto con padres, madres, con gente de la misma generación, y con hijos. El contacto con compañeras o mujeres de desaparecidos ha sido discontinuo a lo largo del tiempo, y, si se quiere, los casos en que pudimos encontrar los restos de sus compañeros e identificarlos han sido pocos en relación a la totalidad de casos que hemos tenido. Los casos de esposas o compañeras supérstites que recurrieron a nosotros y en los que se ha logrado la identificación supongo que no llega al 20 por ciento, o menos. Sucede también que hay más casos de identificaciones establecidas de mujeres que de hombres; las mujeres son más visibles, o quizás con ellas hemos tenido más suerte. Pero en cuanto a las personas que se acercan a nosotros a aportar datos, se logre o no la identificación, ahí sí diría que casi en la mitad de los casos son compañeras o esposas de desaparecidos.

En general son situaciones un poco tensas en el sentido de que ellas están muy nerviosas cuando se aproximan a nosotros. Esto es así porque cualquier familiar que se acerca a nosotros obviamente siente que está empezando a tratar con personas que, de un modo u otro, le están hablando de que asuma la posibilidad de la muerte del desaparecido. Además también hay mucha ansiedad por ver qué datos necesitamos, cómo podemos ayudarlos y cómo pueden ayudarnos ellos a nosotros. Después de la primera reunión eso se distiende bastante, y en general se establece una buena relación, una relación normal.

Por todo esto es que me resulta muy difícil separar a las esposas o compañeras de desaparecidos como un grupo aparte o diferente del resto de los familiares. Cada uno sufrió esto de una manera muy diferente, incluso cada generación.

Las compañeras en general estaban en muchos casos organizadas de la misma manera que los compañeros, sabían en lo que estaban, habían asumido un compromiso del modo en el que se asumían los compromisos en aquel entonces, y en ese momento había un clima en el que las cosas se resolvían de otra manera. El suceso de lo que les pasó a ellas y a sus compañeros es una manifestación en pequeño de lo que estaba pasando en todas partes, entonces hay también un clima de derrota, de derrota catastrófica.

A esa derrota catastrófica le sigue la situación de cómo armarse de nuevo, cómo vivir o sobrevivir a esa experiencia dolorosa que es, además, una experiencia con preguntas sin respuestas. En realidad es muy poco lo que podemos ofrecer tanto nosotros como ellas, es una cosa muy precaria, una transición muy difícil. Para nosotros que somos en cierta forma parte de una misma generación y de una misma cultura, es también un duelo. Pero en el caso de las compañeras, y esto lo he visto en los padres también y a veces en los hijos, hay un efecto reparador en la restitución. En muchos casos el duelo empieza en el momento en que se confirma la identidad de los restos, y esto tiene todo lo doloroso que tiene un duelo, pero también, casi en lo inmediato tiene un efecto liberador, hay una angustia que se puede expresar.

El duelo es una cosa necesaria para todas las personas y en este caso, por el método represivo que se empleó en la Argentina, el duelo no se podía manifestar porque por un lado no estaba la certeza, no estaba el saber dónde se encontraba el desaparecido, si estaba vivo o muerto; las fantasías eran horribles porque la misma realidad era horrible. Una situación en la cual no era legítimo, desde otro punto de vista, el duelo. Hacia el pequeño mundo del entorno de cada uno de los desaparecidos esto era vivido también de una manera trágica. Por eso para nosotros es muy importante acompañar y participar de las ceremonias y establecer un vínculo afectivo con las personas porque nosotros también lo necesitamos. No es sólo una necesidad del familiar, sino también nuestra para poder hacer este trabajo. Necesitamos que entiendan el proceso de que en realidad lo que les estamos pidiendo es algo bastante complicado: que del recuerdo de una persona que sabían cómo olía, cómo se reía, sus costumbres y modos, su piel, hagan un tránsito hasta una caja con huesos. Es un camino muy largo y muy difícil.

Con todo esto la relación que queda establecida es una relación fuerte, importante para los familiares, y no hemos tenido casos donde ellos no hayan entendido también lo que nos estaba pasando a nosotros y qué era lo que queríamos además del trabajo técnico, de decir: "Bueno, esta persona era del sexo masculino, medía tanto y por esta serie de informaciones podemos comparar y podemos decir fehacientemente que son los restos de quien en vida fuera..."; y devolverle su nombre. Una vez un escritor que hizo un libro sobre nuestro trabajo dijo que lo que hacemos se acerca más al orden del ritual que del trabajo estrictamente científico. Yo no lo sé, nosotros no tenemos vocación de oficiar en otro orden que no sea el del trabajo, pero de todos modos las relaciones toman ese carácter y después queda un vínculo de amistad en el que por muchos años permanece el contacto. Por otro lado, uno tiene amigos o gente de la que piensa bien por muchas causas a lo largo de la vida, y lo que pasa con nosotros es que si bien hay un cariño y todo lo que puede acompañar a una relación, por otro lado hay un recuerdo o una referencia a ese punto donde nos conocimos, donde nos encontramos, que tiene que ver con algo muy doloroso. Por esa razón los familiares no pueden estar con nosotros constantemente o vernos con demasiada frecuencia, porque es recordar eso muy doloroso también, y es así de contradictorio.

Para establecer una identificación uno necesita datos precisos, porque el material con el que se trabaja es algo bastante magro como son los huesos, por eso en muchos casos acompañamos al familiar a buscar esos datos, las historias clínicas, las fichas odontológicas, a mirar las fotos, y así es como se va generando la confianza. En realidad, los casos en los que se ha establecido la identificación son muy poquitos en comparación con todos los que hemos visto, por eso en la mayoría de las búsquedas lo que queda es la tranquilidad de haber hecho todo lo posible, pero también una gran frustración de que eso no haya sido suficiente.

Lo que nosotros hemos visto en las zonas de la Capital Federal y el Gran Buenos Aires, que es donde más hemos trabajado, es que pueden haber pasado diferentes cosas con los cadáveres. Que hayan arrojado a la gente, a los cuerpos, al agua desde aviones. Que los hayan llevado como NN a los cementerios, y allí transcurrido un tiempo cuando nadie se ocupa –en este caso por no saber de quiénes se trata–, los hayan pasado al osario, de donde recuperarlos ya no es posible. En casos muy puntuales de algunos cementerios, los restos todavía están allí y los hemos recuperado y los tenemos en términos legales en custodia para seguir investigando, pero en realidad son muy pocos dentro de lo que son en total como cifra.

Sin embargo, la demanda de los familiares es constante y a veces son muchos los casos que vamos investigando en forma simultánea. Para poder dedicarnos a esto, para poder seguir trabajando en este tema, estamos obligados por las circunstancias a trabajar en muchos países muy lejanos o muy diferentes, que tienen situaciones básicamente similares. Pero en general lo que uno investiga, lo que averigua, son cosas bastante espantosas. Supongamos, por ejemplo, que desaparece una persona en un día de junio en la

Ciudad de Buenos Aires. Entonces se empieza por revisar todas las desapariciones denunciadas en ese mes a una distancia geográfica no muy importante del lugar de desaparición de esa persona, de modo tal que se establece una hipótesis para poder entender la caída en términos represivos, obviamente esto no quiere decir justificar, pero sí entender qué actividad o qué tipo de relaciones hacen a la persona blanco de la represión. Por otra parte, como la represión tenía un carácter básicamente territorial, el grupo de tareas que estaba trabajando sobre determinada localidad o grupo de localidades es el primer sospechoso de ser el responsable de la desaparición de esa persona. Investigamos también cuál es el centro clandestino de detención al cual podrían haberla llevado, entonces buscamos a los sobrevivientes de ese centro, buscamos en los testimonios y en las denuncias sobre a quiénes vieron esas personas sobrevivientes en esos centros, o de quiénes escucharon; porque en realidad ver no veían mucho, estaban generalmente vendados. Esas personas sobrevivientes estaban pasando por un estrés muy especial y en general no tienen la tranquilidad para recordar como puede recordar uno en circunstancias normales. Por otro lado, buscamos en todo tipo de información pública, estatal, burocrática, algo que induzca a pensar qué pudo haber pasado con esa persona. Se busca en los diarios, en la prensa, noticias sobre enfrentamientos armados, porque generalmente los enfrentamientos fraguados o simulados eran la forma de hacer aparecer los cuerpos de personas que ya en los centros de detención, a los efectos represivos, no les servían para nada y por lo tanto eran asesinados. Si se producía ese "enfrentamiento", una vez que el cuerpo quedaba en la calle el aparato represivo se retiraba, su tarea con respecto a esa persona había concluido. A partir de ese momento hacía su aparición la otra parte del Estado que siempre trabajó, antes, durante y después, que es aquella que interviene cuando aparece un cuerpo en la calle, y que tiene una serie de prescripciones sobre lo que se hace en estos casos: viene el comisario, hace un acta, la eleva al juez de turno del área, después pide al Registro Civil de la zona que expida una partida de defunción de NN, luego hay que hacer una autopsia, mandar el cuerpo a un cementerio. Todo esto en muchos casos se hacía, se tomaban huellas dactilares, hubo muchísima información que se perdió en la mayor parte de los casos, pero que efectivamente se hacía. Una cosa muy esquizofrénica como era todo lo que el Estado hacía en ese momento. Es en esas oficinas o en esos archivos donde hay que buscar si está la causa penal que había que abrir en ese momento, si está la partida de defunción, si está el ingreso al cementerio con indicación del lugar en que se enterró. Pese a todo esto que se hacía, los hábeas corpus presentados por los familiares daban negativo, ahí el Poder Judicial actuaba en complicidad absoluta con el resto de la maquinaria del Estado. O no averiguaban o hacían la intervención burocrática tradicional de escribirle al comisario, al comandante del regimiento más cercano, preguntándoles si esa persona estaba detenida, a lo que obviamente les respondían que no; entonces rechazaban el hábeas corpus, le hacían pagar al familiar las costas de la investigación, y todo seguía igual.

En general es muy poco lo que obtenemos de todo este tipo de averiguaciones. En el caso afortunado –que es excepcional– de que la investigación conduzca a establecer que quizás esta persona secuestrada tal día es esta persona enterrada veinte días después en este cementerio; y, más afortunado todavía, si aún el cuerpo está en la sepultura y la hipótesis es cobertora, es promisoria, en ese caso se organiza con los familiares toda la sucesión de pasos burocráticos en el ámbito judicial para que se ordene la exhumación. Luego el juez designa el lugar donde se van a analizar los restos, que puede ser la morgue de algún hospital cercano, y ahí se hacen los estudios. Durante toda esta transición nosotros hemos estado buscando con los familiares aquellos datos físicos susceptibles de manifestarse en los tejidos duros y se hace como una suerte de comparación, y, en los casos –muy pocos– afortunados, se puede establecer la identidad.

En esos casos es el juez el que establece la identificación, nosotros la podemos establecer en términos técnicos pero no en términos legales. Es el juez el que dice: "Estos restos corresponden a tal persona", y ordena al Registro Civil que establezca la partida de defunción a nombre de esta persona, en reemplazo de una partida de defunción de un NN ya inscripto. Finalizados esos pasos, el cuerpo se puede enterrar con su nombre en el lugar que la familia disponga. Pero repito, son casos puntuales. No tengo la cifra exacta, pero supongo que en nuestro país debemos haber hecho alrededor de unas cuarenta identificaciones a lo largo de muchos años, desde que a mediados de 1984 iniciamos estas búsquedas.

En muchos más casos, muchísimos más, pudimos establecer de manera fehaciente qué es lo que había pasado con la persona, a qué cementerio había ido, y allí nos encontramos con que lo habían pasado al osario. En el cementerio de Avellaneda, que es uno de los que más hemos trabajado, identificamos ocho o nueve personas y sabemos que, entre los más de trescientos esqueletos que tenemos en el lugar de estudio, hay más de veinte personas de las que hemos podido determinar su identidad, conocer quiénes son. Pero no tenemos forma de demostrarlo, de decir es este esqueleto y no es ninguno de los otros trescientos, a pesar de saber fehacientemente que fueron a ese cementerio y que son algunos de los que recuperamos. Lo que estamos haciendo ahora es trabajar con algunos laboratorios que rescatan ADN mitocondrial de los tejidos duros, para compararlos con lo que se pueda rescatar de muestras de una gota de sangre o de saliva de un familiar por la línea materna. Pero es difícil dar con un laboratorio confiable y que cuente con los recursos como para hacer estas determinaciones de manera más o menos ágil.

Económicamente este tipo de estudios de laboratorio nunca corre por cuenta de los familiares. En algunos casos alguna instancia del Estado, como la Subsecretaría de Derechos Humanos, nos ayuda a costearlos, en otros casos los laboratorios los hacen porque a ellos les interesa y asumen los costos, pero a los familiares ninguna de las instancias de la búsqueda y la identificación les implica erogaciones. Nosotros no podríamos aceptar que fuera de otra forma. Lo que sucede es que estos estudios son cosas relativamente nuevas y son muy pocos los laboratorios que realmente lo hacen bien. El lugar que a nosotros nos resulta más confiable en términos científicos es el Servicio de Inmunología del Hospital Durand, y el costo de lo que sería comparar una muestra de sangre con una muestra de huesos es de algo así como 1.100 pesos. Pero el obstáculo no es el costo económico que, repito, no lo deben solventar los familiares, el obstáculo real es llegar a la convicción de que ese esqueleto corresponde a la persona que estoy buscando identificar, y que no hay ninguna otra forma de establecer la identidad si no es a través de ese paso.

No es que alguien dice: "Yo aquí tengo la plata, tráiganme los huesos". No, no es así. Por otra parte, nosotros somos muy cuidadosos con respecto a nuestra independencia institucional, porque no nos interesa que nos identifiquen con una especie de apéndice de oficina del Estado, porque el Estado tiene un significado político. En general el lugar estatal con el cual nosotros hemos trabajado en colaboración durante todos estos años, y donde la relación ha sido buena y de mucho respeto, es la Subsecretaría de Derechos Humanos, ésa fue una buena experiencia salvo en los primeros años de nuestra existencia como institución; pero la subsecretaría no puede tener una partida asignada para este tipo de estudios.

Es obvio que las listas de desaparecidos están, es obvio que las listas fueron hechas con mucho cuidado y que los responsables de las Fuerzas Armadas sabían perfectamente qué era lo que estaba pasando con cada una de esas personas, y que no era un cabo ni un suboficial quien decidía qué iban a hacer con cada una de ellas, si bien cabos y suboficiales tienen también mucha responsabilidad. Resulta más que obvio decir que nuestra búsqueda es algo muy chico si la comparamos con lo que sería posible hacer si ellos asumieran decir: "Cada persona fue asesinada o fusilada (o como quieran llamarlo) tal día, en tal lugar y con el cuerpo se hizo tal cosa", pero nada es así y por eso todo resulta muy difícil.

Tampoco se da la facilidad de tener dos archivos, uno con las muestras óseas de todos los restos encontrados ya analizadas, y otro con los resultados de las muestras de sangre de todos los familiares de desaparecidos; esto sería plantearlo en términos ideales, pero en la realidad no es tan sencillo. Actualmente nosotros hemos remitido a laboratorios del exterior más de treinta muestras de restos óseos y de tejidos sanguíneos que están siendo analizadas.

Generalmente los asesinatos eran múltiples, no era lo común que mataran a una persona sola por los mecanismos del vuelo o del enfrentamiento simulado. Lo habitual era asesinatos múltiples y esto por un lado hace más visibles los casos, pero por otro, hace más complicada la identificación. Si mataban a muchas personas juntas es más fácil establecer la conjetura de a qué organización pertenecían, de qué centro de detención clandestino los sacaron, por qué los mataron ese día, quiénes podían llegar a ser y muchas otras cosas, cuantas más personas, más visibles. Pero también, cuantas más personas, se multiplican exponencialmente las posibilidades, entonces hay que ser muy cuidadoso. Por ejemplo, nosotros suponemos en la actualidad que los asesinados en Fátima (localidad del Gran Buenos Aires próxima a Pilar) el 20 de agosto de 1976 eran en su mayoría personas pertenecientes a la organización Montoneros del norte del Gran Buenos Aires, pero a pesar de que ésa es nuestra hipótesis, no podemos andar diciéndolo muy a la ligera porque son los cuerpos de veinticinco personas. Sin embargo en esa fecha, en zona norte, tal vez hubo como doscientos desaparecidos, y entonces son doscientas familias que están sufriendo, que están oscilando entre la esperanza, la incredulidad y la culpa. Aunque parece una cosa absurda, los familiares casi siempre sienten culpa porque piensan que no hicieron lo suficiente, y que la mejor prueba de que no hicieron lo suficiente es que no pudieron recuperar el cuerpo, cuando en realidad los responsables obviamente no son ellos.

Tenemos en general una experiencia muy desalentadora con los medios de comunicación, tratar con la prensa ha sido –con excepciones, por supuesto– desde nuestro punto de vista un capítulo muy conflictivo y desagradable. Habitualmente la prensa toma esto bastante a la ligera, con una mentalidad muy curiosa que entiende que lo que se dice hoy en un noticiero o en un diario, mañana ya es viejo, y en función de eso se ha hecho daño, se han dicho estupideces. En ese marco se han publicado barbaridades, como que si simplemente uno tiene una cantidad de dólares puede recuperar los restos, como si fuese una cosa mecánica, y esto es una falacia muy devastadora para los grupos de familiares, porque se trata de gente que no tiene expresión y que ha sido, en cierta forma, señalada por el resto de la sociedad como cómplices o como responsables de las desapariciones de sus seres queridos. Aquello de que "en algo andarían" o "por algo sería".

En términos de explicación del caso sí, por algo era, desde nuestra experiencia son realmente excepcionales los casos en que se haya victimizado a personas que no hayan tenido algún nivel de compromiso o de organización, lo que no se entiende es que ese compromiso no legitima que se los haya privado de todos sus derechos como ciudadanos y de todo aquello que la Constitución indica que es inalienable de cada una de las personas.

Cuando los familiares se organizaron, cuando formaron los organismos de derechos humanos, eran personas que estaban ingresando en un mundo que no conocían y de una manera no vocacional. Yo puedo tener vocación de antropólogo, pero nadie tiene vocación de madre de desaparecido. El familiar es una persona que ha sufrido un daño atroz, a quien encima se le pide que actúe y que razone como un cuadro político, eso es un disparate.

Nosotros, como profesionales, no podemos ir más allá de poner un cierto "saber" sobre los huesos a trabajar, sobre un dato histórico concreto que es la segunda mitad de los 70 en la Argentina. Pero en realidad, si uno lo restringe al orden de lo privado, de lo familiar, de los lazos de sangre, tampoco se entiende lo que está pasando, tampoco está señalando correctamente lo que pasó.

Acá lo que se hizo no fue agredir a grupos familiares, no se agredió a la familia ésta o aquélla, sino que fue una operación por la cual ciertas clases de la sociedad avanzaron en cuanto al poder respecto de otras. Cuando estas otras clases quisieron a su vez avanzar, fueron castigadas de la manera que conocemos. Hay que poner esto en los términos en que realmente sucedió, y sucedió en términos políticos y económicos, por eso la reparación tendría que ser en términos políticos y en términos de la redistribución del ingreso. Como están dadas las cuestiones de equilibrio de poder en nuestro país en la actualidad, plantearlo así es casi una utopía, un absurdo, pero no hay que perder de vista el orden del cual proceden todos estos fenómenos, es el orden del poder político. Nosotros, obviamente, ahí no podemos operar, podemos contribuir al conocimiento de lo que pasó y a tratar de hacer entender que cada uno de los casos es una representación en actos de una cosa que estaba pasando en toda la sociedad.

Los responsables del poder político en nuestro país, desde 1976 hasta hoy, han perpetuado y legitimado este reacomodamiento, entonces lo que se puede hacer son estas pequeñas cosas de tratar de recuperar los nombres de una persona o de unas personas; pero en realidad es peligroso en el sentido de que se pierde de vista el significado real de lo que acá verdaderamente pasó: cuando la gente trató de organizarse, cuando la gente trató de trabajar de manera colectiva, de reivindicar sus derechos, ya sabemos qué hicieron las clases dominantes de este país. Ellos son los responsables y ellos son los que hasta hoy y durante un tiempo van a seguir decidiendo qué es lo que pasa aquí.

Por eso me parece que es muy difícil que alguna vez entreguen las listas de lo sucedido con los desaparecidos. Eso es información y la información es poder, cuando deja de ser información secreta para ser pública, ese poder se pierde. Pero bueno, estamos hablando de un país en el que alguien como Mariano Grondona es profesor de democracia, estamos hablando de un país en el cual sabemos quién ganó y quién perdió. Éstas son las consecuencias de la derrota.

Yo creo que este trabajo –por eso lo hacemos– ayuda a establecer, dentro de nuestras limitaciones, la verdad sobre lo que ha pasado con una persona. Cuando se establece la verdad sobre la suerte corrida por una persona, creemos que es información útil que viene a curar una herida importante dentro del grupo más allegado a la persona, y que viene a curar una parte muy chiquita dentro de un tejido mucho mayor que es el que ha sido dañado. Nosotros no creemos que la herida abierta para todas las personas sea útil, no creemos que sirva para nada. Por otro lado, lo que nosotros establecemos acerca de estas personas no es que se han muerto de cualquier cosa, sino que han muerto asesinadas, claramente, o sea que estamos demostrando de una manera mucho más contundente y más elocuente un crimen. Por eso que haya gente que todavía se oponga a las exhumaciones y a las identificaciones me parece que es indefendible desde todo punto de vista, y que éticamente esa postura es muy criticable. Que tengan reservas con nosotros, que no nos tengan en buen concepto personal, están en su legítimo derecho y quizá tengan buenas razones, pero oponerse a las exhumaciones e identificaciones y restituciones, eso no se explica. Realmente dudo de los motivos por los que lo hacen. Pero no nos preocupan, nosotros sabemos por qué lo hacemos, para qué lo hacemos, y hemos visto para qué sirve. Para nosotros eso es suficiente.

Creo que quienes se oponen, a esta altura también han visto para qué sirve su oposición, en qué redunda, y deberían revisar su postura. Para nosotros esa oposición es un tema clausurado sobre el que no estamos dispuestos ni siquiera a discutir, porque me parece que la trayectoria de todos estos años ha sido elocuente. Hemos trabajado en Asia, en África, en todo el resto de América latina, en Europa oriental; y en todas partes esto tiene un resultado similar: demuestra crímenes y por lo tanto asigna responsabilidad a los criminales. Permite que se elabore el duelo en el marco del grupo privado de la persona victimizada. Por eso desde nuestro punto de vista esto es útil y es algo sobre lo cual ya no discutimos.

Hemos trabajado con gente de las más diversas culturas, con gente de la religión islámica como son los kurdos, o con los bosnios del Estado yugoeslavo o del Estado croata, o entre los etíopes, o con gente del Congo, de Filipinas, o en Guatemala, entre los aborígenes, pero en ninguna parte nos ha pasado, jamás, que alguien viniera a decir no a las exhumaciones. Eso es un disparate que no hemos visto en ningún lugar del mundo, salvo en nuestro propio país.

Hacer el duelo es una cosa absolutamente necesaria. Todas las culturas hacen que las personas puedan vincularse con el muerto de una manera distinta a como se vinculaban con la persona viva. Eso en nuestra cultura se llama duelo, y está en todas las culturas, como antropólogos nosotros estudiamos eso y vemos que es una constante.

En el duelo los deudos son acompañados por el resto de la comunidad en esa transición. En nuestro país eso no ha podido hacerse. La gente no ha podido ni siquiera saber de manera fehaciente que su ser querido estaba muerto porque aquel responsable de su muerte también es responsable del ocultamiento de eso, del ocultamiento de la identidad, y en ese aspecto es que nosotros lo abordamos. Respecto de los casos concretos en los cuales nosotros hemos trabajado, pasa que el duelo empieza en el momento en que hay certeza, en que hay seguridad, en que hay un cuerpo al cual se puede honrar.

Creemos que haber hecho las cosas de esa manera, con ese grado de ocultamiento y de negación, fue una decisión tomada en base a situaciones parecidas ocurridas en otros países, en lo que estaba pasando en Guatemala y en otros lugares, y fue una decisión que tuvo que ver con la situación política de ese momento. Los responsables del poder económico, los responsables de las Fuerzas Armadas y seguramente los responsables de la jerarquía eclesiástica, decidieron hacerlo de esa manera. Decidieron que iban a acabar con el estado de movilización y de cuestionamiento que ocurría en ese momento. Tenían dos formas de hacerlo: una forma pública, centralizada, una especie de ministerio de la represión, por decirlo de algún modo; o la forma clandestina, la forma en la cual el Estado francés lo había hecho en Argelia, por ejemplo. La forma clandestina tiene esas características, es más ágil, es operativa, es contundente. Y niega. Niega todo. Niega el secuestro. Niega la tortura. Niega el asesinato. Dado el equilibrio de cosas en aquel momento, y visto el formidable rechazo que había recibido la represión iniciada tres años antes en Chile, optaron por hacerlo en forma clandestina. Armaron un plan, acordaron con los empresarios argentinos que el blanco que iban a atacar en primer término iba a ser el de las comisiones internas obreras. Después –y esto se puede demostrar– se dirigieron hacia las organizaciones estudiantiles y hacia las organizaciones guerrilleras; y, en última instancia, esos mismos grupos de tareas descentralizados y casi borrachos de muerte como estaban, siguieron con sus propios negocios, por llamarlo de alguna manera. Pero esto fue una cosa muy bien organizada y muy bien ejecutada, en todo momento ellos sabían exactamente lo que estaban haciendo, y lo siguieron haciendo.

Nosotros hemos conocido decenas de casos de chantajes, de extorsiones de militares, de familiares y socios de militares que les sacaban dinero a los familiares de los secuestrados con la promesa de que iban a tener alguna información algún resultado, que iban a salvarle la vida. Hemos escuchado tantas veces eso que ya no podemos dudar de que fue como un subproducto funcional al sistema que se implantó. Así como transfirieron a todo el resto de la comunidad la deuda de todas las empresas privadas cuando Cavallo estaba en el Banco Central, del mismo modo el saqueo se extendió a todos los bienes de los secuestrados. Desmantelaban las casas, chantajeaban a los familiares y negaban. Negaban y siguen negando. Pero eso no deja de ser el rastro de una cosa sistemática.

La palabra desaparecido fue una designación muy poco feliz sobre lo que estaba pasando. Básicamente, porque la gente no desaparece. No puede desaparecer. Somos, entre otras cosas, materia. La materia se transforma, pero no desaparece. Y el verbo desaparecer, que no es un verbo transitivo, se transformó en un verbo transitivo. "A Fulano lo desaparecieron", se decía. Y cuando se designa de una manera tan poco feliz lo que sucede, las consecuencias también se pagan. La gente no desaparecía. La secuestraban, a la enorme mayoría en su casa. A la gente la llevaban a los centros clandestinos de detención. A la gente la torturaban. A la gente la asesinaban. La tiraban de aviones o la hacían aparecer como un NN, o la enterraban vaya a saber uno dónde. Pero la gente no desaparecía.

Lo que esto produce es un efecto fantasmático, un efecto macabro, porque al no dar cuenta de lo que realmente pasaba, lo que surge es una explicación alternativa que llega a un punto en el que se aleja de la realidad y pasa a transformarse en un fantasma. Y ese fantasma nos va a acompañar siempre.

Buenos Aires, 13 de junio de 1998.

Epílogo

"No basta sólo con conocer la naturaleza y el origen del horror, sino que la posibilidad de elaboración subjetiva necesita del reconocimiento y elaboración colectivos."

R. KAES, *Violencia de Estado y psicoanálisis*

COMENCÉ A TRABAJAR en *Pájaros sin luz* en una situación de dolor. Creo hoy, dos años más tarde, que lo hice apelando a un recurso o una estrategia que a veces empleamos los seres humanos para transformar el sufrimiento en algo productivo y capaz de ser compartido con otros.

En 1997, poco antes de cumplirse veinte años de la desaparición de su padre, mi hijo Lautaro había caído en una profunda depresión. Sus veinte años estaban cerca y más allá de las crisis que cualquier adolescente puede atravesar en esa etapa, en él resultaba evidente la dificultad para elaborar esa situación irrevocable que es la desaparición y las consecuencias que a lo largo de los años produjo en la familia.

Para mí fue un golpe brutal e inesperado, no hacía demasiado tiempo que había comenzado a convencerme de que la vida despuntaba más amable y generosa con nosotros, y me resultó muy difícil superar la bronca, la desdicha y el dolor de ver el sufrimiento psíquico que atravesó a mi hijo.

En medio de esa situación comencé, por supuesto, a cuestionar mi propio rol de madre y a preguntarme qué había pasado, cómo habíamos actuado, qué había sido de las que fuimos las mujeres de los desaparecidos y las madres de sus hijos.

Hasta ese entonces me había resultado difícil, salvo con gente muy allegada o que había pasado por lo mismo, hablar de cómo nos fue en la vida a mis hijos y a mí después de la desaparición de Eduardo. Surgió así una fuerte necesidad de saber qué les había pasado a otras mujeres en las mismas circunstancias.

Es complejo lo que sucedió con quienes fuimos las mujeres de los desaparecidos. Lo nuestro fue el silencio en lo público, salvo en cuestiones muy precisas que afectaban directamente a nuestros hijos, por ejemplo, la eximición del servicio militar

Siempre me resultó llamativo este silencio. De las protagonistas, de quienes militan en organismos de derechos humanos, de quienes hablan o escriben sobre las desapariciones y sus huellas, de la sociedad en general. Un claro reflejo de esto es que en contadísimas oportunidades fuimos mencionadas por autores e investigadores entre los familiares. Como si los desaparecidos hubieran sido célibes. Como si los hijos de los desaparecidos hubieran nacido de probeta y hubieran sido criados por robots. Como si los desaparecidos sólo hubieran tenido madre y los hijos de los desaparecidos sólo abuelas. Extraño fenómeno. Porque los desaparecidos, hombres y mujeres, eran seres completos que amaban, tenían familias con padres, hermanos, tíos, primos, abuelos; tenían mujeres, novias, parejas, hacían el amor, procreaban. Tenían historias completas, como cualquier ser humano. Fueron, antes que desaparecidos, seres humanos.

Y sus hijos –una gran parte de ellos– tienen madres. Y hermanos y abuelas y abuelos, y tíos y primos y todo lo demás. Son también, ante todo, seres humanos completos.

Mi pregunta fue, entonces, por qué se produjo esta devastación pública de una parte del núcleo familiar de los desaparecidos. Me resultaba demasiado siniestro pensar que desaparecimos con ellos.

Y comencé a buscar las respuestas que, pensé, podría encontrar en esas mujeres cuya voz nunca había sido escuchada. Y supe que ellas tampoco habían hablado mucho de esto. Que, entre otras cosas, nos hermanan años de silencio. De hablar quedo y para adentro. Casi furtivamente. No tuvimos, parece, no encontramos un lugar de hablar, de llorar, de compartir. Un tiempo. Tal vez unos oídos dispuestos.

Me encontré con mujeres que querían ser escuchadas, que deseaban contar su historia, testimoniar, compartir experiencias, angustias, risas, lágrimas, recuerdos entrañables, incertidumbres y certezas con respecto a ellas y a sus hijos. Con mujeres que, además, querían reivindicarse como mujeres, como militantes y como madres. Como protagonistas de una historia y una memoria que pugna día a día contra el ominoso imperio del olvido que aún hoy, desde algunos sectores, se pretende instaurar.

Ellas se prestaron solidaria y generosamente a explorar esa herida nunca del todo cicatrizada, hipersensible y aún palpitante, provocada por el hecho del secuestro y la desaparición de quienes fueron sus compañeros, sus parejas, sus maridos, y los padres de sus hijos, en los casos en que los hubo. Mujeres de diverso origen y militancia política, o sin ella; mujeres de la Capital, de la provincia, del interior; trabajadoras, profesionales, amas de casa. Mujeres que intentaron –y pudieron o no– consolidar otra pareja y mujeres que ni siquiera se permitieron pensar en eso. Mujeres que luego de quince o más años lograron hallar a quienes fueron sus compañeros en tumbas NN, y junto a sus hijos depositaron los huesos queridos y ahora nombrados en algún cementerio. Mujeres que nunca supieron ni encontraron nada. Mujeres que aún hoy buscan, otras que esperan, y otras que con todo y a pesar de todo también viven. Mujeres que testimoniaron apuntaladas por sus hijas, también mujeres, a quienes criaron en medio del dolor y la soledad y en quienes hoy se apoyan y cobijan. Hijas mujeres que son quienes rescatan y se hacen cargo de la militancia de sus padres, rompiendo ese silencio, esa oscuridad en la que sus madres quedaron sumidas, *acobardadas, como pájaros sin luz.*

Cada una me sorprendió y dejó huellas en mí, emociones nuevas, puntos de vista desconocidos, un profundo sentimiento de cercanía, de confianza, de ternura y de afecto, de mucho afecto. De la mano de cada una también transité mi historia y mi propio camino.

Hubo otras situaciones que me impresionaron ingratamente, aunque me proporcionaron pistas sobre algunas de las razones de tanto silencio. Quizá la más notable fue la percepción reiterada de que para muchas personas allegadas al tema de las desapariciones y sus consecuencias, quienes fuimos mujeres de los desaparecidos no figuramos entre sus vínculos más cercanos o, por decirlo de otro modo, entre los vínculos familiares y afectivos de primera categoría. Hubo un caso que me resultó paradigmático, el de una psicóloga especializada en el tratamiento de pacientes que han sido víctimas del terrorismo de Estado, sobrevivientes o familiares de desaparecidos; una profesional que desarrolla su labor en el marco de uno de los organismos de derechos humanos. Cuando le expliqué que se trataba de un trabajo testimonial sobre mujeres de desaparecidos, me respondió: "Bueno, pero lo que sucede es que el de las compañeras de los desaparecidos es otro tipo de vínculo, ellas rehicieron sus vidas, formaron otras parejas, es muy distinto".

¿Qué se dice cuando se dice "rehicieron" su vida? Una vida continúa, lo que se hace no borra, no anula, no desaparece lo anteriormente vivido.

También me resultó inesperado advertir que existe confusión y dificultad, incluso en gente muy allegada al tema, en diferenciar a los muertos de los desaparecidos. Hubo compañeras que se acercaron a ofrecer su testimonio, mujeres de militantes asesinados, fusilados, pero no desaparecidos. Ellas supieron desde un primer momento, o a los pocos días, que sus maridos habían sido asesinados, conocieron cómo sucedió y les fueron restituidos sus restos, hicieron un funeral y los depositaron en una tumba.

Requirió una larga charla y una profunda explicación de la diferencia que existe entre una y otra situación para que se entendiera que mi objetivo no era "discriminatorio" como lo calificaron en un primer momento, sino que en verdad una muerte confirmada, un cuerpo, una tumba, una certeza, producen consecuencias muy diferentes a las provocadas por la desaparición que, por otra parte, como se sabe, es un delito penal que continúa en tanto el desaparecido no aparece. Y mientras la desaparición continúa la dificultad para elaborar el duelo permanece. En nuestro país esa dificultad se mantiene desde hace más de 23 años, cuando el secuestro y la desaparición se instituyeron como un plan sistemático de exterminio por parte del Estado.

Hubo un caso, el de Mirta Clara, que fue la mujer de Néstor Sala, uno de los militantes fusilados en la masacre de Margarita Belén, en el Chaco, que incluí en *Pájaros sin luz.* ¿Por qué? Porque no pude resistir mi propia necesidad de escuchar a una compañera que había podido conocer cómo habían sido las últimas horas de su compañero, qué palabras había dejado para su mujer y sus hijos, cómo lo habían asesinado.

Mi intención no apunta a sacar conclusiones o a definir teorías cerradas acerca del por qué del silencio en torno a quienes fuimos las mujeres de los desaparecidos, creo que los motivos son diversos y se desprenden de los propios testimonios, de lo vivido por cada una de nosotras y también por nuestros hijos. En todo caso, es una investigación que pretende ser un aporte más a la memoria colectiva y a la elaboración de lo sucedido en el conjunto de nuestra sociedad. Aunque no puedo dejar de sentir que el hecho de ser *mujeres*, jóvenes en aquel entonces, muchas de las cuales protagonizamos a través de nuestra propia militancia esa parte de la historia, le añade a ese misterioso silencio un plus evidente.

Entre tanto la historia continúa, los años pasan y nuestros hijos se acercan a la edad que tenían sus padres cuando los desaparecieron. Hay chicos que están padeciendo estallidos emocionales o psicológicos derivados en gran medida de la falta de la posibilidad de una correcta elaboración subjetiva de los sucedido, agravada por la no elaboración y el no reconocimiento social del tema y por la imposición de la impunidad legalizada a través de la falta de la verdad sobre lo ocurrido y la condena a los culpables.

El Cels (Centro de Estudios Legales y Sociales) ya daba cuenta de esto en el informe anual publicado en 1996 bajo el título: “La impunidad y sus efectos: salud mental y derechos humanos”.

El delito continúa y vuelve a golpear a nuestros hijos, hijos de nuestra carne y de la de aquellos a los que, desdichadamente, llamamos “los desaparecidos”. Hijos, también, de esta sociedad en cuyo seno fue posible esa parte tremenda de la historia. *Pájaros sin luz* sólo pretende ser una pieza más de ese rompecabezas que constituye nuestra memoria terca.

Agosto de 1999.

Agradecimientos

A TODAS LAS MUJERES que con entusiasmo y solidaridad accedieron a testimoniar. A quienes aportaron con su memoria a rescatar a aquellas mujeres que por años permanecieron en silencio: Darío Olmo, Victorio Paulón, Rubén Díaz, Gonzalo Chávez, Francisco "Barba" Gutiérrez, Gustavo Rolandi y Cecilia Martínez. A Nora Patrich, autora del óleo que ilustra la tapa y esposa de un militante asesinado durante la dictadura. A mis hijos Lautaro y Grisel que participaron en la búsqueda de testimonios. A Jacobo, mi marido, que supo comprender mi necesidad de reconstruir esta historia. A Araceli Bellota que tuvo la generosidad de presentarme en la editorial. A mi editora, Paula Pérez Alonso, que con afecto, compromiso y dedicación me guió y acompañó a lo largo de casi tres años.

Índice

Esta edición
se terminó de imprimir en
Grafinor S.A.
Lamadrid 1576, Villa Ballester,
en el mes de mayo de 2000.